De gek op de heuvel

Koen Vermeiren

De gek op de heuvel

Roman

Manteau Antwerpen/Amsterdam

Voor Joke en Bart

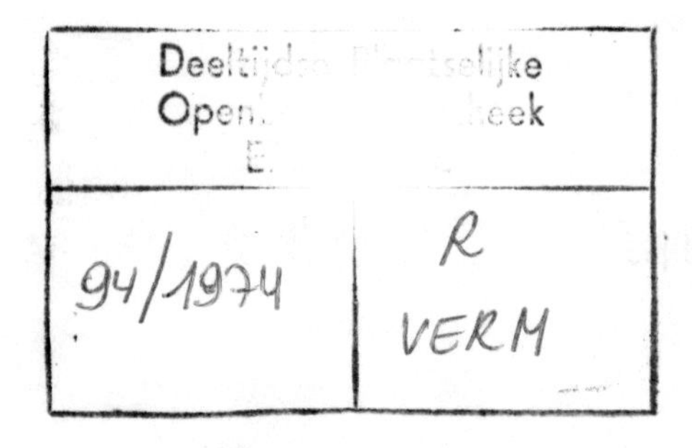

Eerste druk september 1993
Tweede druk november 1993
Derde druk februari 1994
Omslagontwerp Carine Cuypers
ISBN 90-223-1306-9
D 1994 0065 10
NUGI 300

Deel I

He's a real nowhere man,
Sitting in his nowhere land,
Making all his nowhere plans for nobody.
LENNON & MCCARTNEY, *Nowhere Man*

– 1982 –

EEN SPRONG IN HET DUISTER, dacht Erik Taelman, daar lijkt mijn leven tegenwoordig nog het meest op. Onwillekeurig tastte hij naar het notitieboekje in zijn jaszak, maar halverwege die beweging hield hij zich in. Er was geen haast bij. Hij had zich voorgenomen een dagboek bij te houden, in de hoop wat meer zicht te krijgen op zijn gedachten en gevoelens, die de jongste tijd nogal verward waren. Misschien zou hij er een patroon in ontdekken dat hem kon helpen te begrijpen wat er met hem aan de hand was. Maar kon iemand die bezig was met vallen zich op eigen kracht behoeden voor de klap?

Als een verdwaasde liep hij naast Inge door het centrum van Brugge, de stad die hem anders telkens weer wist te bekoren en waar hij enkele jaren geleden afscheid had genomen van Mirjam, die met haar vriend en toekomstige echtgenoot naar Zuid-Afrika was vertrokken. Maar vandaag bleef hij ongevoelig voor de middeleeuwse charmes en melancholie van de Bourgondische Scone. Zelfs de boekwinkels konden hem niet verlokken. Even stond hij te aarzelen met *Dood op krediet* in zijn handen, toen keerde hij ook Célines grijnzende smoel de rug toe. Wie valt, moet onderweg niet nóg meer ballast meesleuren. Inge deed nochtans alle moeite van de wereld om hem op te monteren en de spanning tussen hen te breken, dat zag hij wel. Ze verzekerde hem nogmaals dat hij gerust thuis kon blijven, dat zij wel werk zou zoeken, zodat hij zijn tijd volledig aan zijn artikels en aan de voorbereiding van zijn proefschrift kon besteden. Want dat was het toch waarover hij liep te piekeren?

'Weet je, beschouw het als een investering op lange termijn van mijnentwege,' zei ze glimlachend, maar hij ging er niet op in, stelde voor ergens iets te drinken.

Zij noemde hem koppig. Hij vond zichzelf op dat moment

veeleer zielig en voelde een vage woede in zich opkomen, eigenlijk zonder te weten waarom.

‘’t Is lief van je,’ zei hij, ‘maar laten we er nu over zwijgen.’

In geen tijd dronk hij twee glazen rode wijn, terwijl Inge hem onderzoekend zat aan te kijken van achter een kopje dampende koffie. Ze bedoelde het ongetwijfeld goed, maar scheen niet te begrijpen dat haar voorstel hem iedere keer een beetje moedelozer maakte. Op de radio werd de muziek onderbroken door een stem die zei dat het verkeer richting Antwerpen in Aalter over één rijstrook moest wegens een ongeval met een tankwagen. Wie de file wilde vermijden, kon best een omweg nemen.

In de straat waar zij woonden, zag Erik in het halfduister een kat langs de weg liggen. Hij stopte om te kijken of ze nog leefde en gelijk sloeg de schrik hem om het hart. Maar het was Mira niet. Haar linkeroog was uit haar kop gerukt en lag als een glanzende knikker in het niets te staren. De angst die hem toen overviel, vloeide voort uit de gedachte dat het daar ten slotte altijd mee eindigt.

Enkele dagen later werden zij heel vroeg ’s ochtends, het was nog donker, uit bed gebeld door twee politieagenten van wie de combi ronkend voor de deur stond. Het moest er eens van komen. Amper had hij ja geantwoord op de vraag of hij Erik Taelman heette, toen één van hen al de trap op stormde, op zoek naar de slaapkamer, waar Inge met kloppend hart was achtergebleven. Hij riep de man terug en zei dat hij niets zou ontkennen van wat er in de aanklacht stond, waarna de agenten opeens veel vriendelijker werden. Terwijl er procesverbaal werd opgemaakt, ging Inge koffie zetten. Ze wilden weten of hij een *gezonde* kerel was met een *normale* belangstelling voor vrouwen, en toen Erik antwoordde dat hij en Inge in één bed sliepen – als het dat was wat ze bedoelden? – knikten beiden tevreden.

‘We hebben het wel eens anders meegemaakt,’ zei de oudste, ‘verleden week nog moesten we er een gaan betrappen die al meer dan twee jaar aanhield met de vrouw van zijn beste vriend, heel de buurt wist ervan, en weet ge wat hij zei? Dat ze in al die tijd nog nooit... enfin, ge weet wel, zeg nu zelf, dat is toch niet te geloven, hé!'

'Bon,' viel de jongste in, 'als meneer hier nu nog eens wil tekenen, dan kunnen we allemaal weer gaan slapen.'

'Ik zou daar een boek over kunnen schrijven,' zei de andere, 'want wat wij allemaal meemaken, daar hebt ge geen gedacht van.'

Bij het buitengaan verontschuldigden zij zich voor het vroege uur. Erik moest begrijpen dat het hun plicht was en dat ze toch moeilijk een afspraak konden maken in zulke gevallen. Maar nadat de deur achter hen in het slot was gevallen, had hij het gevoel dat de dag al verknoeid was nog vóór hij was begonnen.

Het was niet de eerste keer dat hij en Inge kletterende ruzie hadden, maar zó erg was het nog nooit geweest, en dan nog over zoiets banaals. Erik was later dan gewoonlijk thuisgekomen, omdat hij met enkele collega's van de school in het café had gezeten. En hij moest haar niet proberen wijs te maken dat daar geen vrouwen bij waren geweest!

Het was de spanning om alles wat er de laatste tijd gebeurd was die haar op deze manier deed reageren, dat begreep hij wel, maar toch had hij zin om haar aan de deur te zetten, met hém erbij. Zij vertrouwde hem niet, zoveel was zeker. Misschien had ze niet helemaal ongelijk – die paar brieven die hij uit Zuid-Afrika had ontvangen, had hij Inge niet laten lezen en soms vroeg hij zich af wat er zou gebeuren indien Mirjam toch naar België terugkeerde – maar het maakte hem niet minder boos. Ditmaal was ze te ver gegaan.

Kilometers had hij gelopen om de agressie uit zijn lichaam te verdrijven. Als een gek spurtte hij door het bos, zichzelf achterna, tot hij er bijna bij neerviel. De aanleiding tot de ruzie was deze keer zo dwaas, dat het onmogelijk werd erover te praten. Wat moest hij zeggen? Dat er natuurlijk vrouwen bij waren geweest en dat het hele gezelschap zich zelfs goed had geamuseerd? De oorzaak van Inges jaloezie zat veel dieper en had te maken met angst. Maar waarvoor?

Hijgend zat Erik tegen een boom te kijken naar het spel van de wolken. Als kind had hij vaak geprobeerd daarin gezichten of bekende figuren te herkennen en indien hij maar lang genoeg wachtte, lukte dat altijd. Soms stond er iemand naast hem die trachtte te zien wat hij zag, maar hoe hij ook zijn best deed om het te beschrijven, nooit keken ze met dezelfde ogen. Nu ontdekte hij er echter niets anders in dan wat grijs-witte vlekken die geluidloos door de lucht jaagden. Zelfs zijn fantasie liet hem in de steek.

Boven op al de rest – geldgebrek, die verstikkende schoolsfeer, zijn studiewerk dat maar niet vorderde, en natuurlijk Bennie, altijd weer Bennie – stapelde zich nu die vijandige stemming in huis. Inge had ermee gedreigd hem te verlaten, ze zou op zoek gaan naar een andere woning omdat het zo niet verder kon.

'Je doet maar,' had hij toonloos geantwoord, ervan overtuigd dat ze hem alleen had willen uitdagen. Maar op hetzelfde moment was hij van zijn eigen koele woorden geschrokken.

Nu, twee uur later, was ze nog altijd niet terug. Meende zij het dan echt, van dat verhuizen? Erik had ruim de tijd genomen om te douchen en zat nu achter zijn bureau aan een tijdschriftartikel te werken om zijn gedachten op iets anders te concentreren, maar het vlotte niet al te best. Hij was reeds driemaal opnieuw begonnen en voelde dat het ook deze keer niets zou worden. Daarjuist had hij een takelwagen van de garage wat verder in de straat ijlings zien vertrekken en hij maakte zich nu werkelijk zorgen. Hij wist dat ze tot veel in staat was, het was nog gebeurd dat zij in een opwelling in de auto sprong en er als een razende vandoor reed. Toen hij op een keer de poort vóór haar wilde sluiten om haar het wegrijden te beletten, had ze die zonder aarzelen ingebeukt. Of had ze er in haar verblinding niets van gemerkt? Hij kon maar net op tijd opzij springen, terwijl de houten poort in stukken uiteenvloog. Later had hij de latten, zo goed en zo kwaad als het ging, weer aaneengenageld en geen van beiden had er ooit nog met een woord over gerept. Alsof het niet was gebeurd.

Vier uur 's middags. Ze was eindelijk thuisgekomen en meteen naar boven gegaan. Erik zag dat haar ogen rood en gezwollen waren, en noteerde ook dat in zijn dagboek, met het juiste tijdstip erbij. Hij was opgelucht en toch voelde hij dat de woede die in hem was blijven smeulen, opnieuw met knisterende vlammetjes begon te branden. Elkaar ontwijken was geen oplossing, maar de eerste stap zou deze keer niet van hem komen.

Toen hij een tweetal dagen later zijn aantekeningen herlas, leken ze hem alleen maar belachelijk. Zo gaat dat met grote emoties. De toestand was nog onvoorspelbaar. Praten werd er amper gedaan, want koppig waren ze allebei. Bovendien scheen ook Inge overtuigd van háár gelijk. Hoe langer de toenadering uitbleef, hoe moeilijker het zou worden. Ook Bennie leek iets van de sfeer aan te voelen, want hij hield niet op met zeuren. Het kind kon er zelf niets aan doen, maar dat nam niet weg dat het zenuwslopend was. Vooral 's nachts. Inge bracht soms uren door aan zijn bed, hem sussend en strelend, tot hij van pure uitputting insliep. Gewoonlijk echter niet voor lang en nooit later dan tot vijf uur 's ochtends. Tegen die tijd stonk de kamer als een beerput.

De rest van de week voltrok zich tussen Erik en Inge een spelletje van aanhalen en afstoten. De richting was nog niet bepaald, maar er hing dooi in de lucht. 's Avonds gebeurde het, tijdens een televisieaflevering van Evelyn Waughs *Brideshead revisited*, waarin decadentie en weemoed elkaar perfect in evenwicht hielden. Charles Ryder, die als soldaat wordt ingekwartierd in het vervallen kasteel van zijn jeugdvriend, dwaalt door de lege vertrekken en herleeft in die momenten zijn eigen mislukking, zijn onvervulde liefde en dromen. Hij ziet het allemaal aan zich voorbij trekken, als vormloze wolken op weg naar nergens. Erik ontkurkte een fles witte wijn en even later werd de verzoening stilzwijgend gevierd. Hij was er evenwel zeker van dat het de sfeer van de film was geweest die uiteindelijk de doorslag had gegeven.

De herstelde regelmaat van de daaropvolgende weken werd verbroken door het bericht dat Eriks grootmoeder dringend moest worden geopereerd. Zij en haar man waren destijds de eersten geweest die hem zijn 'vergissing', zoals het in de familie werd genoemd, hadden vergeven. Ze had hem samen met Inge op de koffie uitgenodigd en daarna hadden ze met z'n vieren tot 's avonds laat zitten kaarten.

'Oude mensen zoals wij hebben geen tijd meer om over zoiets lang ruzie te maken,' had ze gezegd voor ze de deur achter hen sloot, en daarmee was het voor haar een gedane zaak.

En nu lag ze daar in dat smalle, hoge ziekenhuisbed. Lijkbleek en snakkend naar adem, alsof ze ieder moment kon stikken.

'Zouden we er niet beter iemand bijroepen?' vroeg Erik. 'Ze doet zo vreemd.'

Eerst kwam een verpleegster, maar die scheen er ook geen raad mee te weten. De arts vond het nodig via de neus een sonde tot in de maag te duwen, want die zat vol lucht. Viermaal mislukte het, waarna hij het plastic slangetje met zijn vingers tot diep in de slokdarm probeerde te schuiven. Inge was ondertussen kokhalzend naar buiten gelopen, maar Erik had het gevoel dat hij de kamer niet mocht verlaten, of er zou iets vreselijks gebeuren. Traag, centimeter na centimeter, zag hij het darmpje in grootmoeders bloedende neus verdwijnen, tot hij er bijna zelf van moest braken. Dan hoorde hij opeens een borrelend geluid en leek het of de maag van de zieke als een sputterende ballon leegliep. Nu die pijnlijke druk uit haar buik verdwenen was, werd grootmoeder rustiger en even later viel ze zelfs in slaap. De aftakeling, dacht Erik, alles krimpt samen tot een kleine kamer, een bed, een lichaam ten slotte. Vóór we het beseffen, is het zover.

Terwijl hij naar dat bleke gezicht keek, stelde hij zich voor dat zijn grootmoeder in de deuropening zou verschijnen als het mollige twintigjarige meisje dat hij nog niet zo heel lang geleden op een foto had gezien. Hij vroeg zich af wie van beiden de ander het eerst zou herkennen. Of kon hier van herkenning geen sprake meer zijn?

Inge bekeek hem wat ongelovig toen hij thuiskwam met een spade, een hark en een snoeimes die hij in het dorp had gekocht. Een paar minuten later was hij in de tuin aan het werken dat het een lust was. Struiken en boompjes die naast het huis stonden, werden verplaatst, zodat er een hoekje vrijkwam waar straks groenten en kruiden konden groeien. Op één of andere manier gaf het Erik een gevoel van geruststelling, alsof hij bezig was de grond waarop ze nu bijna een jaar woonden, ook echt in bezit te nemen. Het duurde niet lang voor de eerste krassen en een paar venijnige blaren op zijn handen verschenen – 'het werken niet gewoon,' zou zijn overleden grootvader hebben gezegd – maar het werd een zalige lentedag vol zon, waarop de geur van de nog klamme aarde en van het jonge groen bedwelmend in de lucht hing. 's Avonds merkte Erik tot zijn genoegdoening dat hij zich sinds lang niet meer zo goed had gevoeld, iets wat hij ook in zijn dagboek schreef.

Toen hij de datum onder ogen kreeg, ging er een lichte schok door hem heen. Herinneringen leken soms een virus dat indommelde, in perioden van zwakte opeens weer actief werd en dan met verhevigde kracht toesloeg. Precies een jaar geleden had Erik, thuis bij zijn ouders, afscheid genomen van zijn stokoude, halfblinde Ierse setter. Nog terwijl de injectienaald met het genadige gif in de poot van de hond stak, zag hij de ogen van het dier uitdoven. Nu wordt zijn wereld uitgeveegd, had hij toen gedacht, en ook ik verdwijn in het niets. Er weerklonk een diep, dreigend gegrom en de hond begon stuiptrekkende bewegingen te maken. Hij richtte zich nog eenmaal moeizaam op, zakte toen ineen en sloeg hard tegen de grond, als een uitgeputte, moegetergde stier die de doodsteek krijgt. Zijn tandvlees werd bleek en kort daarop ontspanden zich zijn sluitspieren. Op het tapijt verscheen een donkere vlek die snel groter werd. Erik trok zijn hand pas weg nadat hij de allerlaatste hartslag had gevoeld. Een zwak tikje op de grens tussen leven en dood. Voorzichtig raakte de dierenarts een oog van de hond aan, maar een reactie kwam er niet meer.

Al dagenlang regende het aan één stuk door en de kuil waarin Erik en zijn vader de hond wilden begraven, stond vol grondwater. Leegscheppen hielp niets. Ze wikkelden het dier in een deken en legden het in een stevige kartonnen doos. Alsof de duivel hen op de hielen zat, hadden zij de put daarna weer dichtgegooid.

Buiten hing er een eigenaardig licht. De hemel was donker als bij nacht, terwijl er vanuit de bossen en weiden een fosforglans leek te stralen. De stroom was uitgevallen en in de verte rommelden de eerste donderslagen. Op zulke momenten zat mijn grootmoeder vroeger zachtjes prevelend naast de kachel, dacht Erik, met tussen haar vingers de zwarte kralen van een veelbeproefde paternoster. Hij had het altijd een geruststellend geluid gevonden.

Maar nu weerklonk alleen het onophoudelijke gehuil van Bennie, al urenlang, en overal in huis was dat zenuwslopende gemekker te horen. Tot Erik er ineens genoeg van kreeg en naar boven stormde, met in zijn hand een zaklantaarn die hij op het geschrokken gezicht van het kind richtte. Enkele ogenblikken was het stil, toen begon het lawaai opnieuw. Erik knipte de lantaarn uit en weer aan, uit, aan, soms vlak na elkaar, dan weer met langere tussenpozen. Bliksemschichten die de nacht doorkliefden. Het gehuil klonk anders nu, nerveuzer, angstiger, ging dan over in gekrijs. Waar bleef Inge in godsnaam? Ze had al meer dan een uur terug moeten zijn. Erik kon het niet verdragen dat ze hem te lang met Bennie alleen liet.

De eerste klap kwam op de benen van de herrieschopper

terecht, nog aarzelend en ingehouden, de volgende overal waar hij het spartelende, schreeuwende mormel raken kon. Tot een strontgeur Erik uit de kamer joeg.

Moest hij zich schamen? Natuurlijk moest hij dat, maar daarmee maakte hij het gebeurde niet ongedaan. In de plaats van schaamte voelde hij vooral verwondering. Dat hij tot zoiets in staat was geweest. Wat had hem opeens bezield? Hij die zich vroeger altijd had kunnen beheersen. Gelukkig had Inge er bij haar thuiskomst geen vragen over gesteld, zodat hij ook niet had hoeven te liegen. Het kwam wel vaker voor dat die idioot zichzelf verwondde. Een paar blauwe plekken zou hij eraan overhouden, meer niet, die zouden over enkele dagen alweer genezen zijn. Veel minder erg, dacht Erik, dan de kwetsuren die hij zijn eigen ziel had toegebracht. Over wat er die middag was gebeurd, repte hij in zijn dagboek met geen woord.

'Wat doet die kat hier in huis, en dan nog wel in de fauteuil?'

'*Die kat* heeft toevallig een naam.'

'Ik vroeg wat ze hier doet.'

'Ik heb ze binnengelaten, het regende dat het goot.'

'Ze maakt alles vuil, kijk maar, de kussens hangen al vol vieze haren!'

Zo was het die avond begonnen. Inge haatte katten en noemde zijn dierenliefde ziekelijk. Alsof hij beesten interessanter vond dan mensen, zei ze. Misschien, dacht Erik, is het toch geen goed idee geweest te gaan samenwonen. Hij duwde die gezwollen overweging evenwel meteen weer weg. Hij hield van Inge, daar mocht hij niet aan beginnen te twijfelen. Toch had hij de indruk dat ze de jongste tijd niet meer helemaal zichzelf was. Of was *hij* te lang alleen geweest en moest hij geduld met haar leren hebben? Ze had het dat laatste jaar van haar huwelijk allesbehalve makkelijk gehad en de naderende rechtszaak maakte haar natuurlijk nerveus, er hing ook zoveel vanaf. Want stel dat Bennie van haar werd weggenomen...

Hoopte Erik dat? Hij durfde de vraag amper te *denken*. Had hij trouwens niet zélf bezwaar aangetekend tegen het verslag van de sociaal werkster die bij hen aan huis was geweest, nog vóór iemand het had kunnen lezen? Die feeks zat nog niet goed en wel neer, of het was duidelijk dat het een doorgestoken kaart was en dat haar vernietigend oordeel reeds vaststond. Haar man en de vader van Bennie zaten als partijgenoten in hetzelfde gemeentebestuur en waren allebei actief in het verenigingsleven: de volleybalclub, turnkring *Klein maar Dapper* en *De Lustige Blaaskapel*. Inge kreeg het ene na het andere verwijt naar het hoofd – want had niet *zij* haar man verlaten? – en toen was het de beurt aan Erik. Hoeveel hij verdiende, met wie hij zo nog allemaal had samengewoond en vooral: wanneer hij eindelijk dacht te trouwen.

Later stond in het gewraakte verslag te lezen dat de sociaal werkster uit 'goede bron' had vernomen dat de heer Taelman eigenlijk een homofiel met promiscue neigingen was. En Inge bleek een onwaardige moeder en een nymfomane te zijn die de verantwoordelijkheid over een kind – en dan zeker een als die arme Bennie – niet kon dragen. Daarom was het beter dat het hoederecht zo spoedig mogelijk aan de vader werd toegekend.

Erik stond op, bracht Mira weer naar buiten en ging zonder één woord te spreken naar zijn bureau. Niet om aan een artikel of aan zijn dissertatie te werken, daarvoor voelde hij zich veel te moe en te lusteloos, maar om in alle stilte te kunnen nadenken. Over de ongerijmdheden in zijn leven die hij zelf steeds minder begreep.

Het idee om nogmaals een weekeinde in Brugge door te brengen, was deze keer van Inge gekomen. Bennie zou bij haar ouders blijven en zo hadden zij enkele dagen – en nachten – alleen voor zichzelf. Erik had het de jongste tijd druk gehad in de school en was ook 's avonds, soms tot laat in de nacht, blijven doorwerken aan zijn proefschrift over *Ethiek en solipsisme in de moderne Nederlandse literatuur*. En daar moest hij nu de tol voor betalen. Het leek of zijn gedachten stuurloos bleven ronddraaien en daartussendoor doken onophoudelijk getallenreeksen, fragmenten van nooit gevoerde gesprekken of de meest onnozele liedjesteksten in hem op. Alsof er kortsluiting in zijn hoofd ontstond. Bovendien sliep hij slecht en voelde hij zich 's morgens vaak vermoeider dan vóór hij in bed kroop.

Als echte toeristen voeren zij met een bootje langs de reien en luisterden naar de gids die het had over de twaalfde-eeuwse geveltjes, het huis waar Spinola tijdens de Spaanse bezetting verbleef, het begijnhof, het Sint-Janshospitaal en de woonst van Guido Gezelle, plaatsen die ze al zo dikwijls hadden bezocht, maar die van op het water nieuw en anders leken. Ze kuierden over de Dyver, tussen de stalletjes van de rommelmarkt, en aten 's avonds in een restaurant vlak bij de Burg. Maar Erik raakte het gevoel niet kwijt dat Bennie tussen hen in liep, dat hij mee aan tafel zat, smakkend en morsend, en zelfs 's nachts, terwijl zij vrijden, lag hij bij hen op de kamer en keek hij toe, klagend en zeurend om aandacht.

Op de terugweg, maandagochtend, kregen ze autopech. De motor gromde en sputterde en raakte telkens weer oververhit. Met veel moeite en liters water in de lekke radiator sukkelden ze tot op een vijftal kilometer van huis, waar de wagen stilviel. Door al die drukte had Erik de brandstofmeter uit het oog verloren en die stond nu in het rood. Tot overmaat van ramp pakten de wolken zich samen tot een donkere, dreigende massa waaruit even later de regen gutsend neerstroomde. Toen hij, kletsnat en bibberend van de kou, de sleutel in de voordeur stak, verlangde Erik naar een warme douche en daarna een bed om droomloos in weg te zinken. Maar over enkele uren moest hij voor de klas staan. Want de week was opnieuw begonnen.

Tijdens het lopen in de bossen kreeg hij vaak de schitterendste invallen, die later meestal onuitvoerbaar bleken, of koelde hij zijn woede op iemand die hem dwars had gezeten. En vandaag was dat de schooldirecteur die de inspectie op hem af had gestuurd, uitgerekend in de technische afdeling, waar het vak Nederlands als een noodzakelijk kwaad werd beschouwd. Gedurende de les hadden De Coninck en de inspecteur de hele tijd ijverig zitten noteren, achter in het klaslokaal, en soms waren ze onder elkaar druk beginnen smoezen, waarbij het norse gezicht van de directeur weinig twijfel liet over de reden van dit onaangekondigde bezoek. Erik was slechts tijdelijk aangesteld en nu het schooljaar ten einde liep, werd het hoe langer hoe duidelijker dat De Coninck hem weg wilde hebben. Zelf vroeg hij niet beter, maar hoe moest het dan verder, vooral nu ook Inge haar deeltijds werk in het ziekenhuislaboratorium kwijt was geraakt?

Het geluid van zijn regelmatige, diepe ademhaling, van zijn schoenen op de mulle zandgrond, het zweet dat hem uitbrak, zijn hart dat joeg om zijn spieren van bloed te voorzien, duwden gewoonlijk de hardnekkigste gedachten uit hem weg, tot ze steeds verder achter hem aanholden en er zich een gelukzalige moeheid in zijn lichaam verspreidde. Maar deze keer wilde het niet lukken, want telkens opnieuw dook die grijnzende smoel van De Coninck tussen de boomstammen op, spottend en met dat hooghartige trekje rond zijn bleke lippen. Op het moment dat Erik hem bijna aan kon raken, verdween de schim, om even later op een andere plaats weer net zo grimmig op te duiken, als een duivelse aardgeest.

Na de les was er niet veel meer gesproken. De directeur had alleen gezegd dat hij er nog wel van zou horen en de inspecteur had zonder één woord het klaslokaal verlaten, alsof hij diep beledigd was door wat hij had gezien en gehoord. Thuis had Erik niets verteld van wat er in de school was gebeurd, maar lang kon het niet meer duren voor ook Inge te weten zou komen wat er hem boven het hoofd hing. Het was trouwens niet de eerste keer dat hij in een katholieke school aan de deur was gezet. Tijdens zijn vorige opdracht, amper een jaar geleden, had de directrice, een bejaarde non, hem voor de keuze gesteld: trouwen of ontslag. De mogelijkheid om te kiezen zou er ditmaal niet eens bij zijn, dacht Erik, terwijl hij met een zucht de chronometer stopte op 43 minuten en 18 seconden. Nog nooit had hij zo lang over de acht kilometer gedaan.

Hoe kan de mens, wiens gedachten en gevoelens alleen aan hemzelf bekend zijn, ooit weten of hij op een ethische manier handelt? En als de wereld inderdaad *mijn* wereld is, bestaat er dan wel zoiets als een waarnemend ik dat tegelijkertijd zichzelf kan observeren en beoordelen? Waarom zou de wereld van een misdadiger of een moordenaar trouwens minder gelukkig zijn dan die van iemand die zich bij alles wat hij doet, afvraagt of het goed en rechtvaardig is? Of lag er in de handeling zelf een beloning of een straf besloten?

Meer dan ooit beet Erik zich vast in zijn proefschrift, dat stilaan vorm begon te krijgen, maar dit betekende dat Inge ook 's avonds steeds vaker alleen zat. En al zei ze het niet, hij kon wel merken dat ze er niet gelukkig mee was. Het gebeurde nog maar zelden dat ze vroeg hoe het werk vorderde en waarmee hij nu precies bezig was, alsof ze haar vertrouwen in hem had verloren. Zijn stelling dat ethiek en solipsisme hun raakpunt hadden in de onuitspreekbaarheid ervan en uitsluitend konden worden *getoond*, had hij eerst theoretisch uiteengezet. Nu kwam het erop aan ze ook toe te passen en te verduidelijken aan de hand van voorbeelden uit de literatuur. Walschaps Jan Houtekiet, de stichter en bezieler van Deps, mocht dan een anarchist en een vrijheidslievende held zijn, hij was ook een tiran die koppig de grillen van zijn lichaam volgde. En Boons Jan de Lichte zag in geweld de enige weg naar een betere wereld. Toch waren het allebei vurige idealisten.

Even bleef het stil. Toen zei Inge, die aandachtig had zitten luisteren, dat het leek of de mens, zoals hij die beschreef, alleen via het kwade tot het goede kon trachten te komen. Alsof je eerst puin moest ruimen om de schatten eronder te ontdekken. En opeens vroeg Erik zich af of zij niet datgene onder woorden had gebracht, wat hij de hele tijd al via een omweg langs de literatuur en de filosofie had willen bewijzen: dat er nog hoop voor hem en Bennie was.

Op het laatavondjournaal, dat hij samen met Inge bekeek alvorens naar bed te gaan, hoorde hij dat er via een 'liefdadigheidsshow' waaraan allerlei bekende figuren hun medewerking hadden verleend, ongeveer vijfenzeventig miljoen frank was ingezameld om wapens te kopen en Engeland in de gelegenheid te stellen de Falklandoorlog voort te zetten. Het bedrog zit in de taal zelf, dacht Erik, hoe kunnen wij dan ooit de waarheid uitspreken? Een bedenking die hij voor het slapengaan nog vlug in zijn dagboek noteerde.

'Is hij altijd zo?' vroeg de dokter, terwijl hij met gefronste wenkbrauwen toekeek hoe Bennie alle papieren op zijn bureau door elkaar haalde.

'Gewoonlijk is het nog erger, geen moment kan dat kind stilzitten, 't is soms om gek van te worden.'

Inge trok Bennie voorzichtig weg van het bureau en wilde hem op schoot nemen, maar de arts hief zijn hand op.

'Neen, neen, laat hem doen, 't kan geen kwaad. Zo kan ik mij een beeld van zijn gedrag vormen.'

Het nachtelijke huilen was nog toegenomen en ook overdag hield het weeklagen niet meer op. De huisdokter had eerst aspirine en daarna kalmerende druppeltjes voorgeschreven, maar toen die evenmin hielpen, had hij Inge naar de zoveelste kinderspecialist doorverwezen. Een lijdensweg die nu al jaren duurde.

'Hoe komt hij aan die buil op zijn voorhoofd? Gevallen?'

'Neen, dat doet hij zelf, tegen tafels en stoelen, soms zelfs tegen de muur. Ik heb wel eens de indruk dat hij pijn met pijn wil verdoven.'

De dokter knikte, keek even naar Erik die onbeweeglijk op zijn stoel zat.

'En die rode strepen op zijn armen?'

'Van zijn eigen nagels. Daarom knip ik ze zo kort.'

'Heeft hij interesse voor bepaald speelgoed?'

‘Alleen gras, zand en water, daar kan hij uren mee bezig zijn. En papier... het liefst van al reclamefolders, omdat ze zo kleurig zijn, denk ik.’

De grond lag vol kapotgescheurde en verfrommelde bladen, maar ook dat scheen de dokter niet te deren.

‘Gras, zegt u?’

‘Ja, dat trekt hij uit met wortel en al, en strooit hij om en over zich heen. Wat hij met papier doet, ziet u zelf.’

Even verscheen er een flauwe glimlach op het gezicht van de dokter, dan keerde de professionele ernst terug.

‘Eerlijk gezegd, ik heb zelden zo’n nerveus kind gezien. Is er ooit een elektro-encefalogram gemaakt?’

‘Vorig jaar, maar omdat hij niet stil bleef zitten, kon men daar weinig of niets mee aanvangen. Hij verdraagt het niet dat iemand zijn hoofd aanraakt. Wanneer ik zijn haar was, schreeuwt hij moord en brand.’

De arts zweeg, scheen over iets na te denken.

‘Hoe reageert hij op zijn nieuwe omgeving, als ik vragen mag?’

‘Zenuwachtig, geloof ik, zoals op iedere verandering, hoe klein ook. Alles heeft bij hem zijn vaste plaats.’

‘En de situatie zoals ze nu is, heeft hij die inmiddels aanvaard, volgens u?’

‘Dat weet ik niet,’ zei Inge, met een schuwe blik in de richting van Erik, ‘de epileptische aanvallen blijven in ieder geval achterwege.’

‘Wanneer was de laatste?’

‘Laat eens kijken... Ongeveer twee jaar geleden.’

‘En hoe oud is hij nu?’

‘Bijna zes.’

‘Wat gebeurde er tijdens die aanvallen?’

‘Hij gaf opeens een luide gil en leek dan het bewustzijn te verliezen. In het begin duurde dat enkele minuten, later, toen hij medicatie kreeg, nooit meer dan een paar seconden, alsof hij insliep en dadelijk weer wakker schrok, en daarna begon hij te wenen. Soms was het voorbij voor iemand er erg in had, maar ik zag het altijd.’

'Hij is blijkbaar sterk aan u gehecht. Denkt u dat hij zijn vader mist?'

'Omgekeerd heel zeker niet.'

Er viel opnieuw een stilte die de dokter met gedachten leek te vullen.

'Heeft hij in al die jaren nooit moeite gedaan om te spreken?'

'Geen woord.'

'Misschien ziet hij er het nut niet van in...'

'Hoe bedoelt u?'

'Ieder kind leeft voor een stuk in zijn eigen fantasiewereld, maar hij heeft er zich helemaal in teruggetrokken, hij voelt zich daar veilig.'

'Als hij iets nodig heeft, neemt hij mijn hand en trekt me mee, naar de koekjesdoos bijvoorbeeld of naar de deur.'

'Is hij graag buiten?'

'Soms, ik geloof niet dat het veel verschil uitmaakt. Althans niet voor hem.'

De arts knikte begrijpend, trok daarna een lade van zijn bureau open en haalde er een agenda uit.

'Ik stel voor dat we hem eens met de scanner onderzoeken. U moet dan wel naar het ziekenhuis in Antwerpen komen.'

'Dat is geen probleem.'

'Laten we zeggen, volgende week dinsdag, om 14 u.'

In de school was het doek gevallen. Alle tijdelijke leerkrachten hadden een uitmuntende beoordeling gekregen, sommige zelfs zonder dat de directeur één stap in hun klaslokaal had gezet, maar het verslag over Erik leek nergens naar. 'De heer Taelman faalt beroepsmatig op bijna alle onderdelen,' was het besluit. 'Zowel administratief, didactisch als qua inzet en voorkomen presteert hij onvoldoende.' Alleen in het vakje 'taalgebruik' stond de vermelding 'goed'. Het leek een verloren gelopen woord te midden van al die negatieve kwalificaties. Over de ware reden van zijn ontslag werd schriftelijk met geen woord gerept, want op papier zijn katholieken ruimdenkend. Enerzijds voelde Erik zich opgelucht dat hij verlost was van de dagelijkse kwelling die het leven in de school geworden was, anderzijds kon hij zich moeilijk zonder slag of stoot neerleggen bij zoveel leugens en bedrog. En hoe zou Inge reageren?

'Je gaat je toch niet zomaar laten doen, zeker!' was haar eerste commentaar, en dus tekende hij 's anderendaags beroep aan.

Enkele vastbenoemde collega's trokken openlijk partij voor hem, maar de meeste hielden het bij de veilige gespreksonderwerpen die dagelijks in iedere leraarskamer opduiken: lesrooster, voetbal, hobby's en kinderen. Sommigen begonnen hem zelfs te mijden als de pest. Erik besefte dat hij in feite niet voor zijn job vocht, maar tégen machtsmisbruik, en dat de kans op succes dus heel klein was. Op woensdag 30 juni kwam het bericht van zijn definitief ontslag. Zijn beroep was door de stedelijke CVP-overheid ongegrond verklaard. Voor Erik begon de grote vakantie.

'Misschien,' dacht hij, 'had ik dit nodig om mij opnieuw wakker te schudden.'

Maar toen hij het nieuws aan Inge meedeelde en de angst in haar ogen zag, voelde hij zich meteen een stuk minder zelfverzekerd.

Geen bijzonderheden te zien op de middelste en achterste schedelgroeven, noch een verplaatsing van de vierde ventrikel. De linker laterale ventrikel is echter breder dan de rechter en ter hoogte van 3.9 tot 6.5 is een vage hypodensiteit, frontaal rechts, waarneembaar. Duidelijke pathologie in dat gebied. Geen tekens van cortexatrofie. Dit onderzoek is best te herhalen over een half jaar. Voorlopige conclusie: hypsaritmie.

'Dit betekent dat we moeten afwachten,' zei de arts, 'misschien is hij gewoon wat trager dan de anderen, dat komt voor.'

In de kleuterschool vonden ze in ieder geval dat Bennie véél te traag was en na enkele psychologische tests verwezen ze hem naar het buitengewoon onderwijs. Inge was er helemaal door van streek, liep hele dagen met vochtige ogen rond en leek zich benadeeld te voelen. Niet door de zusters van de school of door het PMS-personeel, maar door het leven zelf. Voor het eerst stond er zwart op wit dat haar zoon niet mee kon met de anderen, dat hij zich vreemd en onhandelbaar gedroeg, en dat hij geestelijk een zware achterstand vertoonde waarmee de kleuterjuffen geen raad wisten. Terwijl de andere kinderen tekenden, boetseerden en leuke spelletjes deden, zat hij zijn tijd te verdoen in een zandbak. En spreken deed hij ook nog altijd niet. Geen gebenedijd woord kwam er over zijn lippen.

'Mama. Mama. Ma-ma. Má-má. Mmm-á. Má-má. Mmmemmme...'

Tientallen keren, telkens opnieuw, met steeds meer nadruk, de klemtoon op de eerste, dan weer op de tweede lettergreep. Maar Bennie bleef koppig voor zich uit kijken, alsof hij met de hele zaak niets te maken had. In zijn ogen schemerde een lege, domme blik die naar binnen was gericht. Wat zag hij daar? Inge zat tegenover hem, aan de andere kant van de tafel, en keek met groeiende ongerustheid toe terwijl Erik het woord herhaalde.

'Mama. Má-má,' zijn hoofd vlak bij dat van Bennie.

'Laat hem, er komt niets van, dat zie je toch.'

'Má-má. Mmm-a-mmm-a.'

'Straks krijgt hij weer een aanval, en wat dan?'

'M-á-má-má. *Mámá*, godverdomme!'

'Erik, hou op!'

Juist toen hij ermee wilde stoppen, omdat hij voelde dat zijn geduld op raakte, scheen er in Bennie iets te breken. Zijn ogen schoten vol tranen en hij werd plots heel rood, alsof hij hoge koorts kreeg. Dan gingen zijn lippen open en leek hij naar lucht te happen. Een vis op het droge die geluidloos zijn pijn uitschreeuwt. Eerst kwamen de klanken, á-á, onzeker en hortend, toen het hele woord dat als een braakbal uit zijn mond opwelde, traag langs zijn bevende kin naar beneden gleed, met een plofje op tafel neerviel en daar heel even roerloos bleef liggen voor het uiteenspatte.

Mama.

Daarna barstte hij in een huilbui uit waaraan geen eind kwam. Inge was sprakeloos en scheen niet goed te weten hoe ze moest reageren. Blij? Verrast? Of boos? Voor het eerst had ze zich door haar zoon met *mama* horen aanspreken.

Wat heb ik hiermee willen bewijzen, dacht Erik, die opeens het nare gevoel kreeg dat hij Bennie een tweede keer had geslagen, ditmaal in het bijzijn van Inge.

Zomer. Net als vorig jaar waren zij, op weg naar Zuid-Frankrijk, gestopt aan het Deutscher Soldatenfriedhof in Consenvoye, waar 11.148 gesneuvelden onder zwarte houten kruisen en in massagraven lagen. Erik kon niet weerstaan aan de drang om enkele van die vele namen te noteren, al wist hij niet goed waarom. Begraafplaatsen hadden hem altijd gefascineerd. Minutenlang kon hij staan staren naar de inscriptie op het graf van een vreemde. Een naam en twee data waartussen zich een heel leven vol kleine en grote drama's had afgespeeld. En wat bleef er van over?

Bladerend in zijn dagboek kwam hij opnieuw bij zaterdag 3 juli terecht. Waarom zat hij hier willekeurige namen van dode Duitsers op te schrijven, terwijl juist die dag een witte bladzijde was gebleven? Uit angst voor Inge, die inmiddels van zijn aantekeningen op de hoogte was? Of had hij misschien gedacht het ongelukkige voorval op die manier uit zijn geheugen te kunnen wissen?

Bennie was dol op gras, maar bleek allergisch voor hooi. De minste aanraking liet een vuurrode, jeukende plek achter op zijn huid. Terwijl Inge inkopen deed voor de reis, had Erik enkele emmers water naar buiten gedragen waarmee die sukkel zich een hele tijd in stilte had geamuseerd. Maar toen die leeg waren, wilde Bennie van geen water meer weten en begon het gezeur opnieuw. Een klagerig geluid dat op den duur door merg en been sneed. Erik, die in de schaduw van een boom aan zijn proefschrift zat te werken, had zich ten slotte zo kwaad gemaakt dat het kind, in zwembroek en kletsnat van boven tot onder, verder de tuin in was gevlucht waar het gemaaide gras lag te drogen. Erik wist dat hij Bennie had moeten terugroepen, maar de woorden bleven in zijn keel steken en het leek of de warmte hem verlamde. Een vreemde opwinding, waarvoor hij geen naam had, maakte zich van hem meester.

Eerst gebeurde er niets, maar na een tiental minuten ging het gewone geweeklaag over in een nerveus geschreeuw en even later in een paniekerig gekrijs. Bennie had zich in het hooi rondgewenteld en zag eruit of hij in een bos brandnetels had gelegen. Overal op zijn blote lichaam verschenen venijnige vlekken die zijn week vel in vuur en vlam zetten.

Dat heb ik niet gewild, dacht Erik, maar het was te laat. IJlings rende hij met die gillende grasaap in zijn armen naar de badkamer. Hij draaide de koudwaterkraan open en duwde Bennie onder de douche, waarna het kermen overging in gebrul. In paniek schudde Erik de jongen door elkaar, hij riep dat het gedaan moest zijn met dat lawaai en stak dreigend zijn hand op. Gelukkig leek Bennies huid goed te reageren op de radicale behandeling: de pijnlijke blaren kregen een lichtere kleur en trokken dan langzaam weg. En tegen dat Inge laat in de namiddag thuiskwam, had de jeukwerende zalf die Erik in het apotheekkastje had gevonden werkelijk wonderen verricht. Alleen de ogen van het kind waren nog altijd opgezwollen van het huilen. Maar dat was niets nieuws en het verontrustte Inge dan ook niet meer dan gewoonlijk.

Erik kon zich evenwel niet van de indruk ontdoen dat Bennie hem anders bekeek, met een blik waarin een weten zonder woorden verborgen lag. Of was het zijn eigen schuldgevoel dat hij door die tranen heen kwaadaardig zag glinsteren, geduldig wachtend op een kans om uit te breken?

Eenmaal in Zuid-Frankrijk moest het dagboek wijken voor het fototoestel. Behalve die keer dat ze meer dan tweehonderd meter waren afgedaald in de grot van Dargilan, destijds geëxploreerd door de legendarische speleoloog Martel, die schijnbaar meer tijd onder dan boven de grond had doorgebracht. De herder die als eerste de grot betrad, dacht dat hij de ingang van de hel had ontdekt en sloeg op de vlucht. Het was dan ook een monsterlijk mooie schaduwwereld die daar opdook in het licht van de lantaarns.

Als zwijgende veroordeelden schuifelden de groepjes bezoekers voort langs de groene restmeertjes van onderaardse rivieren, waarin grote zilveren druppels met het holle geluid van een sonar neerploften. Een kil en grillig landschap van kristallen, monolieten en druipstenen, dat soms feeëriek, dan weer angstaanjagend, maar altijd even indrukwekkend was. Het gaf een wonderbaarlijk gevoel nu eens niet op, maar in de aarde rond te lopen, tussen wanden die leken op reusachtige slijmvliezen waarop allerlei schimmels woekerden. Iedere klank plaatste zich voort in een netwerk van gangen, gleuven en spleten, alvorens op te lossen in de diepste duisternis waar nooit iemand een voet zette. Af en toe bleef de gids staan om met galmende stem uitleg te geven over een of andere kalksteenformatie of om zijn zaklamp te richten op kolossale stalagtieten die schijnbaar ieder moment konden afbreken en zich met moordende kracht in de rotsbodem zouden boren.

Toen de bezoekers via een ingewikkeld trappenstelsel weer aan de oppervlakte kwamen, als termieten die uit hun hol kropen, en met knipperende ogen in het zonlicht keken, kon Erik amper geloven dat er zich onder dit lieflijke natuurschoon van Les Gorges de la Jonte een koude voorhistorische kerker bevond. Een wereld *in* een wereld, waarvan men zich pas bewust wordt wanneer men erin afdaalt, en die inderdaad het voorportaal van de hel kon zijn.

Bennie, die twee weken bij Inges ouders had gelogeerd, gaf amper tekenen van herkenning. Hij keek alsof hij zich afvroeg wie die twee gebruinde wezens nu ook weer waren. Bij hun thuiskomst stak er een brief van het gerechtshof in de bus.

Een vuilgroene vensterenvelop die nog meer narigheid beloofde. De vrouwelijke rechter die zich met de zaak bezighield, had in al haar wijsheid toch besloten het dubieuze sociale verslag en de daarin geformuleerde conclusies op te volgen, en wilde bijgevolg de hoede over Bennie aan de vader toevertrouwen, aangezien het kind bij hem meer kans op een stabiel en zelfstandig leven had, zo stond er te lezen. De gluiperd had immers verklaard dat hij heel binnenkort zou hertrouwen en bovendien had hij, als gemeenteambtenaar, een vast inkomen.

'Het toppunt is dat hij niet eens van zijn zoon houdt,' snikte Inge. 'Toen bleek dat er met Bennie iets mis was, beweerde hij zelfs dat het geen kind van hem kon zijn. Nooit heeft hij zich iets van die jongen aangetrokken. En nu opeens wel.'

Inge zou zich tevreden moeten stellen met een bezoekrecht om de veertien dagen, van 10 u. tot 19 u. Zij had één maand de tijd om tegen de nieuwe regeling in beroep te gaan, en hiervan bleek ondertussen al meer dan een week verstreken.

Zij was ontroostbaar, de wanhoop nabij, en voelde zich schuldig. Zo had Erik haar nog nooit meegemaakt. Hij durfde haar geen ogenblik alleen te laten en uit schrik dat ze stommiteiten zou begaan, deed hij het apotheekkastje op slot en verborg de sleutel. Inge begon zichzelf te zien zoals ze door het gerecht werd afgeschilderd: als een slechte moeder die de zorg voor een gehandicapt kind niet aankon. Was het feit dat zij Bennie naar een kostschool wilde sturen daarvan niet het beste bewijs? Dat werd in de brief althans gesuggereerd.

Van Dijck, haar advocaat, tekende onmiddellijk verzet aan tegen de uitspraak, maar vreesde dat er weinig kans op succes bestond zolang er geen nieuw en ditmaal onpartijdig sociaal onderzoek kwam. Een voorstel in die richting werd prompt door Vrouwe Justitia afgewezen en dus bleef Erik voorlopig een homofiel met promiscue neigingen en Inge een mannengek zonder enig verantwoordelijkheidsbesef. Bovendien waren ze ondertussen allebei werkloos.

Het werden spannende weken, waarin Erik van 's morgens tot 's avonds in zijn studie over ethiek en solipsisme onderdook. Hij verslond het ene boek na het andere en ook het eigenlijke schrijfwerk vlotte merkwaardig goed, nu de grote lijnen eenmaal vastlagen. Als hij dat ritme kon volhouden, dan lag het slothoofdstuk nog dit jaar binnen bereik.

Inge leek zich nog uitsluitend met Bennie bezig te houden. Dat moest ook wel, want het kind had blijkbaar last van de warmte, at bijna niet, huilde 's nachts onophoudelijk en bleek ten slotte een zware oorontsteking te hebben. De zoveelste. Het linker trommelvlies zat al zo vol littekens dat de arts zich afvroeg of Bennie nog wel goed hoorde. Maar hoe kon je dat bij zo iemand controleren? Misschien, dacht Erik, ving hij het kleinste geritsel op, hoorde hij het duizendvoudig gezoem van de insekten in de tuin of wriemelden de woorden die hij nooit uitsprak onder zijn schedel als mieren door elkaar, ijverig op zoek naar een uitweg die er niet was. Een hoofd dat gonsde van de geluiden die van overal kwamen en hem geen moment met rust lieten. Geen wonder dat die snotaap altijd zo nerveus was.

Maar wat drong er echt tot hem door? Want meestal had Erik het gevoel dat de signalen die hij uitzond, nog beter door zijn kat werden begrepen dan door dat vreemde kind, dat daar altijd met gras tussen zijn vingers zat en dwars door hem heen keek. Bovendien kreeg Erik van Mira veel meer vriendschap dan van die koude kikker.

De woorden van de dokter hadden Inge zo verontrust dat ze de volgende dagen alle soorten geluiden in diverse toonhoogten uitprobeerde. Belletjes, gerinkel, geklop, gefluit, van op afstand of vlakbij: het maakte haar uiteindelijk niets wijzer. Bennie gaf zijn geheim niet prijs en bleef koppig binnen de tovercirkel van zijn eigen, kleine wereld.

Erik zag met lede ogen hoe Inge steeds meer in haar rol van bezorgde moeder opging, terwijl de minnares haar hartstocht begon te verliezen. Zelfs 's nachts viel die verdomde stoorzender niet stil en tijdens de zeldzame momenten waarop dat akelige kind toch even leek in te slapen, bleef Inges aandacht op een waakvlam branden. Erik daarentegen had al lang de gewoonte aangenomen met oorstopjes te slapen.

'Dat kan zo niet blijven duren.'

'Wat kan zo niet blijven duren?'

'Bennie. Mijn zenuwen gaan eraan kapot.'

'En de mijne niet, denk je?'

'Vroeg of laat gaan wij daar ook aan kapot. Ik voel het.'

'Hoezo, *wij*?'

'Welja, zie jij dat dan niet? Alleen Bennie telt nog voor jou.'

'Hij is mijn zoon en hij heeft mij nodig.'

'En ik dan? Waar sta ik?'

Dit soort gesprekken kwam steeds vaker voor en eindigde altijd op dezelfde manier: met een huilbui van Inge, en Erik die haar trachtte te troosten en te overtuigen dat hij het zo niet had bedoeld. Al wilde dat alsmaar minder lukken.

Tot de dag aanbrak waarop het voorlopig vonnis omtrent het hoederecht over Bennie, tegen alle verwachtingen in, tijdelijk werd opgeschort, aangezien de rechter – een man deze keer – oordeelde dat er vooralsnog onvoldoende redenen waren om het kind bij zijn moeder weg te halen. De vader behield ondertussen zijn bezoekrecht, zoals vroeger, en kreeg ook de helft van de schoolvakanties toegewezen.

De gedaanteverwisseling die Inge onderging, leek op het doorbreken van de zon in een landschap dat wekenlang onder regen en mist had geleden. Erik kon niet anders dan blij zijn, maar in stilte vroeg hij zich af of dit succes niet op een Pyrrusoverwinning zou uitdraaien. Bennies vader bleek de rechterlijke aarzeling in hoger beroep in ieder geval moeilijk te kunnen verwerken. De eerstvolgende keer dat hij zijn zoon kwam afhalen, sloeg hij Inge, onder de ogen van Bennie, zo brutaal tegen de grond dat ze er twee gekneusde halswervels aan overhield en wekenlang met een stijf, gipsachtig verband moest rondlopen. De driftkikker kwam ervan af met drie maanden voorwaardelijk en het betalen van alle onkosten.

'Wanneer ga jij eindelijk nog eens iets anders doen dan altijd in die kamer zitten?'

'Hoezo? Wat bedoel je?'

'Dat je precies een vreemde aan 't worden bent, dat bedoel ik. Ik zie je nog alleen aan tafel, zelfs 's avonds sluit je je op tot een stuk in de nacht.'

'Ik sluit mij niet op.'

'Nee, je sluit je meer àf, dat is waar, van alles en iedereen.'

'Dat is het toppunt. Eerst vind je dat ik zo hard mogelijk moet doorwerken aan mijn doctoraat, en nu...'

Met een klap vloog de deur dicht. Discussie gesloten. Erik vond dat hij met weinig tevreden was, alleen wat rust en stilte, maar in de ogen van Inge leek het onoverkomelijk veel. Ze zou wel bijdraaien als het eenmaal zover was, als hij zijn diploma had behaald, les kon geven aan de universiteit en een behoorlijk salaris zou verdienen. Het was waar dat hij zich de jongste weken bijna uitsluitend met zijn studie had beziggehouden; hij had er ook de tijd voor.

Het schooljaar was inmiddels opnieuw begonnen, maar niet voor hem. Zijn sollicitatiebrieven hadden niets uitgehaald en dus ging hij dagelijks samen met Inge staan aanschuiven in het rijtje werklozen. In het begin had hij de indruk gehad dat de anderen hem vreemd bekeken, maar lang had dat niet geduurd. Eigenlijk beschouwde hij het als een tijdelijke toestand, die bovendien het voordeel opleverde dat hij veel vroeger dan gepland met zijn schrijfwerk klaar kon zijn. Dat Inge zich zo zenuwachtig maakte, weet hij aan het feit dat ze Bennie moest missen. Zij had er zich lang en heftig tegen verzet, maar had uiteindelijk moeten toegeven dat een internaat voor iedereen de beste oplossing was. In een gewone school was die vreemde jongen trouwens niet meer welkom. En sinds zijn vertrek werd er tijdens de week tenminste rustig geslapen.

Toch voelde Erik dat de neerslachtige buien niet veraf waren, dat ze op de loer lagen om bij de eerste tekenen van zwakte toe te slaan. Hij putte zich nog meer uit dan vroeger door dagelijks zijn kilometers te lopen, terwijl de laatste zomer uit de bomen waaide. De dagen werden vlug korter en 's avonds hing de geur van houtkachels al in de lucht. Aan zijn creatieve periode leek evenwel een eind te zijn gekomen. Hij voelde zich uitgeblust en moe, en bij iedere bladzijde die hij herlas, groeide de twijfel. 's Nachts droomde hij wonderlijke dingen: net als Christus liep hij vederlicht op het water, dat hem soms als een trampoline tientallen meters in de lucht slingerde, waarna hij zich loodzwaar voelde worden en zijn val eindeloos leek. Zijn tocht eindigde altijd voor de poort van een kasteel waarin geen leven te bespeuren viel. Een middeleeuws slot dat zijn donkere geheimen goed bewaarde. Meestal ontwaakte Erik met een gevoel van spijt, omdat hij alweer niet had ontdekt wat er zich achter die ophaalbrug bevond.

Op een ochtend werd hij gewekt door een metalen stem die hem, tussen waken en slapen in, meedeelde dat Maurice Gilliams was overleden. Toen Erik een halfuur later opnieuw wakker schrok en opstond, wist hij niet of hij het bericht al dan niet had gedroomd. Het zou anders wel een passend afscheid zijn geweest van de schrijver van *Elias of het gevecht met de nachtegalen*, dat Erik ieder jaar rond deze tijd herlas. 's Middags hoorde hij op de radio dat de aristocraat van de Vlaamse letteren inderdaad gestorven was.

Van enige blijdschap omdat hij in het weekend weer thuis was, viel bij Bennie weinig of niets te merken. Hij was nog altijd even lastig, maar Inge scheen hem bij voorbaat alles te vergeven. Bovendien had hij een merkwaardige zenuwtrek ontwikkeld: tijdens het eten, dat gewoontegetrouw met veel gemors gepaard ging, keerde hij na iedere hap zijn hoofd naar het venster of naar een brandende lamp en maakte met zijn besmeurde lippen een smakkend geluid, alsof hij het licht een klinkende zoen wilde geven. Inge deed aanvankelijk of ze niets merkte, tot het Erik zo op de zenuwen begon te werken dat hij er een opmerking over maakte.

'Wat kun jij weer weinig verdragen, zeg.'

'Weinig! 't Is om gek van te worden. De choco vliegt hier in 't rond.'

'Voor die ene keer dat hij bij ons aan tafel zit...'

''t Is al goed, ik zal erover zwijgen, maar vind jij dat normaal?'

'Neen, natuurlijk vind ik dat niet normaal, maar wat kan ik daaraan doen?'

Sssmak!

't Was waar, zij kon er niets aan doen, want toen ze Bennie aan zijn klein verstand trachtte te brengen dat hij ermee moest ophouden, begon die opeens zo driftig met zijn hoofd op de tafel te bonken, dat hij er een bloedneus aan overhield.

'Voilà, zie je 't nu! Is dat dan beter?'

En daarna ging het gesmak ongestoord verder.

Maar 's avonds barstte de bom. Toen Erik hijgend en zwetend terugkeerde van zijn dagelijks rondje lopen, waaraan hij verslaafd begon te raken, bleek Bennie nog altijd in bad te zitten, terwijl Inge een boek las. Op het moment dat hij de badkamerdeur opende, kwam de stank hem al tegemoet en moest hij nog meer naar lucht happen. Het water had de kleur van slib en te midden van die vieze brij zat Bennie dromerig voor zich uit te staren.

Het eerste wat daarna tot Erik doordrong, was niet het gekrijs van de jongen, maar de stem van Inge die hem smeekte op te houden met slaan. Hij keerde zich met een ruk om en gedurende enkele seconden stonden ze als versteend tegenover elkaar. Had zij alles begrepen? Zag ze hem eindelijk zoals hij was, maar kon ze haar ogen nog niet geloven? Waarom anders staarde zij hem aan als een indringer die ze op heterdaad had betrapt?

'Ik, heu...' stamelde hij, maar verder raakte hij niet.

Wat viel er ook te zeggen? Het zweet parelde op zijn voorhoofd en door de vochtige hitte en die strontgeur in de badkamer kreeg hij het opeens benauwd. Zonder haar aan te kijken vluchtte hij naar buiten.

Toen hij wat later Inge op haar knieën naast het bad zag zitten, druk in de weer met een spons en veel zeep, voelde Erik zich opnieuw misselijk worden, deze keer van medelijden en ellende. Waarom zég ik het haar niet, dacht hij, maar ook nu vond hij niet de juiste woorden. Zacht legde hij zijn hand op haar schouder, hopend dat zij hem zou aankijken en hem vergeven. Maar Inge schrobde verder.

Torécan, zo heette het wondermiddel dat hij ditmaal kreeg voorgeschreven tegen zijn depressie. Enkele uren nadat hij het eerste pilletje had ingenomen, liep hij te zwijmelen door het huis. Zijn concentratie was helemaal weg, van werken was dus geen sprake en zelfs lezen ging niet. De letters leken dansende stipjes en soms vloeiden ze samen in één grote inktvlek die zijn gedachten nog donkerder maakte.

'Overspannen,' had de huisdokter gezegd, 'daar moet u niet aan twijfelen.'

En of hij soms met problemen zat?

'Niet dat ik weet,' had hij geantwoord, maar aan de blik van de arts te zien moet het niet erg overtuigend hebben geklonken.

'Probeer het in ieder geval een tijdje wat kalmer aan te doen, tot u zich weer sterker voelt.'

En dat tegen een werkloze die verondersteld werd zijn dagen in ledigheid te slijten.

Maar het was waar, Erik had te veel hooi op zijn vork genomen. De eerste versie van zijn *Ethiek en solipsisme* was af en met een ritme van ongeveer vijfentwintig bladzijden per dag was hij met het overtikken ervan begonnen. Een rotkarwei waar geen eind aan kwam en dat zijn zenuwen zwaar op de proef stelde. 's Nachts droomde hij van gigantische schrijfmachines waarvan de hefbomen hem als tentakels vastgrepen en met een klap tegen de papierrol te pletter smeten. *Sssmak!* Maar wanneer hij dan wakker schrok en naast zich de rustige ademhaling van Inge hoorde, had hij het gevoel dat zoiets zijn verdiende straf was.

Op vrijdag 10 december was het eindelijk zover en typte hij de laatste van de vierhonderd dertig pagina's, het resultaat van vier jaar arbeid. In plaats van de opluchting en de voldoening die hij had verwacht, kwam hij evenwel in een gapende leegte terecht die zich met niets liet opvullen. Tenzij met de twijfel aan zijn werk die weer de kop opstak, en die hij zelfs al spurtend niet achter zich kon laten.

Omstreeks die tijd bevestigde de actascan van Bennies schedel grotendeels de bevindingen van het vorige onderzoek. Er werd opnieuw een asymmetrie van het ventriculair stelsel geconstateerd, plus een discrete cortexatrofie frontaal op de middellijn. Verder geen zichtbare afwijkingen. In het besluit was echter sprake van een grote psychomotorische achterstand, die alleen met aangepast onderwijs en heel veel geduld kon worden behandeld.

En voor het eerst viel nu ook het woord *autisme*, heel voorzichtig, bijna terloops uitgesproken door de arts die wilde weten of er in Inges familie nog zulke gevallen voorkwamen.

– 1983 –

MENSEN WAREN IN STAAT tot ver in de ruimte met elkaar te communiceren, dacht Erik, maar hij slaagde er niet eens in contact te krijgen met een zesjarig kind dat bij hem in huis woonde. Het irriteerde en fascineerde hem tegelijkertijd. Pakte hij het wel goed aan? Want dat het geen zin had zich telkens weer te pletter te lopen tegen de ijzige zwijgzaamheid waarachter Bennie zich verschanste, had hij inmiddels begrepen. Misschien moest hij het eens op een andere manier proberen, deze keer zónder woorden. Ergens zou er toch wel een zwakke plek in dat schild zitten, een kleine opening waarlangs hij met veel geduld en begrip binnen kon dringen in die duistere denk- en leefwereld waarin woorden, gevoelens en dingen langs elkaar heen gleden. Al was het maar om Inge een plezier te doen. Van haar was hij trouwens ook niet meer zo zeker en soms vroeg hij zich zelfs af of ze nog van hem hield zoals vroeger. Zijn dagboek, dat helderheid had moeten scheppen, bevatte steeds meer vragen waarop hij het antwoord schuldig bleef. Het stemde hem somber en hij voelde zich bedreigd door allerlei gevaren die hem ieder moment konden overweldigen. Een ongeval, een slepende ziekte, een voorval dat zijn leven danig door elkaar zou schudden, zodat niets nog op zijn plaats leek te staan. Zo moest Bennie zich misschien gevoeld hebben toen hij enkele jaren geleden opeens in een onbekend huis terechtkwam en daarna in die school, onder allemaal vreemde mensen. Er met Inge over praten deed Erik echter niet, want wat had hij haar kunnen vertellen? Eenmaal in woorden gevat leken die onheilspellende emoties en al die existentiële angsten alleen maar belachelijk.

Nu er aan zijn doctoraat voorlopig niets meer te doen viel, had hij zich weer volop aan het schrijven van artikels en essays over moderne literatuur gezet, wat door Inge met een scheef oog werd bekeken.

'Ik zou daar toch mee oppassen,' zei ze op een dag, met een bezorgde klank in haar stem.

'Hoezo, oppassen?'

'Welja, vergeet niet dat je nog altijd werkloos bent.'

Hoe kon hij dat vergeten, als hij dagelijks voor een stempel moest aanschuiven in een rij die steeds langer werd?

'Of denk je dat die inspecteurs van de RVA* een verschil zien tussen het schilderen van een huisgevel en iets publiceren in een krant of een tijdschrift?'

'Het eerste is veel beter betaald,' spotte Erik, 'en bovendien, je denkt toch niet dat die heren zich met zoiets bezighouden?'

Maar Inge kon er niet om lachen en ze had natuurlijk gelijk, al zat haar opmerking hem dwars. Begreep ze dan niet dat hij toch iéts moest doen om wat meer lijn in zijn leven te krijgen of om zich niet compleet overbodig te voelen in een maatschappij waarin iedereen geld leek te verdienen, behalve hij? Om haar gerust te stellen liep hij diezelfde week langs het RVA-kantoor, waar men hem na bijna twee uur wachten meedeelde dat er nog altijd geen werk voor hem was.

'Zelfs geen tijdelijke betrekking?'

Al haatte Erik dat soort opdrachten, waarbij je iedereen in de weg liep en nog lang daarna formulieren kreeg toegestuurd waarop allerlei onvindbare gegevens moesten worden ingevuld voordat je loon kon worden uitbetaald.

'Neen, ook dat niet,' tenzij hij er iets voor voelde les te geven aan mentaal gehandicapte kinderen of analfabeten? Erik antwoordde naar waarheid dat hij daarvoor waarschijnlijk de nodige opleiding miste. En beslist de roeping, maar dat zei hij er niet bij.

Omstreeks die tijd gebeurde er iets dat hem nog meer van streek bracht. Van Mirjam, op wie hij in zijn studentenjaren

* Rijksdienst voor Arbeidsvoorziening

hopeloos verliefd was geweest, maar die met een veelbelovende jonge zakenman naar Zuid-Afrika was uitgeweken om daar rijk te worden op de rug van de zwarte bevolking, ontving hij een brief waarin ze hem vroeg – smeekte bijna – opnieuw contact met haar op te nemen. Ze dacht nog vaak aan hem en miste hem eigenlijk ook wel, in dat vreemde land waaraan ze maar niet gewend raakte. Geen voet kon ze alleen buiten de deur zetten, of ze werd lastig gevallen door opdringerige negers. En Luc, haar man, had het veel te druk om zich voortdurend om haar te bekommeren. Neen, ze had het zich heel anders voorgesteld en wist echt niet of ze het daar nog lang zou uithouden, in 'dat apenland'. Ieder bericht, al waren het maar enkele woorden, was van harte welkom.

Erik begon haar onmiddellijk een lange, troostende brief te schrijven, maar stopte er halfweg mee omdat het hem zinloos leek. Wat had hij met dié Mirjam te maken en waarom zou hij de draad weer opnemen waar zij die jaren geleden had afgebroken? Alleen maar omdat zij zich eenzaam voelde in haar vrijwillige ballingschap? Had ze maar niet met die neokolonialist moeten trouwen!

Eigenlijk was het vooral onzekerheid over zijn eigen gevoelens die hem tegenhield, en schrik om het allemaal nog eens door te maken. Bovendien wilde hij liever geen problemen met Inge, het was al moeilijk genoeg. Zo bleef het uiteindelijk bij een zakelijke notitie in zijn dagboek, waarna hij Mirjams brief samen met de zijne verscheurde. Hun beider boodschap innig verstrengeld in de prullenmand.

Kennelijk vond Inge dat Zuid-Afrika ver genoeg lag, want enkele dagen later vroeg ze, schijnbaar terloops, of hij al een antwoord had verstuurd.

'Of mag ik er misschien weer niets van weten?'

Boos had het niet geklonken, veeleer plagerig.

'Waarom zou jij daar niks van mogen weten? Maar wat zou ik haar moeten schrijven, na al die tijd? 't Is jaren geleden dat ik nog iets van haar gehoord of gezien heb, en daarbij...'

Maar voor hij zijn zin af kon maken, zei Inge koeltjes:

'Eerlijk gezegd, ik wist niet dat jij zó koppig kon zijn,' waarna ze haar werk hervatte, hem achterlatend in verbazing.

Overal op de vloer lagen blaadjes, stukjes karton, linten en verkreukte speelkaarten, en daar middenin troonde Bennie, lusteloos klauwend in het papieren tapijt dat Erik voor hem had uitgespreid. Inge deed boodschappen en zou pas over een uur terugkeren. Erik graaide in het rond, bracht zijn handen boven Bennies hoofd en liet de kleurige snippers neerdwarrelen, terwijl hij langgerekte ooo's en aaa's van verwondering aanhief. Allemaal tevergeefs. Tot driemaal toe herhaalde hij datzelfde idiote ritueel, maar Willem de Zwijger gaf geen kik, bleef star voor zich uit kijken terwijl het rondom hem papiertjes sneeuwde. Misschien is hij bang, dacht Erik, is hij het nog niet vergeten. Hoe kan ik zijn vertrouwen opnieuw winnen? Dat Inge hem bij haar zoon had achtergelaten, bewees in ieder geval dat hij hààr vertrouwen nog niet helemaal kwijt was. Hij zou het niet beschamen deze keer.

De jongste tijd begon Bennie een soort primitieve woordenschat te ontwikkelen, al waren het eigenlijk niet veel méér dan klanken die hij uitstootte. Maar er viel hoe dan ook een patroon in te herkennen, ze hoorden ergens bij. *Labwe*, bijvoorbeeld, betekende blaadjes, *abwa* was water, en wanneer hij het over zichzelf had, riep hij *boe-ba*. Soms tientallen keren na elkaar, telkens met dezelfde intonatie en op gelijke toonhoogte. Als een soort bezwering. Met *boe-ba abwa* bedoelde hij dus dat hij water wilde, om mee te spelen, want voor 'drinken' had hij blijkbaar nog geen uitdrukking gevonden. Zo moet ook onze taal zijn ontstaan, dacht Erik, heel lang geleden. Klanken en geluiden die opeens iets gingen betekenen. Bennie herleefde het allemaal, hij had waarachtig één van de grootste ontdekkingen gedaan! En hij, Erik Taelman, was er getuige van geweest.

Inge hield er niet van dat Erik haar zoon met *boe-ba* aansprak, ook niet voor de grap, maar nu deed hij het toch. Evenwel zonder resultaat. Die fletse ogen verraadden geen enkele emotie, keken niet eens dwars door je heen. Besefte dat knaapje wel wat er rondom hem gebeurde?

'*Boe-ba labwe*,' probeerde Erik nog eens, terwijl hij met zijn vingers naar de snippers greep. 'Kijk, *labwe*, véél *labwe*.'

Op datzelfde moment voelde hij zich grondeloos belachelijk. Hij bukte zich, boog zich voorover, bracht zijn gezicht vlak bij dat van Bennie en zei toen traag, met een klemtoon op iedere lettergreep: 'On-no-ze-laar.' En daarna: 'Half-gare kwast.'

Maar ook toen vertoonde het kind geen enkele reactie.

'*Boe-ba* badschijter!'

Weer niks. Het had nu lang genoeg geduurd, vond Erik. Hij liet Bennie waar hij was en ging naar zijn kamer. De deur liet hij tegen staan, zodat hij ieder verdacht geluid onmiddellijk zou opvangen. Maar buiten het geritsel en af en toe het scheuren van papier was alles rustig, en dat bleef zo tot Inge omstreeks elf uur thuiskwam met haar armen vol winkelwaren.

'En?'

'Alles oké,' riep Erik, 'van het westelijk front geen nieuws!'

Toen ze de deur van de huiskamer verder openduwde, hoorde Erik opeens de doffe smak van een fles die uiteenspatte op de grond, gevolgd door een korte stilte, zwart als een maanloze nacht.

'Wat is hier in godsnaam gebeurd?'

Luttele seconden later stond Erik naast haar in de deuropening te midden van de glasscherven ongelovig te staren naar de ravage. Bennie had kleine stukjes behangselpapier losgeprutst, die hij daarna in grillige repen van de muur had getrokken en overal, als slingers, om zich heen had gegooid. Hier en daar was de bepleistering mee losgekomen en kleefde er kalk op de vloerbedekking.

Wat er op dat moment door Erik heen ging, liet zich moeilijk in een paar woorden vatten: woede, spijt, schuld en tegelijk een weeë golf van een soort verdriet waar hij geen naam voor had. Alsof zijn lichaam uiteenvloeide en oploste in de bruisende plas limonade waarin hij stond.

Nog net voor hij in de keuken verdween, op zoek naar een emmer en een dweil, hoorde hij de hakkelende stem van Bennie die *boe-ba labwe* zei, het leken geluiden uit een andere wereld. En vlak daarna een snik en iets wat op lachen leek maar evengoed een kreet van diepe wanhoop had kunnen zijn.

De rest van het weekend bracht Erik in bed door, de enige plaats waar hij zich nog veilig voelde. Bovendien was hij suf en lusteloos, en tijdens het lezen kon hij zijn gedachten niet bij het verhaal houden. Telkens weer zag hij tussen de woorden Bennies gezicht opdoemen, met ogen die hem wazig aankeken. Al wat hij kon doen, was het boek dichtklappen en proberen wat te slapen.

Inge reageerde kalm en gelaten op zijn toestand, alsof ze zich had verzoend met die buien van neerslachtigheid die geregeld hun leven binnen kwamen drijven. Geduldig wachtte ze tot de lucht opklaarde. Ze had hem geen enkel verwijt gemaakt over wat er tijdens haar afwezigheid was gebeurd en had eigenhandig het geteisterde behangselpapier door nieuw vervangen, alsof ze daarmee in stilte alle schuld op zich wilde laden.

Ze doet het vast niet uit liefde voor mij, bedacht hij somber, maar voor dat mormel, haar eigen vlees en bloed. Wat had hem, in hemelsnaam, bezield toen hij haar destijds had beloofd ook voor Bennie te zorgen? Wie haalde uit vrije wil zo'n lastpost in huis? Iemand die hopeloos verliefd was, zoals hij toen, wàs eigenlijk al niet meer vrij. Op zulke momenten deed je domme dingen. Nadat Mirjam hem in de steek had gelaten, had hij niet gedacht nog ooit in vuur en vlam te kunnen staan. Tot Inge op het toneel verscheen. Zij was al een tijdje op de dool en sleepte de brokstukken van een mislukt huwelijk achter zich aan. Dat maakte haar in zijn ogen nog brozer en aantrekkelijker. Ze had hem meer dan eens verwittigd dat Bennie geen gewoon kind was, dat hij veel aandacht vroeg en dat er vast en zeker problemen zouden ontstaan. Maar dat die zó groot gingen zijn, had Erik nooit kunnen vermoeden.

Liefde was tegen veel bestand, maar nu naderde ze haar grenzen. De vraag was: leed zijn relatie met Inge onder Bennie of zocht hij zelf een weerloze zondebok voor een avontuur dat steeds duidelijker op een fiasco afstevende? Een tijdlang lag hij daarover te broeden, zonder dat hij een bevredigend antwoord kon bedenken. Toen gleed hij van een helling de diepte in, waar de slaap hem zachtjes opving in zijn netten.

Hij droomde. Over een museum waarin allerlei oude gebruiksvoorwerpen werden tentoongesteld, dingen waarover hij alleen maar had horen vertellen. Het was Mirjam die hem rondleidde en vakkundig uitleg verstrekte bij wat hij zag. Toen kwamen ze in een grote zaal waar honderden lege stoelen voor een hellend podium stonden opgesteld. Mirjam nam zijn hand en trok hem mee tot op het toneel, waar ze elkaar kusten en omhelsden, alsof ze een dramatische afscheidsscène repeteerden in een klassiek stuk. Tot er opeens overal kortsluiting ontstond in de elektrische bedrading. Spots in allerlei kleuren flitsten aan en uit, verblindden hen, spatten luid knallend uiteen en stortten een regen van glasscherven over hen uit. Mirjam vluchtte gillend de coulissen in, maar hoe hij ook probeerde haar achterna te rennen, zijn benen weigerden iedere beweging en daarbij leek het podium steeds meer over te hellen. Even later kwam het hele decor met een oorverdovend geraas naar beneden, als een gletsjer die aan het schuiven ging en alles meesleurde wat zich op zijn weg bevond.

Wat niet naar buiten kan, keert zich vroeg of laat tegen zichzelf, dacht Erik, terwijl hij gelaten toekeek hoe het gevaarte boven hem langzaam en met een zoemend geluid naar beneden kwam. Het volgende moment leek het of een bokshandschoen hem zachtjes in de lever trof. Hij voelde de druk vergroten, alsof zijn ingewanden aan één kant naar buiten werden geperst. De koude tafel waarop hij bijna naakt lag, deed hem rillen. Nu komt het, dacht hij.

'Niet ademen!'

Vlug zoog Erik zijn longen vol, toen versteende hij en

wachtte op de metalen geluiden die de machine telkens maakte. Onmiddellijk daarna kwam de mededeling dat hij weer mocht ademen. Met een zucht liet hij de lucht uit zijn borstkas ontsnappen. De dikke pap die hij naar binnen had moeten werken en het voortdurende draaien en keren – 'nog even op de linkerzij, iets meer, zo ja, opgepast, niet bewegen! *Klikklak.* En nu eentje rechtop', waarna het hele apparaat vervaarlijk naar voren kantelde – maakten hem kotsmisselijk.

'In orde, u mag zich aankleden en terug naar de wachtkamer gaan.'

Er leek geen einde aan te komen. Het was bijna vijf uur en hij was 's ochtends als eerste aan de beurt geweest. Eten had hij vandaag nog niet gedaan en toch had hij een bedrieglijk vol gevoel in zijn buik. Hij had zowat alle tijdschriften doorgebladerd en was inmiddels goed op de hoogte van alle schandaaltjes en bedgeheimen uit de wereld van de jet set. Juist toen hij – in uiterste wanhoop – een greep wilde doen naar een sportmagazine voor auto- en motorfanaten, verscheen de secretaresse in de deuropening. Ze keek hem vriendelijk aan en knikte, terwijl achter haar een vrouw met een snikkend kind in de kamer kwam. Die zaten hier ook al enkele uren. Deze keer nam het meisje in het wit hem rechtstreeks mee naar het bureau van de dokter. Eindelijk.

'Ha, mijnheer Taelman, kom binnen! Het heeft even geduurd, nietwaar?'

'Zeg dat wel.'

De arts drukte hem energiek de hand en wees dan naar een stoel.

'Maar dat heeft nu juist alles te maken met uw klachten.'

'Ha zo...'

'U heeft, wat wij noemen, een luie spijsvertering. Op het eerste gezicht wijst niets erop dat er ook een ontsteking of zweren mee gemoeid zijn. Kijk hier...'

Hij griste een paar röntgenfoto's uit de hoop en hield die tegen een lichtbak.

'Die hier werd gemaakt om kwart over tien en deze ongeveer een uurtje later. Ziet u wat ik bedoel?'

Erik keek aandachtig naar al die lichte en donkere vlekken, kronkelende slangen en duistere spelonken, die hij amper in verband kon brengen met zijn eigen lichaam, en knikte aarzelend.

'Er is bijna geen verschil te zien tussen beide opnamen, alsof alles onderweg ergens blijft steken. Vandaar die krampen. Heeft u daar vroeger ook al last van gehad?'

Op het ogenblik dat Erik die vraag ontkennend beantwoordde, kreeg hij een voorgevoel van wat ging volgen.

'Tja, dan denk ik dat het vooral van psychosomatische aard is. Spanningen, stress... Zit u met problemen, of bent u van nature een piekeraar?'

Mijn probleem stoot niets dan rauwe klanken uit, trekt het behang in repen van de muur, speelt met gras en bladeren, en schijt in bed en bad, dacht Erik. Maar hij was laf en koos de uitweg die de dokter hem bood.

'Laten we zeggen dat ik soms geneigd ben alles nogal somber in te zien,' zei hij, amper verstaanbaar, terwijl zijn buik een luid gegrom liet horen.

De arts keek hem van achter zijn bril monkelend aan, alsof hij dat in stilte al had geraden.

'Ik zal u natuurlijk iets voorschrijven tegen die krampen. Maar het belangrijkste is dat u op tijd en stond gezonde ontspanning neemt. U eens goed uitleven af en toe, begrijpt u? De spanningen ontladen.'

Als ik dat doe, dacht Erik, dan maak ik mij schuldig aan kindermishandeling. Zwijgend nam hij het voorschrift en een brief voor zijn huisarts aan. Even later stond hij op de stoep en ademde gulzig de frisse lucht in en uit. Pas toen drong het tot hem door dat hij geen attest voor de RVA had gevraagd, zodat hij zijn uitkering voor die dag zou moeten missen. Terugkeren om ernaar te vragen deed hij liever niet.

'Wanneer blaas je nu eindelijk die kaars uit?'

Ze lag op haar rug verveeld naar het plafond te staren, terwijl hij zijn aandacht op het heen en weer wiegende vlammetje probeerde te richten. Telkens wanneer hij zijn ogen sloot, brandde het gaten in zijn netvlies. Hij ademde langzaam in, deed eerst zijn buik zwellen, dan zijn borstkas, hield even stil – een ballon die op barsten stond – en liet daarna zijn longen luidruchtig leegstromen. Vanuit het bed klonk, als een echo, een diepe zucht.

'Erik, alsjeblieft, het is bijna halftwaalf en ik ben moe.'

Hij zat met gestrekte rug in kleermakerszit, zijn handen liet hij op zijn knieën rusten, en met zijn duimen en wijsvingers vormde hij twee cirkeltjes die de energie door zijn lichaam heen moesten doen vloeien.

Maar zijn concentratie was gebroken. Zijn benen begonnen pijnlijk te tintelen en het kaarsvlammetje in zijn hoofd waaierde uit tot een vormloze vlek.

'Kunnen we nu gaan slapen?'

De stem die daarjuist nog van heel in de verte had geklonken, boorde zich nu een weg in het zwarte gat van zijn gedachten waarlangs de woorden naar binnen stroomden.

'Waarom doe je niet eens een keer mee? Dat ontspant.'

'Ik geloof niet in die onzin.'

'Yoga is geen onzin, het bestaat al eeuwen en het zuivert de geest.'

'Heb jij dan zoveel vuile gedachten?'

'Soms...' zei hij, op een toon die verwachtingen moest wekken maar geen enkele reactie los scheen te maken. Hij herkende haar niet meer. Was dit de vrouw op wie hij stapelverliefd was geworden? De minnares die hem gek van verlangen kon maken? Ben ik dan zo veeleisend of is zij gewoon kortzichtig, vroeg Erik zich af, terwijl hij de kaars uitblies. Hij kwam moeizaam overeind, strekte zijn armen en benen, en kroop op de tast naast Inge in bed. Hun handen raakten elkaar en Erik schoof zijn vingers tussen haar benen. Ze keerde zich om, met haar rug naar hem toe.

'Wat nu? Wil je niet?'

'Ik zei al dat ik moe ben.'

'Zo erg kan het toch niet zijn?'

'Dan had je maar wat vroeger in bed moeten komen,' zei ze boos, 'nu wil ik slapen.'

Zwijgen was op dit moment het beste, dat wist hij uit ondervinding. Maar het werd hoog tijd dat een en ander werd uitgepraat, want zo kon het echt niet verder. Hij had het gevoel dat Inge hem in een patroon wilde duwen waarin hij niet paste en weldra bereikten ze een grens die geen terugkeer toeliet. Buigen of barsten zou het dan worden en als het eropaan kwam, waren ze allebei even eigenzinnig.

'Inge, wij moeten eens praten.'

'In ieder geval niet nu.'

'Wanneer dan wel? Zo gaat het niet langer. Jij en ik...'

'Waar heb je het toch over?'

'Doe niet of je van niks weet.'

'Ik weet alleen dat ik doodop ben en wil slapen, of ik sta morgen weer op met barstende hoofdpijn.'

Verder aandringen had geen zin. Het zou de zaken nog erger maken.

'Goed,' zei hij teleurgesteld, 'slaapwel dan.'

'Slaapwel. En, Erik...'

'Ja?'

'Probeer deze nacht eens niet van Mirjam te dromen.'

Ze had het bijna toonloos gezegd, als iemand die een banale opmerking maakt, maar het leek of hij overal op zijn lichaam door tientallen muggen tegelijkertijd werd gestoken.

'Ik? Van Mirjam? Hoe kom je daarbij?'

'Je praat in je slaap. Wist je dat niet?'

Als een katapult schoot hij overeind. In een eerste reactie wilde hij haar vragen wat hij dan precies had gezegd – misschien had ze gewoon gegokt – maar hij bedacht zich. Al goed dat ze in het donker zijn opwinding niet kon zien. Geruisloos liet hij zich weer in de kussens zakken. Dat hij niet altijd en overal de controle over zijn woorden leek te hebben, trof hem bijzonder onaangenaam. Alsof hij zijn eigen verrader in zich meedroeg.

Maar sprak ze wel de waarheid? Of had ze het aangedurfd

stiekem in zijn dagboek te lezen? Hij kon het haar moeilijk vragen. Best zou hij helemaal niet reageren op haar mededeling. Misschien moest hij overwegen in de toekomst een soort code te gebruiken wanneer hij zulke persoonlijke dingen noteerde. Nu echter kon hij zich beter op die kaarsvlam van daarjuist concentreren. Enkel en alleen dat oranjerode tongetje in zijn geest toelaten, waar het één voor één alle jeukende vragen en beelden weg zou likken. Want anders stond *hij* morgen met hoofdpijn op. Maar hoe hij zich ook inspande, de ingebeelde kaars wilde geen vuur vatten. De wiek lichtte op, doofde dan telkens weer uit. Alsof er onder de stolp van zijn schedel opeens niet genoeg zuurstof meer was.

Nulla Dies sine Linea.

Dat prijkte in kalligrafische letters boven het rechthoekige raam dat uitkeek over weidse maïsvelden. De wind gierde langs de oostgevel van het huis en in de verte liep een boer met een trekpaard traag over het land. Jan Vindeveughel die zwervend langs de wegen trok. Dit moet hij dus gezien hebben van achter zijn schrijftafel, dacht Erik. Links en rechts van hem stonden goedgevulde boekenkasten die bijna tot aan het plafond reikten en op het bureau, dat baadde in het licht, lagen de schrijversrelikwieën: allerlei pennen en potloden, pijpen, inktpotten, brillen en vergeeld papier. Een vreemdsoortig geluk doorstroomde Erik toen hij die roerloze voorwerpen bekeek. Hij had ze graag even aangeraakt, maar een koord belette hem dat en in een hoek van de kamer hield een cameraoog de bezoekers van *Het Lijsternest* onopvallend in de gaten.

'Een wonder van eenvoud,' zei hij tegen Inge, die op enkele passen van hem vandaan stond en naar de vele boektitels keek.

'Ja, maar ook een echte poseur, als je 't mij vraagt.'

'Een poseur?'

'Moet je die boeken eens zien. En daar, in die andere rekken en in het kamertje hiernaast, staat het vol Duitse en Franse meesterwerken. Balzac, Baudelaire, Zola... Hij was vast niet zo simpel als hij zich voordeed.'

Ze had gelijk. De bakkersknecht uit Heule met zijn literaire liefde voor de boerenstiel was ook een dandy avant-la-lettre geweest. Op de foto's die in de vroegere keuken waren opgehangen, was hij modieus gekleed en straalde zijn houding iets hautains uit. Zijn vrouw had dan weer een fragiliteit over zich die je van een plattelandsmeisje niet zou verwachten. In haar zwarte bruidsjurk was ze zelfs heel aantrekkelijk.

Erik keek tersluiks naar Inge. Ze stond gebogen over het glas waaronder Streuvels' talrijke erediploma's en oorkonden lagen. Vele waren in het Duits. Inge had niet gelogen of in zijn dagboek gelezen, dat wist hij nu. Enkele nachten geleden was hij van zijn eigen stem wakker geschrokken. Hij had toch weer van Mirjam gedroomd. Al meer dan drie jaar zat zij in Zuid-Afrika, maar nog altijd liet ze hem niet met rust. Een dolende geest die 's nachts gekke beelden toverde in zijn hoofd. Deze keer had hij haar ontmoet in een café vol zwarten. Ze trok hem mee naar buiten, waar de zon hoog aan de hemel stond, en zwijgend wandelden ze door onbekende straten. Het volgende moment lagen zij dicht tegen elkaar aan in een groot bed, als twee mensen die nagenoten van het liefdesspel. Opeens werd Eriks aandacht getrokken door tekens op het plafond. Het leek een soort Arabisch handschrift waar hij kop noch staart aan kreeg, maar dat naar zijn gevoel een waarschuwing inhield. Toen boog Mirjam zich over hem heen, ze schoof haar hand onder zijn rug en vroeg of hij ook had geslapen. Heel duidelijk hoorde hij zichzelf antwoorden: 'Een beetje maar,' en dan merkte hij dat hij al dromend zijn arm om zijn eigen schouder had geslagen.

Geen dag zonder regel. Dat was het devies van de Westvlaamse meester geweest, nog voor hij ook maar één boek had geschreven. Op losse blaadjes en in een zakagenda hield hij aantekeningen bij over het weer, de gewassen op het veld, mensen die hij had ontmoet, voorvalletjes in en rond het huis. Later waren daar meer persoonlijke notities over zijn gemoedsstemming bijgekomen. Een barometer van zijn innerlijk leven, waarin tragedies nog op zoek waren naar een vaste vorm. Maar de kern ervan lag in de alledaagse werkelijkheid besloten.

Erik had inmiddels bijna twee schriftjes vol met bedenkingen, kleine gebeurtenissen en invallen, die aanvankelijk een nogal willekeurige en grillige indruk maakten. De jongste maanden scheen hij evenwel steeds weer bij hetzelfde uit te komen: zijn relatie met Bennie, en bijgevolg ook die met Inge. Want hoe die jongen haar zenuwen en geduld ook op de proef stelde, als het eropaan kwam, koos ze in alles partij voor hem. Tegenover dat soort liefde – hoe moest hij het anders noemen? – stond Erik machteloos. Hij voelde zich een toeschouwer die wel betrokken was bij wat hij zag, maar toch aan de kant bleef staan. Of Bennie nu thuis was of in de school, altijd maakte hij deel uit van wat er gebeurde. Ongemerkt sloop hij gesprekken binnen en bepaalde hij mee de gang van zaken. Hij, en niemand anders, was de spil waaromheen alles draaide. Soms vroeg Erik zich af of het een verschil zou maken als Bennie ook *zijn* zoon was, maar het idee dat hij zijn hele leven voor zo iemand verantwoordelijk zou zijn, deed hem huiveren. Men had hem een strop voorgehouden en hij had er domweg zijn hoofd in gestoken. En nu speelde Bennie met de hendel van het valluik.

Toen Erik voorstelde een ritje naar Ingooigem en Kortrijk te maken, had Inge eerst wat geprotesteerd. Het weer was zo somber en ze had nog zoveel huishoudelijk werk te doen dat niet kon wachten. Maar na wat aandringen had ze er toch mee ingestemd. Erik had het gevoel dat hij haar opnieuw voor zich moest winnen, zoals hij dat in het begin had gedaan. Ook toen had ze lang geaarzeld voor ze op zijn toenaderingspogingen in wilde gaan.

Hun allereerste ontmoeting bood alvast perspectieven: ze vond plaats in het stempellokaal. Erik had zopas een tijdelijke betrekking van enkele maanden achter de rug en in het laboratorium waar Inge werkte, was men onlangs met reorganisaties begonnen. Bij Erik was het verliefdheid op het eerste gezicht geweest; zij had wat meer tijd nodig gehad. Aanvankelijk was het bij wat hoofdknikjes en glimlachjes gebleven die Inge nu eens wel, dan weer niet beantwoordde. Haar rechtstreeks aanspreken durfde hij niet: ze droeg een trouwring en was meestal vergezeld van een kind. Behalve dat het een erg zenuwachtig jongetje was, dat geen moment stil kon zitten, had Erik er niets speciaals aan bemerkt. Hij keek trouwens liever naar de moeder. Het stempellokaal was veel te klein en iedere dag stonden de werklozen tegen elkaar aangedrukt te wachten tot hun naam werd afgeroepen en zij hun stempeltje kregen. Net als bij mijn eerste communie, dacht Erik. Wekenlang was hij 's ochtends vroeg, door weer en wind, naar de kerk moeten gaan, om er tijdens de mis een kartonnen steentje te halen dat hij op een soort kruisweg in de vorm van een ganzenbord kleefde. Wie de hele weg geplaveid kreeg, ontving een beloning, terwijl de spijbelaars konden rekenen op een flinke berisping tijdens de catechismusles.

Op een keer was Bennie, in al dat gedrang, aan Inges aandacht ontsnapt en op een steile trap geklommen. Drie, vier treden ging het goed, maar toen struikelde hij en gleed naar beneden. Erik had hem, toevallig, nog net kunnen opvangen, maar was wel geschrokken van het hysterische gekrijs dat daarop volgde en van de vreemde, koele blik van het kind. Sindsdien was Inge bijzonder vriendelijk. Ze stemde er zelfs in toe een wandeling in de bossen te maken, die daarna bijna dagelijks werd herhaald. In het dorp wilde ze liever niet te veel gezien worden in het gezelschap van Erik. Ze woonde nog altijd bij haar wettelijke echtgenoot, al stelde hun huwelijk niets meer voor. Na de geboorte van Bennie was het compleet fout gelopen. Haar man was er heilig van overtuigd dat zijn zoon een bastaard was, want zo'n zielige stumperd had *hij* onmogelijk kunnen verwekken. Toen Erik die huichelaar later wat beter leerde kennen, vond hij het een mirakel dat het kind niet met nóg meer gebreken ter wereld was gekomen.

'Vroeger was hij zo niet,' zei Inge, 'hij is de jongste jaren erg veranderd.'

Wilde ze haar eigen vergissing goedpraten?

'Maar ik neem het niet langer dat hij mij met alle problemen laat zitten. 't Is alsof ik geen eigen leven meer heb.'

'Vindt hij het niet een beetje vreemd dat je tegenwoordig zoveel weg bent?'

'Ik zeg hem dat ik met Bennie ga wandelen. Dat is toch geen leugen?'

'Eigenlijk niet, nee.'

'Mijn zoon is mijn beste alibi,' lachte ze.

'Nog een geluk dat jouw alibi zo zwijgzaam is.'

Vier jaar was het inmiddels geleden. Bennie was nu zeven en had nog altijd niets voortverteld van wat er tijdens en na die wandelingen was gebeurd. En wat niet in woorden of beelden wordt gevat, verdwijnt vroeg of laat onherroepelijk in de plooien van de tijd.

Dat moet ook Streuvels hebben gedacht, toen hij zijn lijfspreuk in vergulde letters boven zijn schrijftafel liet aanbrengen. Nulla Dies sine Linea. Voor ze *Het Lijsternest* verlieten, kocht Erik nog een kleurenfoto van de bejaarde auteur die net geen honderd werd. Zijn grijs, weerbarstig haar staat als een trotse hanekam overeind en zijn gezicht lijkt van gerimpeld perkament, waarin de ogen diep zijn weggezonken. Als iemand die zijn blik naar binnen heeft gekeerd en met wijsheid en berusting kijkt naar alle kleine en grote drama's die daar tot leven kunnen komen.

April. Ieder jaar omstreeks deze tijd, wanneer de laatste winterse buien over het land razen en de natuur haar eigen hergeboorte voorbereidt, viel Erik ten prooi aan hetzelfde verlammende verschijnsel. Al wat naar boeken rook, stootte hem af en vol ongeduld keek hij uit naar ieder straaltje zon en naar het eerste tuinwerk. Zich daartegen verzetten deed hij niet meer, dat haalde toch niets uit. De geur van versgemaaid gras, van mest en omgewoelde aarde bleef sterker dan die van bedrukt papier. Nog even en dan krioelde de tuin weer van beginnend leven en vogelgekwetter. Mira, de gevlekte vondelinge die hij enkele jaren geleden tijdens een strenge winter van een gewisse dood had gered en die hem sindsdien haar trouwe aanhankelijkheid had geschonken, begon haar dikke vacht te verliezen en zat urenlang haar pels te likken. En in het prille groen van de sneeuwbes waren merels al druk in de weer met hun nest, waarin straks vier of vijf blauwgroen gevlekte eieren zouden liggen.

Erik zat het deze keer allemaal met gemengde gevoelens gade te slaan. Eén van de juryleden die zijn doctoraatsthesis tijdens de openbare zitting zouden beoordelen, had hem na een eerste, informele lezing meegedeeld dat het werk niet rijp was om te worden ingediend. Erik was door een dienstbode aan de deur van een riante villa ontvangen en naar de bibliotheek geleid, die blijkbaar ook dienst deed als muziekkamer. Op een tafel lagen een hobo en een klarinet, en bij het raam, dat uitkeek op een leeg zwembad omgeven door statige beelden, stonden een vleugelpiano en een klavecimbel. Maar het pronkstuk van de verzameling was een sierlijke pedaalharp die tegen een wand van ingebonden boeken prijkte. Terwijl hij op de komst van de professor wachtte, hoorde Erik bij iedere ademhaling haar snaren zachtjes trillen. Tot de deur openzwaaide en de eminente literatuurkenner met uitgestoken hand binnentrad.

Hij had een stem als een bazuin en daarmee bracht hij niet alleen de structuur van Eriks studie aan het wankelen, maar holde hij ook de inhoud ervan uit. Alsof hij met smaak een rauw ei leegzoog en daarna de schelp likkebaardend tussen zijn vingers verpulverde. Ethiek mocht dan transcendentaal zijn, gaf hij toe, daarom was zij nog niet onuitspreekbaar, zoals onze vriend Wittgenstein ooit had beweerd. De bijbelse geschriften, bijvoorbeeld, bevatten gedrags- en leefregels die weliswaar van goddelijke oorsprong waren, maar aan duidelijkheid niets te wensen overlieten. Veel literaire werken konden worden gelezen als een bevestiging of als een afwijzing van die morele wetten en voorschriften, en vanuit dat standpunt had mijnheer Taelman geen enkel van de door hem besproken boeken bekeken. Nietwaar? Zelfs een misdaadroman, waarin de schuldige werd opgespoord, ontmaskerd en gestraft, was in feite een door en door ethisch geschrift. En wat het solipsisme betrof: zoals mijnheer Taelman dat zag, werd alles te veel gereduceerd tot een communicatieprobleem, en dat kon worden overwonnen. Kunst, en literatuur in het bijzonder, bewezen trouwens afdoende dat de mens over een inlevingsvermogen in de denk- en leefwereld van anderen beschikte. Zo niet kon er van een artistieke schepping of van een esthetische ervaring überhaupt geen sprake zijn. Of wel, misschien? En dat medelijden een verkapte vorm van eigenliefde was, zoals hij op bladzijde 352 had gelezen, noemde hij smalend een voorbeeld van Nietzscheaanse onzin.

Erik was zo overdonderd dat hij amper weerwerk bood. Dit had hij niet verwacht. Waarom had zijn promotor hem niet op al die zaken gewezen?

'En wat doet u momenteel voor de kost?' vroeg de hoogleraar toen hij Erik uitliet.

'Niets. Ik ben helaas werkloos.'

De professor sloeg de handen in elkaar en toonde een brede glimlach.

'Dat komt goed uit! Dan hebt u de tijd om alles nog eens rustig te overdenken en te herschrijven. Nog een prettige dag, mijnheer Taelman.'

De klap waarmee de voordeur achter hem dichtvloog, trof Erik als een valbijl de nek van een veroordeelde.

Op de terugweg tuitten zijn oren nog altijd van de grote woorden die de geleerde hem naar het hoofd had geslingerd. En wat moest hij in godsnaam tegen Inge zeggen?

'Ik geef het op. 't Wordt toch niks.'

'En net nu je zover staat!'

'Ik sta nergens, ik kan helemaal opnieuw beginnen.'

'Als je er nu mee ophoudt, is het allemaal verloren moeite geweest.'

'Ik denk dat ik eerst maar eens een paar kilometer ga lopen,' zuchtte Erik.

'Doe dat, ja.'

Er was iets met zijn ademhaling. Ze wilde zijn benen niet volgen. Of was het omgekeerd? Hij nam wat grotere passen, liep wat trager, dan weer iets vlugger, maar het verergerde nog. Het zweet liep in straaltjes van zijn voorhoofd en prikte in zijn ogen, hij kreeg het amper weggewist. Zijn borst ging hijgend op en neer. Zo slecht had hij in weken niet gelopen. Alsof hij bergopwaarts moest of een zwaar gewicht achter zich aan sleurde. Maar als hij nu stopte en langs de kant van de weg ging zitten, zou hij helemaal niet meer op gang komen. Dat wist hij uit ervaring. Opeens maakte zijn hart een sprongetje, alsof het tussen twee slagen in even in het ijle verdween. Heel zijn lichaam draaide vierkant en zijn wilskracht was momenteel te zwak om ertegenin te gaan. Dit was snelwandelen wat hij deed. Maar hij mocht niet opgeven. Hij moest het vertrouwde ritme zien terug te vinden. De juiste cadans, waarin longen, spieren en hoofd weer met elkaar in harmonie kwamen. Langzaam dreef hij de snelheid op. Toen hij een blik op zijn chronometer wierp, zag hij dat zijn tussentijd nergens op leek. Maar dat gaf niet. Doorzetten, godverdomme! Daar ging het om. We komen er wel, dacht hij. Vroeg of laat. Maar we komen er wel.

'Ik heb slecht nieuws,' zei Inge met een bang gezicht, toen hij naar adem snakkend de keuken binnenkwam. 'Ze hebben je grootvader vanochtend naar het ziekenhuis gevoerd. Een bloeding in zijn darmen, of zoiets.'

Juist nu grootmoeder weer wat aan de beterhand was, deed zijn grootvader een stapje achteruit. Hij leed al jaren aan de ziekte van Parkinson en leek de hele dag neen te schudden. Soms klapperden de tanden van zijn vals gebit alsof hij zat te rillen van de kou. Het was allemaal heel onschuldig begonnen, met een lichte beving in de handen af en toe of een zenuwtrekje rond de mondhoeken. Maar toen hij ten slotte geen soeplepel of, erger nog, geen glas bier meer kon vasthouden zonder te morsen, werd er een dokter bijgeroepen. Grootvader klaagde altijd over alles en nog wat, behalve als er een dokter in de buurt was. Dan mankeerde hem niets en verdwenen de vreselijkste kwalen en pijnen als sneeuw voor de zon.

'Als die ooit serieus ziek is, gaan we 't niet geloven,' zuchtte Eriks moeder.

Maar zijn trillende handen en zijn onzekere gang kon hij niet blijven verbergen. 's Ochtends en 's avonds een pilletje tegen het beven, en als het overdag te erg werd nog eentje tussendoor. Vervelend was het natuurlijk wel, dat gebibber, maar de dokter had hem verzekerd dat hij daarmee heel oud kon worden en dat stelde grootvader enigszins gerust. Na een tijdje slikte hij die pillen alsof het snoepjes waren, al hielpen ze steeds minder. Toen schakelde hij op eigen houtje over op pijnstillers en kalmeermiddelen, waarvoor hij telkens weer een voorschrift wist te krijgen en die hem alleen maar suf en duizelig maakten. Misschien, dacht Erik, hadden ze ook wel iets met die bloeding te maken.

Eigenlijk had grootmoeder er nog het meeste last van, want alles wat Gust morste of tussen zijn vingers liet glippen, moest zij schoonmaken of opruimen. Bovendien werkte dat bibberen en vooral dat urenlange tandengeknars haar soms danig op de zenuwen, zodat grootvader steeds vaker met zijn gebit in zijn handen zat, terwijl zijn kaken onophoudelijk, maar geluidloos, verder maalden. Echt erg werd het pas toen grootmoeder zelf nog amper overeind raakte zonder hulp en hij plotseling besloot het huis niet meer te verlaten, zelfs al scheen er een stralende zon of stond de tuin, waar hij vroeger niet uit was weg te slaan, in volle bloei. Ook televisie interesseerde hem alsmaar minder. Met dié wereld had hij niets meer te maken.

En daar zaten ze dan hele dagen naast elkaar, ieder in zijn eigen fauteuil, de tijd verdrijvend met zinloze woordenwisselingen en ruzies die meestal het gevolg waren van het feit dat geen van beiden nog goed hoorde. Van oude mensen, de dingen die voorbijgaan, dacht Erik. Is er dan niets wat blijft?

Soms ontspon zich een geweldig krakeel over zaken die absoluut niets met elkaar te maken hadden, maar vóór iemand hun dat aan het verstand had gebracht, waren ze alweer lang vergeten wat eigenlijk de aanleiding tot hun geruzie was geweest. Van een hoorapparaat wilden ze geen van beiden weten. Doofheid had immers ook zijn goede kanten, vooral wanneer het gesprek een wending nam die hen niet aanstond. Dan was het roepen en tieren geblazen, waarna grootvader doodkalm zijn voorhoofd fronste en zei: 'Wablieft?' Genoeg om grootmoeder op de rand van een zenuwinzinking te brengen.

Op den duur zagen hun dagen er allemaal eender uit: opstaan, zich wassen, ontbijten, rusten in de fauteuil tot aan het middagmaal, daarna opnieuw een dutje dat alsmaar verder uitliep, tot het weer tijd werd om aan tafel te gaan. Ook de krant kwam er niet meer aan te pas, alleen de radio werd soms aangezet als er Duitse schlagers gespeeld werden, maar dan zó luid dat horen en zien erbij verging. Om vijf uur 's namiddags zat grootvader al in pyjama en kwam er toch nog bezoek, dan trok hij daar vlug een vest en een jas over aan en knoopte een versleten das vol vetvlekken rond zijn magere hals. Zijn pet had hij sowieso op. Iets weggooien deed hij niet, want je wist nooit waarvoor het ooit nog kon dienen.

'Gust, zijde gij niet beschaamd!' sakkerde grootmoeder. 'Wat moeten de mensen wel van ons denken?'

Maar even onverstoord als anders keek hij haar dan aan en zei: 'Wablieft?'

Zo tegen zes uur slefte hij naar zijn bed, waarin hij nog uren wakker lag met over zijn hoofd een grote zakdoek, tegen het binnenvallende licht. Soms hield hij ook in bed zijn pet op, de klep ver over zijn ogen getrokken, als een scherm tegen de boze wereld. Tot grootmoeder met veel gestommel in de kamer kwam en hij morrend wakker schrok. Om zichzelf weer in slaap te sussen, begon hij daarna onbegrijpelijke verhalen over vroeger te vertellen, waar zijn vrouw alleen met ja of neen op antwoordde. Tot hij stilviel en sliep, dromend van voorgoed voorbije tijden en van de bergtoppen in Zwitserland, waar hij wel tien keer naartoe was geweest. Sommige mensen dachten dat Eriks grootvader een beetje gek was, maar hij was alleen maar oud.

Vroeger was hij altijd een knutselaar geweest en zolang hij die woede kon botvieren op de voorhistorische motor die achter in de tuin in een hok stond, was er weinig of niets aan de hand, al moeten zijn beruchte proefritten tot ver buiten het dorp te horen zijn geweest. Naarmate hij er minder mee kon rijden, verloor hij zijn interesse voor die machine, tot hij ze op een dag verkocht aan een jonge kerel. Een week later had hij er al spijt van en wilde hij de verkoop ongedaan maken, maar dat ging niet meer: alle bruikbare onderdelen waren van de motor gesloopt en de rest was op het stort beland.

Noodgedwongen verlegde hij zijn aandacht naar andere zaken, waarvan hij meestal geen snars begreep, al wilde hij dat niet toegeven: verwarmingsketels, gasfornuizen, waterleidingen en vooral spoelbakken van wc's. Niets was nog veilig onder zijn handen en minstens tweemaal heeft hij de woonkamer onder water gezet. Maar toen hij op een keer zo hard aan de centrale verwarming had geknoeid dat het hele systeem ontregeld raakte en de ketel op ontploffen stond, was de maat vol. Hij werd vanaf dat moment door iedereen nauwlettend in de gaten gehouden, wat hem vreselijk op de zenuwen werkte.

Na een korte periode van bezinning stortte hij zich met evenveel ijver op wekkers, radio's en scheerapparaten die hij helemaal uit elkaar haalde en soms zelfs weer ineenkreeg. Al kwamen daar meestal lange repen kleefband aan te pas, waarvan hij een eindeloze voorraad bezat. Niet zelden wezen de klokken in huis allemaal een andere tijd aan of liep er midden in de nacht een wekker af die alleen *hij* niet bleek te horen. En zo begon zijn leven stilaan op te lossen in vergetelheid en uiteen te vallen in voortdurend kleinere scherven, die hij met niets meer gelijmd kreeg.

Hij werd mensenschuw en verborg zich ook tijdens de dag

onder grote zakdoeken, die hij over zijn voorhoofd drapeerde en op hun plaats hield met z'n eeuwige pet. Wanneer iemand hem aansprak, zei hij niet eens meer 'Wablieft?', maar liet hij meestal een onverstaanbaar gemompel horen, tot hij zelfs die moeite niet meer opbracht en gewoon deed alsof hij sliep.

Wat hij echter niet kon verbergen, was zijn angst, die steeds vaker de vorm aannam van neerslachtige buien, zwartgalligheid en allerlei onheilspellende voorgevoelens omtrent ziekte en dood, die ooit wel moesten uitkomen.

''k Ben bang, jongen,' zei hij soms, 's avonds in de schemering van een nachtlampje, dat ook 's nachts bleef branden omdat de duisternis hem afschrikte.

Maar als Erik vroeg waarvoor, kwam er geen antwoord. Wist hij het zelf wel?

Om het uur stak hij een thermometer tussen zijn lippen, tot zijn klapperend gebit het ding in tweeën beet, tot grote opluchting van grootmoeder, die het allemaal met lede ogen moest aanzien. Daarna begon hij even fanatiek zijn hartslag op te nemen of het ritme van zijn ademhaling te controleren. En wanneer hij weer eens beweerde zwaar ziek te zijn of ondraaglijke pijnen te lijden, wist niemand of men hem moest geloven. Zelfs de dokter niet, die toch al jaren wekelijks aan huis kwam en dan maar weer iets anders voorschreef, dat nooit lang hielp. En nu had zijn lichaam het dus begeven.

's Avonds reden Inge en Erik naar het ziekenhuis. In de gang liepen ze een verpleegster tegen het lijf, die hun de kamer aanwees en zei dat het misschien het beste was dat de familie zich op het ergste voorbereidde. Ze kregen die inwendige bloeding niet gestopt en de patiënt was op korte tijd erg verzwakt. Dat was altijd een slecht teken. Toen Erik de deur opende, was het of een vuistslag hem in de maag trof en zijn adem werd afgesneden. De stank die in de kamer hing, was niet te harden. Een geur van ontbinding en verrotting, die tegen de muren opkroop en overal in doordrong. Inge deinsde geschrokken achteruit en begon te hoesten. Naast het bed zaten Eriks ouders zwijgend en bleek voor zich uit te staren.

Ze hielden beiden een zakdoek tegen hun gezicht gedrukt en op het nachtkastje stond een geopend flesje eau de cologne. Maar tegen de kwalijke reuk die van onder de lakens opsteeg, viel weinig of niets te beginnen.

'Ze hebben hem apart moeten leggen,' fluisterde moeder, ''t was voor de anderen niet te doen.'

Als om die woorden kracht bij te zetten, liet grootvader een luide, pruttelende wind, waarna het leek of een boer zijn beerkar door het raam naar binnen kieperde. Erik greep kokhalzend naar zijn zakdoek.

'Dat gaat zo al de hele dag door,' zei zijn vader, 'en iedere keer is er van dat vies, donkerbruin vocht bij. Vreselijk!'

'Ja, 't bloed dat hij krijgt, loopt er precies los door.'

Grootvader scheen niet eens te hebben bemerkt dat Erik aan zijn bed stond. Hij lag met halfopen ogen naar het plafond te kijken, alsof hij met de hele zaak niks te maken had.

'En wat zeggen ze ervan?'

Moeder haalde verveeld haar schouders op.

'De dokter weet er ook geen raad mee. En zolang die bloeding niet ophoudt, kunnen ze hem niet fatsoenlijk onderzoeken.'

Een knaller waarvan de lakens bijna opbolden, vulde de kamer opnieuw met een verstikkende stankwolk.

''t Is niet om uit te houden,' klaagde vader, terwijl hij zijn zakdoek met reukwater besprenkelde en tegen zijn neus duwde. 'Waar blijft dat allemaal vandaan komen?'

Moeder kwam kuchend overeind en liep naar het raam, dat op een kier stond.

'Als het zo voortgaat, dan haalt hij de ochtend niet meer. Hij heeft nog amper zes of zeven bloeddruk.'

'Hebben jullie al gegeten?'

Vader keek Erik met gefronste wenkbrauwen aan.

'Het zou mij hier niet bepaald smaken, vrees ik. Een paar koppen koffie, dat is alles.'

'Ga gerust naar huis, en neem Inge mee. Ik blijf vannacht wel hier.'

Moeder scheen eerst te twijfelen, maar was toch te moe om niet op Eriks voorstel in te gaan.

Nadat hij een hele tijd op de gang had rondgelopen en nu en dan zijn hoofd naar binnen had gestoken, installeerde Erik zich in de enige fauteuil die in de kamer stond. Hij knipte het nachtlampje aan. Het duurde even voor zijn ogen aan het schemerige licht gewend waren. In het ziekenhuis was het nu stil. Alleen af en toe iemand die kreunde, hoestte of een verpleegster riep. Hij nam zijn notitieboekje en een pen. En wachtte af.

22.25 u. Grootvader is rustig. Zijn bloeddruk is gestegen tot bijna tien.

23.04 u. Waarom flitsen er altijd beelden van vroeger door mijn hoofd, terwijl ik *nu* en *hier* aan grootvaders ziekbed zit? Ik roep ze niet op, ze komen vanzelf.

23.15 u. De hele kamer is nog altijd vergeven van die stank. Een geur van dood en bederf, die nu ook in mijn kleren hangt. Geregeld hoor ik hier of daar een belletje rinkelen en daarna vluchtige stappen in de nacht, soms een gedempte, troostende, dan weer vermanende stem. Hoe houden die verpleegsters dat vol?

24.35 u. Bloeddruk boven de tien!

1.05 u. Infuus met bloed afgekoppeld. Glucose in de plaats.

1.40 u. Grootvader wilde weten of hij nog bloed verloor. Ik moest onder het laken kijken, terwijl hij zich op z'n zij draaide. Van tussen de magere, witte billen zag ik een dun straaltje bloed sijpelen. Ik heb het met een handdoek weggeveegd. Het was helder van kleur. Ook de stank lijkt minder erg. Of ruik ik hem niet meer?

2 u. Een lieve verpleegster heeft mij ongevraagd koffie gebracht.

2.20 u. Ben even op de gang mijn benen gaan strekken. Ik geloof dat grootvader eindelijk slaapt.

4.15 u. Voel me nog redelijk goed, alleen mijn ogen doen pijn. Wat een werk verzetten die verpleegsters hier! Ik hoor ze voortdurend heen en weer lopen.

5 u. De vogels hebben de dag ingezet, het wordt stilaan licht.

5.30 u. Ik snak naar een douche, voel me vies.

6 u. De nachtverpleegsters hebben hun dienst beëindigd met het ronddragen van de thermometers en het verversen van het linnen. Deze nacht is een les in nederigheid geweest.

7.45 u. Volgens de arts is de bloeding spontaan gestopt. Er is weer wat hoop.

Een onderzoek van maag en darmen, later op de dag, leverde niets op. De dokters stonden voor een raadsel en stelden voor de patiënt in observatie te houden. Direct levensgevaar was er in ieder geval niet meer bij.

'Ziet ge 't wel, Gust,' zei grootmoeder toen ze 's namiddags op bezoek kwam, 'onkruid vergaat niet.'

Grootvader keek haar zwijgend aan, ging wat rechtop zitten en vuurde toen van onder de lakens een krakend welkomstsalvo af.

De wereld van Bennie. Was die licht of donker? Warm of koud? Erik vroeg het zich af terwijl hij voor zijn bureau neerhurkte in kleermakerszit. Hij maakte twee kleine cirkeltjes met duim en wijsvinger, en ademde langzaam in en uit. Weldra verminderde zijn hartslag en ontspanden zijn spieren zich. Hoe zou het zijn te leven in een werkelijkheid waarin de dingen geen naam hebben? Hij keek geconcentreerd naar de oude kast waarin hij cursussen, brieven, tijdschriften en schrijfmateriaal bewaarde en probeerde geen *kast* te zien. Het lukte niet. En evenmin met de *stoel* waarop hij altijd zat of met de *bloempotten* op de vensterbank. Hij kreeg de woorden en de voorwerpen niet uiteen, alsof ze met hardnekkige lijm aan elkaar kleefden. Om uit te leggen wat een kast is, heb ik tientallen andere woorden nodig, dacht hij. Mijn taal houdt zichzelf én mijn wereld overeind.

Diezelfde taal schiep evenwel tussen hem en zijn omgeving ook een afstand, die hij soms kon inkorten, maar die nooit meer helemaal verdween. Hoe keek Bennie naar die kast? Wat zag *hij* erin? Een kleur? Een vorm? Iets hards dat hem pijn deed wanneer hij ertegenaan liep? Bennie leidde een dierlijk bestaan, niet gehinderd door woorden die alles benoemden en een vaste plaats gaven. Zijn wereld was nog niet in kaart gebracht, hij zat op een eiland en schrok van iedere voetstap die niet de zijne was. De kleinste wijziging kon hem volkomen van streek maken. Want wie geen taal heeft om er voorwerpen veilig in op te bergen, zoekt zijn zekerheid in de dingen zelf.

Erik sloot zijn ogen en trachtte zijn geest te bevrijden van namen. Hij beeldde zich in dat de woorden waarmee hij zijn kamer had ingericht, zich terugtrokken in het alfabet, dat daarna als een kabbelend beekje door een onbekend landschap stroomde. Kijk, daar ging de *kast*, met de *muur* erachteraan, ginder dreven zijn *boeken*, gevolgd door zijn *pen*, die geluidloos brak en in losse letters uiteenviel. Nog even en ze zouden niet meer van het water te onderscheiden zijn.

Wat hield hij dan over? Kleuren? Zelfs dat mocht niet. Zwart, rood, blauw en groen vloeiden samen tot een weke brij zonder naam. De vertrouwde kamer waarin hij nu al wekenlang dagelijks zijn doctoraat zat te herwerken, moest hem helemaal vreemd worden. Pas dan zou hij er misschien in slagen een stapje in Bennies woordenloze wereld te zetten, waarin geluiden en dingen waren wat ze waren en louter zintuiglijk bestonden.

Maar voor hij zover raakte, vloog de deur open en stroomde de werkelijkheid als een kolkende bergrivier opnieuw zijn kamer en zijn hoofd binnen.

'Zeg eens, ben jij doof, of wat? Ik heb al twee, drie keer geroepen.'

Inge keek verbaasd toen ze hem daar als een fakir op zijn tapijt zag zitten.

'Ben je nu overdag ook al met die yoga-onzin bezig?'

Erik knipperde met zijn ogen, alsof hij in een fel licht staarde.

'Er is telefoon voor jou.'

‘Telefoon? Wie?’

‘Dat weet ik niet. Ze heeft haar naam niet gezegd.’

Groot was de schok toen hij de stem herkende die als een onverwachte echo opsteeg uit de vergeetput van het verleden.

‘Mirjam, ben jij het?’

In een flits zag hij hoe Inge argwanend in zijn richting keek. Was hij nu maar alleen thuis geweest. Alhoewel, dan had hij het telefoongerinkel misschien niet eens gehoord.

‘Wie anders?’

‘Maar... Jij zat toch in Zuid-Afrika?’

‘Ik ben voor drie maanden... laat ons zeggen: *met vakantie* in België.’

‘Ah zo.’

Hij hield de o veel te lang aan, als een noot die bij gebrek aan adem vals eindigt. Maar waarom blééf Inge in godsnaam de planten water geven? Had ze niets beters te doen, in de keuken bijvoorbeeld?

‘Ik had je graag nog eens ontmoet. Kan dat?’

‘Natuurlijk, zeg maar wanneer.’

‘Nu donderdag, is dat goed?’

‘Prima!’

Zij stelde voor dat hij naar ‘hun’ café in Antwerpen kwam – tenminste, als dat nog bestond – en daarna zagen ze wel wat ze deden.

‘En zie maar dat je niet te hard schrikt.’

‘Schrikken? Waarom?’

Lachend verbrak ze de verbinding.

Diezelfde avond schreef hij in zijn dagboek: ‘Alweer vlammende ruzie. Dat kan zo niet blijven doorgaan. Inge beseft zelf niet hoe ziekelijk jaloers ze is. Ik ben het meer dan beu en denk er ernstig over na alleen te gaan wonen.’ Maar nog voor hij het dopje weer op zijn vulpen had geschroefd, wist hij dat het bij een boze gedachte zou blijven. Wat moest hij zonder Inge beginnen?

Hij zag meteen dat ze haar mooie lange haar had laten knippen en vond het geen verbetering. Maar het was iets anders waarvoor ze hem had verwittigd en dat hij in de verste verte niet had verwacht. Onder haar wijde jurk bolde een buik op die ze trots met beide handen vasthield.

'Mirjam, ik wist niet...'

'Ik wilde liever in België bevallen. Die dokters van ginder vertrouw ik voor geen haar.'

'En Luc?'

'Die is daar gebleven.' Even viel er een stilte, toen zei ze zonder een plooi van haar gezicht te vertrekken: 'Te veel werk.'

Zuchtend liet ze zich op een stoel zakken, waarna ze een gemakkelijke houding zocht.

'God, zal ik blij zijn dat ik hier vanaf ben.'

'Dat kan ik me voorstellen.'

'Ja, dat zeggen alle mannen, maar ik geloof er niets van.'

Het gesprek bleef ook daarna aan de oppervlakte en iedere poging die Erik deed om het wat meer naar de diepte te voeren, werd handig door haar ondervangen. Het was duidelijk dat ze alles wat vroeger tussen hen gebeurd was op een veilige afstand wilde houden. Haar toekomst zat in haar buik. Oude geliefden kunnen elkaar beter uit de weg gaan, dacht Erik. Wat ze elkaar nog echt te vertellen hebben, kan alleen maar kwetsen en al het andere is de moeite niet meer waard. Hij had beter niet op haar uitnodiging kunnen ingaan en betreurde het dat hij daarvoor een ruzie met Inge had uitgelokt. Wellicht vond Mirjam het eveneens jammer dat ze hem had opgebeld. Ze had haar krachten overschat, zei ze, ze was moe en haar rug deed pijn. Kon Erik haar misschien weer naar huis brengen?

Op de terugweg kreeg hij het gevoel dat hij jaren geleden aan een tweesprong had gestaan. Hij was toen een bepaalde richting ingeslagen en het had geen zin om te kijken naar iets wat niet meer bestond. Niemand kon op zijn stappen terugkeren. Misschien was de zwijgzame wereld waarin Bennie van het ene naar het andere moment leefde, de enige werkelijkheid. En plots begreep Erik dat er maar één manier bestond om daarin door te dringen: ophouden met denken.

Nooit had hij vermoed dat zijn beslissing om met Inge samen te wonen op zoveel problemen en weerstand zou stuiten. Inmiddels was hij een outlaw in iedere vrije school in de omgeving, en nog hielden de pesterijen van Inges vroegere echtgenoot niet op. Die gebruikte zijn eigen zoon als een handpop tegen diens moeder. Na de verplichte bezoekdagen keerde maar de helft van de meegegeven kleren terug, meestal smerig of gescheurd. Altijd bracht hij het kind uren te laat weer naar huis en steevast stond hij dan minutenlang te schelden aan de voordeur. Eén keer was hij zelfs, tijdens Eriks afwezigheid, de woning binnengedrongen en had Inge in de gauwte een paar flinke oorvegen verkocht. Het stapeltje klachten groeide zienderogen aan, maar bleek niet in staat de aandacht van het gerecht te trekken.

De spitsvondigheid van meneer ex kende waarlijk geen grenzen, alsof hij al zijn vrije tijd besteedde aan het uitdenken van gemene plannetjes. Op een dag viel er een aangetekende brief in de bus, afkomstig van het gemeentebestuur van Z., het dorp waar Inge vroeger woonde. Ze werd veroordeeld tot een boete van vijfduizend frank en kreeg bovendien een onkostennota voorgeschoteld van nog eens negenduizend frank. Het stukje weiland dat het echtpaar Vercammen ooit had aangekocht, met geld van Inges vader, en dat na de scheiding in tweeën was verdeeld, bleek vergeven van de distels, uitgerekend op de helft die aan Inge toebehoorde. Aangezien de wettige eigenares had verzuimd het onkruid tijdig te verwijderen, was de gemeentelijke onderhoudsdienst, onder leiding van Vercammen, zelf ten strijde getrokken. Vijf uur lang was er met man en macht gezwoegd op dat lapje grond en er was ook een vrachtwagen aan te pas gekomen. De brief eindigde met: 'In de hoop u van dienst te zijn geweest.'

Erik belde terstond naar de burgemeester van Z., die alle verantwoordelijkheid afschoof op de politiecommissaris, die op zijn beurt beweerde alleen maar zijn plicht te hebben gedaan. Toen bleek dat er met geen van beiden te praten viel – integendeel, ieder uitstel van betaling zou zonder pardon worden beboet! – smeet Erik woedend de hoorn op de haak.

’s Anderendaags belde de postbode aan met een tweede aangetekende zending.

Mijnheer Taelman,

Dat iemand die zich voordoet als een intelectueel, zo onbeleeft kan zijn, verwonderd mij ten zeerste. Als u iemands belangen wilt verdedigen, meneer Taelman, is dat uw goed recht. Maar om resultaat te hebben moet u het wel diplomatischer aan boort leggen, en niet, wanneer u de juiste werkwijze tot ontlasting zou uitgelegd worden, de telefoonhoorn gewoon op te leggen.

Wanneer u insinueert dat 'die andere!' niet zal hoeven te moeten betalen, wil dat zeggen dat 'die andere' zijn distels zelf heeft vernietigd. Als u het ongepast vind dat ik de politie doorgeef aan de telefoon, was het enkel te doen om u de juiste gang van zaken te laten vernemen om niet door mezelf diezelfde woorden te laten herhalen. Wat de kostprijs betreft, mijnheer Taelman, ik kan u voorbeelden tonen van andere gemeenten, waar de prijs dubbel zo hoog ligt. Als men daar in uw gemeente mede lacht, wel vraag dat iemand van die gemeente uw kliënte's distels komt maaien of desnoods, en voor mij niet gelaten, zaai distels in uw gemeente!

Intussen, mijnheer Taelman,
sans rancune,

de Burgemeester van Z.

Het waren evenwel geen distels die ’s avonds de tafel sierden, maar rozen. Precies vier jaar geleden hadden Erik en Inge hun eerste geheime afspraak gemaakt en dat moest worden gevierd. Bij een glas rode wijn beloofden ze elkaar niet te zullen wijken voor de laster en het getreiter, en daarna gooide Erik de stekelige schuldvordering uit Z. in het vuur. Geen betere remedie tegen achterdocht en gekibbel dan een gemeenschappelijke vijand.

Inge vlijde zich neer op het tapijtje voor de haard en trok haar kleren uit.

'Zullen we? Dat ontspant veel beter dan yoga.'

'Denk je?'

Even later waren ze samen op weg naar Wonderland.

– 1984 –

HET DOEMJAAR VAN ORWELL WAS BEGONNEN. In een razend tempo had Erik zijn doctoraatsthesis herschreven en dat wreekte zich. Migraine, slapeloosheid, hartkloppingen en een spijsvertering die voortdurend stilviel, waren zijn deel. Bovendien verscheen op zijn rechterwang een rode vlek die alsmaar groter en donkerder werd. Weldra ging de jeuk over in een stekende pijn die uitstraalde over heel zijn gezicht.

'Geen twijfel aan,' besloot de huidspecialist, 'gordelroos van de zuiverste soort. Zoiets heeft z'n tijd nodig.'

Wekenlang ging Erik als een getekende door het leven. Soms leek het even wat beter, maar bij de minste opwinding stond zijn hoofd weer in lichterlaaie. Als een verklikkerlicht dat alarm slaat. Financieel ging het ook bergaf. Buiten een interim van enkele weken in een atheneum, waarvoor hij nog niet was betaald, was hij aangewezen op een werkloosheidsuitkering die amper 22.000 frank per maand bedroeg. In de loop van januari ontving hij bericht dat hem in 1983 geen werkbeurs van het Nationaal Fonds kon worden toegekend, iets wat hij ook zonder die brief al wel begrepen had. Alleen wie werkzaam was aan een universiteit kon eventueel rekenen op subsidie. In dat geval had ik het geld niet nodig, dacht Erik. Zijn promotor had inmiddels het licht op groen gezet. Tenzij er nog ernstige kritiek kwam van de overige juryleden, zou de publieke verdediging plaatsvinden in juni. Ondertussen viel er niets anders te doen dan afwachten, zodat Erik weer volop artikels over moderne literatuur kon schrijven.

Eind januari lag het landschap bedolven onder een dikke laag sneeuw. Dagelijks maakte hij urenlange wandelingen in de bossen, die een vreemdsoortig licht uitstraalden, helder en zacht tegelijkertijd. Af en toe hield hij halt om te luisteren naar het blaffen van een hond of de schreeuw van een kraai. Geluiden die over de velden galmden alsof ze een eigen, onzichtbaar leven leidden. Hier en daar waren sporen van konijnen die hun hol hadden verlaten op zoek naar voedsel en één keer zag hij in het tegenlicht de schim van een vluchtende ree.

Bennie, die voor het eerst in zijn leven sneeuw zag, reageerde onwennig en zenuwachtig. Hij keek naar buiten en herkende de omgeving niet meer. Hij klauwde in de witte massa en trok verbaasd zijn hand terug, alsof iets hem had gebeten. Misschien vroeg hij zich af waar al dat gras en zand gebleven waren.

Spreken kon je de klanken die hij voortbracht nog altijd niet noemen. Op school maakte hij moeizame vorderingen, maar zijn asociaal gedrag bleef voor problemen zorgen. Tijdens de weekends oefende Inge ook thuis veel met hem. Op aanraden van de lerares kocht zij speciale puzzels, waarvan de stukken zo groot waren dat Bennie ze met beide handen moest vasthouden. Het duurde een eeuwigheid voor hij doorhad dat die dingen dienden om ineen te passen, en nog veel langer om hem te laten inzien dat hij de tekening op de doos als voorbeeld moest nemen. Soms blééf hij proberen de verkeerde stukken in elkaar te wringen, tot hij er opeens genoeg van kreeg, woedend alles van zich afsmeet en begon te gillen alsof hij door een zwerm wespen werd aangevallen.

Een andere oefening bestond erin de juiste associaties te leggen. Inge toonde hem afbeeldingen van allerlei dieren – vissen, honden, katten, konijnen en tijgers – en vroeg hem soort bij soort te leggen, waarbij de verschillende kleuren een hulpmiddel waren.

'Kijk nu goed, Bennie, ik doe het nog één keer voor.'

Traag legde ze de tekeningen een voor een op het juiste stapeltje.

'En nu is het aan jou. Waar leg je dit?'

'Neen, eerst kijken, Bennie.'

'Is dat een konijntje? Kijk eens goed.'

'Let op, deze goudvis leg ik hier. Gezien? En dat hondje daar. Zo. Nu jij weer.'

'Is dat óók een vis? Kijk nog eens goed.'

'Bennie?'

Maar hij was alweer mijlenver weg, op een plaats waar zij niet kon komen. Voor hem bestonden er weinig of geen verschillen in de dierenwereld en als Inge te lang aandrong, sloot hij koppig zijn ogen en trok zich terug als een slak in haar schelp. Vriendjes had hij niet op school en met niemand zocht hij contact, behalve met het poedeltje van de directrice, dat hij al een paar keer hele plukken haar had uitgetrokken. Soms zat hij urenlang onbeweeglijk in een hoek van de speelzaal, te staren naar iets wat alleen hij zag.

Een plant die soms lawaai maakt, dacht Erik, bij welke soort leg je die?

'Koek.'

'Koék.'

'Koeoek!'

'Zeg, 't is al goed, hoor, Erik. Je bent niet tegen een hond bezig.'

Neen, die luistert tenminste. Erik liet zijn hand zakken en zwaaide ermee heen en weer voor de ogen van Bennie. Die greep er een paar keer naar, maar miste telkens.

'Hou daar nu toch mee op, straks eindigt het weer met een huilbui en dan kan ik hem gaan troosten.'

'Vooruit, Bennie, zeg het: koek, koek.'

'Oe...oe...'

Dat was alvast een begin. Erik boog zich voorover en tuitte zijn lippen.

'Kijk, zo, Bennie: ke, ke, ke-oeoe-k! Komaan, je kunt het.'

'Stop ermee, Erik, dadelijk is het zover.'

Bennie begon inderdaad met zijn hoofd te wiegen, ten teken dat hij de spanning niet meer aankon. Hij kneep zijn ogen dicht en verwrong zijn gezicht tot een afstotelijke grimas. Erik voelde zijn hart bonzen en op zijn voorhoofd prikkelden kleine zweetdruppeltjes. Kwaad stak hij het koekje in zijn eigen mond en hij begon er luid op te knabbelen. Het beste zou zijn dat hij nu opstond en wegging, er was nog niets onherroepelijks gebeurd. Maar iets hield hem tegen. Een satanische wellust, waarvoor hij zelf geen verklaring had, maakte zich van hem meester en deed zijn bloed kolken. Het is die domheid waar ik geen weg mee weet, dacht hij, daar schampt alles op af. Als Bennie er niet was, deed hij vaak alle moeite om iets te begrijpen van wat er in diens hoofd omging, maar zodra hij in de buurt kwam, verdwenen het geduld en het begrip, en bleven alleen een sluimerende afkeer en woede over. Hij zag hoe Inge verstijfde toen ze begreep wat er zou volgen.

'Ogen open!'

'Niet doen, Erik.'

Het klonk bijna smekend. Hij kon het naderende debâcle nog ontwijken.

'Ogen open, zeg ik, nù, direct!'

Uit Bennies keel steeg een geluid op als van een bromvlieg die in een spinneweb verstrikt is geraakt. Van tussen zijn lippen droop een slijmerige draad speeksel traag langs zijn kin omlaag. Opeens veranderde Erik in een overhellend rotsblok dat zijn laatste duwtje krijgt en met donderend geraas naar beneden tuimelt, klaar om alles en iedereen op zijn weg te verpletteren. Hij pakte Bennie bij de schouders en schudde hem ruw door elkaar.

'Vuile komediant! Je hoort mij goed genoeg. Doe godverdomme die ogen open of...'

Dan gebeurde alles in een flits. Inge die naar voren sprong en Erik opzij duwde, Bennie die geluidloos naar lucht hapte, lijkbleek werd en toen stuiptrekkend van zijn stoel stortte.

'Een dokter! Bel een dokter, vlug!'

Een nachtmerrie was het, waarin Erik tot aan zijn nek in een zuigend moeras stond. Door een waas heen zag hij Bennies borstkas schokkend op en neer gaan, hij hoorde braakgeluiden en keek naar het schuim dat uit zijn mond opborrelde.

'Sta daar niet zo! Doé iets!'

Hij rende naar de telefoon, draaide in zijn haast een verkeerd nummer, probeerde opnieuw en kreeg toen de bezettoon te horen. In de keuken werd het onheilspellend stil. Inge verscheen in de deuropening, met Bennie in haar armen. Zijn hoofd hing als een geknakte bloem achterover en hij lag zo stil dat het leek of hij... Erik liet verdwaasd de hoorn zakken, hoorde in de verte een stem die 'hallo' riep en nog iets wat hij niet verstond. Met ingehouden adem keek hij naar Inge, die Bennie voorzichtig in de fauteuil legde en daarna een kussen onder zijn hoofd schoof.

'Laat maar,' zei ze stil, 'het is over.'

Erik werd zich opnieuw bewust van de telefoon.

'Het spijt me,' stamelde hij in de hoorn, 'het was een vergissing.'

Aan de andere kant van de lijn werd de verbinding verbroken.

'Het was lang geleden dat hij nog zo'n aanval had,' zei Inge, met een stem die hij niet herkende, 'maar nu slaapt hij.'

Erik beet op zijn onderlip tot het pijn deed.

'Inge...' begon hij, 'ik wist echt niet...', maar toen ze zich naar hem toe keerde en hem aankeek met ogen waarin niet eens boosheid te zien was, alleen maar tranen, bleef de rest van wat hij had willen zeggen in zijn keel steken.

'Soms vraag ik mij af,' hoorde hij haar fluisteren, 'wie hier de zieke is.'

Haar woorden waaiden hem over een roerloze sneeuwvlakte tegemoet. En hij stond er sprakeloos naar te luisteren.

Als de mens zich ook maar een beetje kon inleven in het lijden van de anderen, dan zou hij dat doen, vond Erik. Al was het maar om zichzelf te sparen of te troosten. Het leek het enige alibi dat hij kon bedenken. Hij was deze keer zo geschrokken van wat er was gebeurd, dat hij er dagenlang over liep te piekeren. Vanaf het moment dat Bennie zijn ogen had gesloten en een blinde muur tussen hem en zijn omgeving had opgetrokken, was het misgegaan. Toen sloeg er iets los in Erik dat door niets meer was tegen te houden. Hij wist dat hij viel en vond nergens houvast. Het was alleen maar schijn dat Bennie alles had uitgelokt, want zoiets vergt inzicht in een situatie en dat had die jongen niet. Of toch? Hij was evenmin een komediant, zoals Erik had uitgeroepen. Om te doen alsof moet je bepaalde technieken beheersen, een rol kunnen spelen, en waar zou hij zoiets hebben geleerd? Bennie was altijd en overal Bennie. Neen, de fout lag uitsluitend bij hemzelf. Erik moest het toegeven, ook tegenover Inge. Daar had ze recht op na wat hij haar had aangedaan.

Maar waarom blééf hij dan zo'n vreselijke afkeer hebben van die sukkelaar, die stom, bijna doof en behept met allerlei gebreken door het leven moest gaan? Het was iets fysieks, iets dat zijn keel dichtsnoerde, zijn hart opjoeg, zijn bloed vol adrenaline deed stromen en een drift ontketende die van hem een onmens maakte. In mij schuilt een geweldenaar, dacht Erik, een bruut die in staat is hulpeloze slachtoffers pijn te doen en te vernederen. Iemand die ik niet ken en die mij bang maakt. En terwijl die primitieve woesteling in hem sluimerde en geduldig zijn kans afwachtte, schreef dat andere wezen, dat beschaafd en belezen was, meer dan vierhonderd bladzijden over 'Ethiek en solipsisme'.

Hij had er met Inge over gepraat, maar was niet tot het uiterste durven te gaan. Hoe kon hij haar vertellen dat er momenten waren waarop hij haar zoon werkelijk *haatte*? Hij had haar gevraagd hoe zij destijds de zaken had aangepakt, toen ze vernam dat Bennie anders was.

'Zoiets wil je als moeder niet geloven,' had ze geantwoord, 'je weigert doodeenvoudig de dingen te zien die anderen met één oogopslag in de gaten hebben.'

'Kan dat?'

'Ik bedoel, je ziét natuurlijk wel dat er iets niet klopt, maar je trekt geen conclusies. Je zoekt uitvluchten of je speelt verstoppertje met jezelf.'

'Vroeg of laat moet dat toch uitkomen?'

'Ik herinner mij dat ik kwaad werd toen de huisdokter mij vertelde dat er met Bennie blijkbaar iets grondig mis was.

Want zolang niemand het *zegt*, kun je blijven denken dat er niets aan de hand is.'

'Ik weet wel, jij bent z'n moeder, maar zijn er nooit eens momenten geweest dat die jongen... dat hij... hoe zal ik het zeggen...'

'Mij dubbel en dwars de keel uithing?'

Erik knikte.

'Toen hij nog heel klein was, heb ik met hem ooit aan de rand van een vijver gestaan.'

Ze zweeg, aarzelde, vocht met zichzelf.

'Een vijver?'

'Ik weet eigenlijk nog altijd niet goed wat ik precies van plan was... Het was een bevlieging natuurlijk, meer niet, maar toch...'

Erik kreeg spijt dat hij het had gevraagd. Hij wist niet of hij dit wel wilde horen en zag hoe moeilijk Inge het had om verder te vertellen.

'Nachten na elkaar had hij liggen huilen, de dokter begreep ook niet hoe hij het volhield. Ik werd er compleet gek van, en dan denk je soms rare dingen. Ik maakte mezelf wijs dat hij beter... dat zo'n leven geen zin had... Maar toen ik daar aan dat water stond, begreep ik opeens dat het niet voor hém was dat ik het zou doen, maar voor mezelf. Snap je?'

Erik keek haar zwijgend aan. Hij bewonderde haar omdat ze zoiets had durven opbiechten. Ze maakte het ook voor hem makkelijker om op zijn beurt een stap te zetten, ze wierp een brug over de kloof die hen scheidde en hij had er maar over te lopen. En toch was er nog altijd iets in hem dat dit belette. Een hindernis waar hij niet overheen raakte. Misschien schaamde hij zich te zeer voor wat hij had gedaan, lag het nog te vers in het geheugen, maar terzelfder tijd voelde hij dat de oorzaak veel dieper zat. Het had niet alleen met Bennie te maken, *hij* was het die zichzelf in de weg stond.

Soms leek de natuur op een decor dat van de ene op de andere dag werd verwisseld. Nog maar pas staken de krokussen nieuwsgierig hun kopje boven de grond en waren de eerste roze bloempjes aan de sneeuwbes verschenen, of daar viel een pak sneeuw dat de tijd enkele maanden terug leek te draaien. Daardoor ontsnapte Erik in ieder geval nog even aan de lentekriebels en kon hij zich ten volle bezighouden met het overtikken van wat de definitieve versie van zijn studie moest worden. Twee van de juryleden hadden hier en daar nog wat formele bezwaren geopperd, maar gelukkig waren er geen al te ingrijpende wijzigingen nodig om daaraan tegemoet te komen. De verdediging was gepland voor half juni. Erik moest nog een of andere idiote bijstelling formuleren en uitwerken, voor het geval een van de inquisiteurs daarnaar vroeg, en natuurlijk ook een presentabele synthese van zijn werk maken. Alleen al bij de gedachte dat hij voor een publiek van kritische toehoorders zou moeten spreken, brak het koude zweet hem uit. Maar daarna zou het afgelopen zijn met die dagelijkse gang naar het stempellokaal en kon hij plannen maken voor een universitaire carrière. *Professor Taelman.* Hij zag het naambordje al op de deur van zijn bureau hangen. Ook zou hij Inge na al die jaren opnieuw de levensstandaard kunnen bieden waaraan ze vóór haar scheiding gewend was, en zouden ze iedere cent die ze uitgaven geen driemaal meer moeten omkeren.

De telefoon rinkelde zijn dromerijen aan stukken. Zijn vader deelde hem met een matte stem mee dat moeder over enkele dagen werd geopereerd. Waarschijnlijk niets ernstigs, maar met die vrouwenkwalen, waar hij verder niet veel over kwijt wilde, wist je natuurlijk nooit.

Aangezien Erik de enige in de familie was die zich tijdens de week overdag vrij kon maken – de anderen *werkten* immers – hield hij in het ziekenhuis zijn moeder gezelschap tot ze aan de beurt kwam. Gesproken werd er weinig, want wat zeg je tegen iemand die zo dadelijk zal worden opengesneden? Als het eropaan komt, dacht hij, terwijl zijn moeder in haar bed naar de operatiekamer werd gereden, sta je er helemaal alleen voor. Niemand die het van je kan overnemen. Hij wilde haar nog naroepen dat hij zou wachten en dat hij van haar hield, maar kreeg de woorden niet over zijn lippen. In zijn verbeelding zag hij de chirurg zijn messen slijpen.

Reeds als kind had hij een enorme schrik voor messen en een afkeer van bloed. Zijn grootvader van vaderskant draaide er zijn hand niet voor om kippen, duiven of konijnen te slachten, ook al had hij ze maandenlang zelf verzorgd en gevoederd. Hij bezat een hakblok vol rode vlekken, dat diepe sporen van bijlen en messen vertoonde. Eén keer had Erik toegekeken terwijl grootvader een konijn met een ijzeren staaf in de nek sloeg. Het diertje liet een kort, scherp gepiep horen en hing toen slap met de kop omlaag aan een touw te bengelen. Maar het *ademde* nog toen grootvader kalm naar zijn vlijmscherp mes greep en het met een draaiende beweging, alsof hij een rot plekje uit een aardappel sneed, de ogen uitstak. Eerst spoot het bloed op zijn handen, daarna viel het in druppels op de grond. Minutenlang duurde dat en ondertussen maakte het konijntje schokkende bewegingen, als had het kramp in heel zijn lijf.

Grootvader sprak geen woord en onbewogen bekeek hij zijn beulswerk. Erik haatte hem op dat moment meer dan wie ook en wenste hem de vreselijkste dingen toe. Toen het druppelen bijna was opgehouden, greep grootvader opnieuw naar zijn mes. Met precieze insnijdingen maakte hij de pels rond de poten, de kop en de staart los, dan gaf hij een vil in de lichtgekleurde buik en daarna trok hij de vacht met beide handen in één ruk naar beneden, alsof hij een dikke winterkous binnenstebuiten keerde. Het maakte een geluid als van oude beddelakens die in repen worden gescheurd. In het bleke, doorschijnende vel dat nu zichtbaar werd, krioelde het van roodblauwe adertjes en hier en daar schemerde er de donkere kleur van ingewanden doorheen. Toen grootvader ook daarin zonder verpinken de punt van zijn mes zette, en er opeens een kronkelige, wriemelende massa darmen te voorschijn sprong waaruit een weeë geur opsteeg, vluchtte Erik naar buiten, de tuin in, waar hij zijn longen vol frisse lucht zoog. Onbegrijpelijk was het dat zijn grootvader, die hij zo bewonderde, zulke wreedheden kon begaan en vooral het feit dat hij zich daarbij zo koelbloedig gedroeg, bracht Erik in de war. Verraden, zo voelde hij zich.

's Avonds legde hij demonstratief zijn handen naast zijn bord en klemde zijn kaken stevig opeen toen moeder de dampende pot op tafel zette.

'Wel, wat is er? Geen honger?'

'Ik eet geen konijn.'

'Ah nee? En waarom niet?'

'Dáárom.'

'Is dat nu een antwoord?'

Vader keek hem boos aan terwijl hij het deksel van de pot lichtte.

''t Is zeker weer niet goed genoeg voor meneer. Of is 't om interessant te doen?'

Erik haalde zijn schouders op. Tegen zijn vader durfde hij niet te veel zeggen, want die was vlug in zijn wiek geschoten.

'Ge moet het dan maar zelf weten. Maar kom straks niet voor iets anders zagen, hé manneke, want 't zal niet pakken.'

Even later zat de hele familie zich te goed te doen aan het bruine vlees. Grootvader genoot er zo te zien nog het meeste van. Vergenoegd peuzelde hij de kleinste beentjes en botjes af, terwijl het vet langs zijn kin en vingers droop. Bijna leek hij weer op die brave, goedaardige man die Erik kende, maar plots doemde achter hem de schim van de beul met het bebloede mes op. Verschrikt vroeg Erik zich af wie van beiden de echte was.

Toen moeder terug in haar kamer werd gereden, zag ze er bleek en doodmoe uit. Alsof ze een gipsen masker droeg. Ze sliep, en de verpleegster zei dat het nog een tijdje kon duren voor ze uit de verdoving ontwaakte. Erik zat naast haar bed en dacht: hier ligt de vrouw die mij dertig jaar geleden het leven heeft doorgegeven. Ze hebben haar lichaam geopend, erin gekeken en rondgewoeld met schaartjes, messen, klemmetjes en puntige voorwerpen, en daarna alles weer netjes dichtgenaaid. Maar niemand weet wat er nu in haar hoofd omgaat. Misschien droomt ze, misschien ook niet. En straks is ze het zelf vergeten. Hij nam haar hand vast, voelde geen reactie en fluisterde dat ze gerust mocht zijn, het was voorbij, en dat hij bij haar bleef. Daarna leunde hij achterover in de fauteuil, keek naar het zakje met bloed en begon de druppels te tellen.

Er bestaan grenzen waar je niet ongestraft overheen komt. Eén daarvan heet: lust, een andere: schaamte. Wanneer die twee de handen in elkaar slaan, weet de ziel niet wat haar overkomt en wendt ze geschrokken de ogen af. Het liefst van al was Erik anoniem geweest. Een man zonder gezicht die, ongestoord en door niemand nagekeken, zijn auto verlaat, de straat oversteekt en halt houdt voor de vitrine met de schreeuwlelijke, flitsende neonlampen die op hem inwerken als een bewegende lap op een dolle stier. Hijgend staat het beest te aarzelen, stoom af te blazen, het schraapt zijn hoeven over de grond, rukt woest de kop op en neer, en bereidt zo de onvermijdelijke aanval voor. In deze gespannen stilte wordt de drang om vooruit te stormen zo groot, dat een ontlading niet uit kan blijven. Ook al voelt het getergde dier instinctmatig dat het weldra in de rug zal worden gestoken, toch is er geen houden meer aan. Als een losgeslagen veer schiet het vooruit, pijlsnel zijn fatale driften achterna.

Het gerinkel van de deurbel doet de andere klanten opkijken. Voelen zij zich op heterdaad betrapt? De allereerste aanblik van de rekken is bedwelmend. Overweldigend. In de sacrale stilte die hier heerst, dwaalt het oog onverzadigbaar heen en weer over tijdschriften, affiches, videobanden en magische voorwerpen om jezelf en anderen lieflijk mee te kwellen op de pijnbank van het genot. Niet Erik is het die daar loopt, inwendig bruisend onverschilligheid uitstraalt, willekeurig een magazine kiest, erin bladert, het weer weglegt en een ander neemt. Het is iemand die hij verloochent, maar die tijdelijk de macht heeft overgenomen; die hem in verlegenheid brengt, maar tegelijkertijd een vrijbrief schenkt. Hierbinnen lijkt alles mogelijk, is geen verlangen te groot, het meest perverse eerst. Dit is één grote samenzwering van medeplichtigen die elkaar liever niet in de ogen kijken. Lelijke en mooie vrouwen, dikke en slanke, jonge en oude, blanke en zwarte, grote en kleine, en allemaal even ongeremd en geil hun beschikbare openingen aanbiedend. Binnen deze muren wordt de droom verbeeld die in werkelijkheid alleen maar in een nachtmerrie kan eindigen. Dit is het vleesgeworden onderbewustzijn van de man. De onderwereld van de geest.

Erik weet dat er een moment komt waarop hij moet beslissen: kopen of vluchten, want van gluurders houdt men hier niet. Maar hij mag vooral niet wachten tot zijn verstand stokken in de wielen steekt en van hem een deerniswekkende, van ongezonde lusten bezeten viezerik maakt die met de staart tussen zijn benen in het kielzog van een andere bezoeker naar buiten sluipt. Vóór dat gebeurt, moet hij alweer veilig over straat lopen, keurig op weg naar zijn wagen, met onder zijn arm een pakje in grauw papier waarvan de inhoud gaten brandt in zijn kleren en zijn gedachten. Eenmaal thuis komt het eropaan het hoofd koel te houden, want de schaamte ligt nu op de loer. De geringschatting en de vernedering zijn vlakbij.

'Waar heb jij in hemelsnaam zo lang gezeten? Ik had je al meer dan een uur geleden terug verwacht.'

'In een boekhandel rondgehangen' – niet écht een leugen – 'en je weet hoe dat gaat...'

Inge bekeek hem argwanend, speurend naar het kleinste teken van trouweloosheid. Was hij haar ontrouw geweest, vroeg hij zich af. Dit was het moment om de waarheid pas echt geweld aan te doen. Het bewijs werd overhandigd in de vorm van een geschenk, en van zijn kleurige verpakking ontdaan. Even later stond Inge verbaasd met het lijvige succesboek van Umberto Eco in haar handen.

'Naar het schijnt wordt het binnenkort verfilmd. Lees het dus maar gauw.'

'Waar heb ik dat aan te danken? Ik ben toch niet jarig of zo?'

Erik glimlachte grootmoedig.

'Ach, ik had nog iets goed te maken, vond ik. Je weet wel...'

De zoen die hij Inge gaf, leek hem desondanks nog altijd een judaskus. Maar zij was er in ieder geval blij mee.

Vijfduizend frank kostte de inschrijving voor het doctoraatsexamen. Voor het fotocopiëren en inbinden van het werk had Erik nog eens zoveel moeten betalen, waardoor zijn toch al blozende bankrekening helemaal schaamrood uitsloeg. Hij verstuurde enkele exemplaren naar een paar uitgeverijen, want het vooruitzicht dat vijf jaar arbeid zou liggen te beschimmelen op de zolder van vijf verkalkte professoren of in het archief van de universiteitsbibliotheek, was niet aantrekkelijk. Het feit dat hij weldra een werkloze Doctor in de Letteren & Wijsbegeerte zou zijn evenmin.

Al enkele weken had hij weer problemen met zijn nieren. Eén daarvan was door een aangeboren afwijking misvormd en raakte makkelijk geïnfecteerd. Dat ging gepaard met hevige pijn en koorts. Het was een kwaal waarmee Erik min of meer had leren leven, maar die er met het ouder worden niet op verbeterde. Ook tijdens het lopen kreeg hij er steeds meer last van. Voor een chirurgische ingreep – de enige echte remedie – vond de huisarts het nog te vroeg. Indien de klachten evenwel aanhielden, raadde hij een uitgebreid radiologisch onderzoek aan. En dat betekende waarschijnlijk: onder het mes. Erik zag zichzelf al op de operatietafel liggen, bedekt met groene doeken en omringd door zoemende en flikkerende apparaten, en door gemaskerde mannen die zich over zijn lichaam bogen, klaar om het binnenstebuiten te keren.

Maar eerst stond hem een andere beproeving te wachten, want de dag van de promotie was aangebroken. De opkomst was gelukkig gering: enkele assistenten en wat doctorerende studiegenoten die waarschijnlijk hoopten hem te zien afgaan als een gieter. Te midden van hen zat Inge, even gespannen en zenuwachtig als Erik zelf. Vooraan had het vijfkoppige Heilig Officie plaatsgenomen. Het viel nog mee dat ze geen toga droegen. Erik moest blijven staan. Hij kreeg het benauwd toen hij al die blikken op zich gevestigd zag en had alle moeite om zijn ademhaling onder controle te houden. Zijn hart schudde aan de tralies van zijn ribbenkast, alsof het wilde uitbreken. Toen werd het startschot gegeven. Van achter een katheder gaf hij zijn zorgvuldig voorbereide uiteenzetting. Die duurde ongeveer een uur. Dan was het moment aangebroken om hem het vuur aan de schenen te leggen. Maar hij zou zijn huid duur verkopen!

Aanvankelijk scheen alles nogal vlot te verlopen. Een paar juryleden maakten er zich vanaf met enkele obligate vragen en bedenkingen die Erik niet voor problemen stelden, en de muzikale hoogleraar bij wie hij destijds aan huis was geweest, herhaalde nog even zijn eerdere bezwaren die, zo meende hij, door de doctorandus in zijn herwerkte versie behoorlijk waren ondervangen, al blééf hij hoe dan ook de mening toegedaan dat de ethiek nooit het resultaat van menselijke voorschriften en regels kon zijn, maar een goddelijk principe vertegenwoordigde waaraan niet kon worden getornd, op straffe van zedelijk verval en decadentie. Zijn woorden beierden door het zaaltje en trilden nog na in de oren van de aanwezigen toen het de beurt was aan het vijfde en laatste jurylid: een hooggeleerd Brussels professor die een lijvige publikatie over een gelijkaardig onderwerp op zijn naam had staan. De man haalde terstond een ronkende kettingzaag te voorschijn en probeerde met maaiende bewegingen de poten van onder Eriks werkstuk te halen. Toen dat niet dadelijk lukte, wond hij zich op en werd hij zelfs boos. Meer dan anderhalf uur bleven hij en Erik met getrokken messen tegenover elkaar staan. Dan maakte de voorzitter een einde aan het dovemansgesprek. De jury zou zich nu terugtrekken om te beraadslagen. Vanop het podium keek Erik ontdaan het zaaltje in, tot zijn blik die van Inge kruiste. In een flits zag hij haar bemoedigend glimlachen.

Het wachten duurde lang. Té lang, vreesden sommigen. Anderen beschouwden het dan weer als een goed teken: er werd gebekvecht over grote of grootste onderscheiding. Erik zweeg. Hij kreeg het prangende gevoel dat er in het belendende vertrek over zijn toekomst werd beslist, en er was niets wat hij er nog aan kon veranderen. Vrijspraak of levenslang. Wat zou het worden?

Een halfuur later traden de scherprechters opnieuw de zaal binnen en werd het vonnis plechtig geveld: de heer Taelman had zijn diploma behaald, met onderscheiding. Een afgang was het niet, een overwinning evenmin. De Brusselse Orlando Furioso weigerde mee het glas te heffen, pakte driftig zijn spullen bij elkaar en verliet met slaande deuren de arena.

'Geen gemakkelijk heerschap,' mompelde Eriks promotor, 'je had zijn naam nóg wat meer moeten vermelden in je studie, dat zou minstens een graad hebben gescheeld. Prosit!'

Twee weken toerden Erik en Inge daarna rond in de Provence, terwijl Bennie de toegewezen jaarlijkse vakantie bij zijn vader doorbracht. Ze kamden de hele streek uit, van Les Baux, Arles, Tarascon en Avignon tot in de Camargue, bezochten de abdijen van Montmajour en Sénanque, bruinden op het strand, zaten op terrasjes, dronken liters landwijn en brachten een onaangekondigd bezoek aan een vriendelijke Vlaamse schrijver en zijn vrouw, die zich enkele jaren geleden in de buurt van de Mont Ventoux hadden gevestigd.

Te midden van dat paradijselijk ogende natuurschoon vonden ze ook elkaar terug. De gloed van het prille begin, ooit opgelaaid in het stempellokaal, was er opeens weer. Ze *speelden* soms dat ze elkaar in Zuid-Frankrijk voor het eerst ontmoetten. Hij had haar zien slenteren door L'Allée des Sarcophages in Arles of op een bank zien zitten in St. Rémy-de-Provence en had haar aangesproken. Het klikte natuurlijk meteen. Erik kon er niet genoeg van krijgen Inge op alle mogelijke plaatsen te fotograferen. Eerst met kleren (tijdens de uitstapjes), daarna in monokini (op het strand), ten slotte helemaal naakt ('s avonds in de slaapkamer). Gewillig liet zij de lens heel haar lichaam aftasten. Ze bedacht zelf allerlei opwindende poses, waarop Erik zo dicht mogelijk inzoomde. Om het allemaal een zekere *flou artistique* te geven, trok hij een nylonkous over de camera. Toen kwam Inge op een idee. Waarom geen innig tafereeltje van hen beiden? Erik liet verbaasd zijn fotoapparaat zakken.

'Wij allebei?'

'Ja, waarom niet?'

'Hoe stel jij je dat dan voor?'

'Er zit toch een zelfontspanner op dat toestel, of niet?'

Ze wachtte zijn antwoord niet af, draaide zich om, steunde op haar ellebogen, stak haar witte kontje in de lucht en spreidde haar knieën.

'Wel? Komt er nog wat van?'

Erik kleedde zich vliegensvlug uit, stelde de camera in – hij gaf zichzelf tien seconden – en rende voor zijn leven. Net op het moment dat hij zijn positie had ingenomen, ontspande ook de sluiter van het fototoestel zich. Een korte lichtflits vulde de kamer en toverde sterretjes op hun netvlies. Enkele minuten later explodeerden ze allebei zelf.

Bij hun thuiskomst stak er een viertal brieven van universiteiten in de bus, waarvan de aanhef telkens een variant was op: 'Wij hebben uw sollicitatie in goede orde ontvangen, maar helaas moeten wij u meedelen dat...', en twee pakjes die alleen maar een geretourneerd exemplaar van zijn studie konden bevatten. Waarschijnlijk hadden de uitgevers niet eens de moeite genomen de hele tekst te lezen.

Bennie zag er verwaarloosd uit en droeg kleren die stonken. Het leek of hij in vieze grachten had rondgeploeterd of als een zwijn in een mesthoop had zitten wroeten. Op zijn voorhoofd had hij een grote buil. Inge zette hem meteen in bad en even later weerklonk het vertrouwde gejodel, toen zijn haar werd gewassen. Daarna kroop hij naast Inge in de fauteuil en begon haar wang te aaien, terwijl hij neuriënde geluidjes maakte. Erik zat het vanop een afstand te bekijken.

'Zou hij nu gelukkig zijn, denk je?'

'Ik weet het niet. Ja, ik geloof van wel. Hij heeft me in ieder geval nog geen moment met rust gelaten sinds we terug zijn.'

'Ons cadeautje is anders geen groot succes.'

De speelgoedauto die ze hadden meegebracht, lag onaangeroerd op de grond. Bennie had er even naar gekeken en eraan geroken, maar had verder geen enkele interesse getoond. Met wat takken en bladeren zou hij allicht blijer zijn geweest, dacht Erik.

Tijdens hun afwezigheid had Bennie een nieuwe, hoogstvervelende tic ontwikkeld. Hij riep nu niet meer 'boe-ba', maar trok met zijn schouder, alsof hij een stroomstoot kreeg, en slaakte tegelijkertijd een kreet die het midden hield tussen een plompe o-klank en een boer. Inge deed eerst of ze niets merkte, tot het ook haar op de zenuwen begon te werken.

'Waar heeft hij dat nu weer vandaan?'

Erik haalde zijn schouders op.

'Afgekeken van zijn vader, zeker.'

'Oh!'

'Bennie, wat doe je nu?'

Maar hoe meer Inge ertegenin ging, des te erger het werd. Er zat waarschijnlijk alweer niet veel anders op dan te wachten tot deze zenuwtrek plaats maakte voor een volgende.

'Zeg, Erik...'

'Wat?'

'Zouden we hier niet eens opnieuw schilderen en behangen?'

'Behangen? Waarom?'

'Ik ben uitgekeken op dat papier.'

'Oh ja? Mij stoort het helemaal niet. Ik vind het nog best zo.'

Een week lang waren ze er van 's ochtends tot 's avonds mee bezig. Inge straalde toen ze het resultaat zag, maar Erik voelde zich geradbraakt.

Die nacht zat hij om halfeen in een gloeiend heet bad de pijn in zijn rug en onderbuik te verbijten. Zijn urine was troebel van de etter en zette zijn penis in vuur en vlam. De huisarts schreef een krachtige dosis antibiotica voor en gaf hem de raad vanaf nu al te zware inspanningen te vermijden, dus ook niet meer gaan lopen. Eveneens te mijden waren sterk gekruide gerechten.

'En geen druppel alcohol! Dat is puur vergif voor u.'

'Ik voel mij net een invalide,' zuchtte Erik toen de dokter buiten was.

'Dat kan ik begrijpen, maar je weet wat het alternatief is.'

Erik wist het. Toen hij echter een week later nog altijd crisissen kreeg en lag te kronkelen van de pijn, besloot hij de knoop door te hakken. Hij ging naar de specialist die hij al eerder had geraadpleegd. Een gezapig man die erom bekend stond niet overijld naar het mes te grijpen. De dokter balde zijn hand tot een vuist en gaf Erik onverhoeds een slag in de nierstreek, die hem van zijn stoel deed opspringen.

'Een marathon gelopen, of aan het verbouwen geweest misschien?'

'Zoiets, ja.'

'Tja, zo eindigt het gewoonlijk. Als gij u kalm houdt, is er niet veel aan de hand, maar ge zijt nog wat te jong om al stil te zitten, nietwaar?'

Erik gaf het aarzelend toe.

'Doe uw broek eens uit en leg u daar maar neer. Beentjes links en rechts.'

Terwijl Erik zich zwijgend ontkleedde, verdween de dokter in het kamertje ernaast. Geroezemoes van stemmen. Nog maar net bengelden zijn benen in de twee chroomnikkel beugels, als van een vrouw die moet bevallen, of er kwam een jong verpleegstertje binnen.

'Dag, meneer Taelman.'

Erik was te verbouwereerd om te antwoorden. Glimlachend greep ze zijn geschrokken jongeheer vast. Ze nam de eikel tussen duim en wijsvinger en duwde erop, zodat het slapende oogje zich opende. Behendig schoof ze er een dun darmpje in en spoot er daarna een tube met verdovende pasta in leeg. Tot slot deed ze een elastiekje rond zijn lid.

'Zo, nu even laten inwerken.'

Opgewekt zweefde ze de kamer uit. Erik voelde zijn penis tintelen en voos worden. Kort daarna verscheen de arts weer, zijn handen vol blinkende instrumenten. Hij zette zich tussen Eriks benen op een stoel en keek op zijn horloge.

'We zullen dat strikje er nu maar afdoen.'

Vervolgens schoof hij traag een kijkertje tot in de blaas. Hij tuurde aandachtig en mompelde dat het er daarbinnen niet zo fraai uitzag.

'Helemaal ontstoken, dat dacht ik al, zelfs de prostaat is opgezwollen. Nog geen last gehad bij het wateren?'

'Nu en dan, ja...'

De dokter liet een tevreden gegrom horen.

'Bon, dan weet ik genoeg.'

Hij trok zijn telescoop in, en Erik mocht zich aankleden. Toen hij in zijn slipje wilde stappen, merkte hij dat er bloeddruppels uit zijn penis welden.

'We gaan dat zo rap mogelijk oplossen,' hoorde hij de dokter zeggen, 'we halen een stuk van die nier weg en ge zijt van de problemen verlost.'

Hij greep naar zijn agenda en begon erin te bladeren.

'Wat denkt ge van... volgende week dinsdag?'

'Zo vlug al?'

'Ge twijfelt nog?'

'Is het een zware operatie?'

'Ik zou liegen als ik neen zei, maar gevaarlijk is ze zeker niet. De eerste dagen zult ge nogal wat pijn hebben, dan vraagt ge maar een spuitje.'

'Zal ik hier lang moeten blijven?'

'Ongeveer twee weken, en daarna nog een maand of drie thuis rusten. Wat is uw beroep?'

'Eigenlijk leraar, maar voorlopig zit ik zonder werk. Volgend jaar hoop ik...'

‘Daar moet ge ’t dus niet voor laten!’ riep de dokter. ‘Wel, wat denkt ge? Dinsdag?’

Erik knikte, terwijl hij een prop ter grootte van een tennisbal probeerde door te slikken.

Toen hij thuiskwam, trof hij op tafel een briefje aan: ‘Ben boodschappen gaan doen. Tot straks.’ Hij voelde dat de plaatselijke verdoving bijna was uitgewerkt. Zijn urine zag rood en veroorzaakte een schrijnende pijn. Hij nam een hete douche en schuifelde daarna naar zijn werkkamer. Het leek of er met kleine naalden tussen zijn benen werd geprikt. Nog voor hij goed en wel achter zijn bureau had plaatsgenomen, zag hij de foto. Die lag boven op een nog onafgewerkt artikel over een nieuwe roman van W.F. Hermans. Een reusachtige kut waaruit, als een slak die een slijmspoor nalaat, een sliert sperma droop. Er schoot een pijnlijke trilling door zijn ontwaakt orgaan. Toen hij wat beter keek, zag hij dat de foto aan de rand was afgescheurd. En dat hij uit een van zijn eigen pornoblaadjes kwam.

Over Eriks wereld viel een donkere sluier, alsof hij in rouwkleren was gehuld. Als hij niets om handen had, dreven zijn gedachten altijd weer dezelfde richting uit en dus las hij het ene na het andere boek, schreef recensies voor kranten en tijdschriften, en begon in een vlaag van overmoed zelfs aan een nieuwe, ditmaal drastisch ingekorte versie van zijn studie. Wellicht zou die bij uitgevers meer kans maken. Maar door alles wat hij deed, schemerde het beeld van de fatale dag die steeds dichterbij kwam. Hij was doodsbang, droomde nachten na elkaar van boeven die hem aan hun dolken en sabels wilden rijgen terwijl hij in paniek amper van zijn plaats raakte. Zijn benen waren van lood en hij bewoog in slow motion, alsof hij op de maan liep. Telkens wanneer hij zwetend wakker schrok, wilde hij er met Inge over praten, haar in de beschutting van de duisternis vertellen hoeveel angst hij wel had, maar als hij haar rustige ademhaling hoorde, draaide hij zich op zijn andere zij en probeerde hij opnieuw in te slapen.

's Ochtends wist hij niet eens meer de helft van wat hij had willen zeggen en voor datgene wat hij zich nog wel herinnerde, vond hij geen woorden. Op de vooravond van zijn operatie trok hij zich terug in zijn werkkamer. Hij nam pen en papier en schreef een brief, die hij daarna onder het voetstuk van zijn bureaulamp verborg.

De dag ving aan met een bloedonderzoek. Dan kreeg Erik een lavement toegediend – alweer door een lief jong meisje – en vervolgens werd het scheermes in zijn schaamhaar gezet. Hij kreeg een wijde schort aan, die amper tot aan zijn middel reikte, en het wachten kon beginnen. Een paar maanden geleden had hij aan het ziekbed van zijn moeder gezeten, maar dit was iets heel anders.

'We komen u dadelijk een spuitje geven,' zei de verpleegster glimlachend, 'daar kalmeert u van.'

Het leek een blinddoek die men een veroordeelde aanbiedt, in afwachting dat het vuurpeloton de geweren schoudert. Zag ze dat hij schrik had, of was het de gewone gang van zaken? Hij voelde de visioenen van opengesneden lichamen, van ingewanden en bloed weer naderen en vroeg zich af waar Inge bleef. Straks was ze nog te laat.

Zoals in alle ziekenhuizen was het ook hier veel te heet, maar hij rilde van de kou. Misschien had hij koorts. Iemand bevestigde een label aan zijn arm. Erik las zijn eigen naam en een nummer. Gebeurde het vaak dat chirurgen zich van patiënt vergisten? Hij moest zich omkeren en toen voelde hij een prik in zijn dij. Een paar minuten later overviel hem een lusteloze, gelaten stemming waarin hij zich alsmaar slechter kon concentreren. Het leek of hij in de matras wegzonk als in warme modder, zijn bed deinde op en neer als een bootje, opeens stond Inge naast hem, hij had haar niet horen binnenkomen, op een vreemde manier scheen ze deel uit te maken van de kamer, alles vloeide ineen, hij wilde haar iets zeggen, de woorden dobberden steeds verder van hem weg, hij greep ernaar en viel bijna overboord, zijn gedachten bleven als tamme eenden aan de grond, Bennie, schoot het door zijn hoofd, dit moest de wereld van Bennie zijn, toen wist hij het weer, de lamp, thuis, op zijn bureau, Inge was nu vlakbij, hij voelde haar hand op zijn voorhoofd...

'Wat zeg je?'

'Hij heeft pas een spuitje gehad,' een stem die hij niet herkende, 'soms worden ze daar suf en slaperig van, of ze doen een beetje raar.'

'Wat is er met die lamp?'

'Daaronder ligt... een brief, voor jou...'

Toen grepen een paar sterke handen zijn bed vast en schoof hij door een helverlichte gang steeds verder van Inge weg.

Pijn sleurde hem uit zijn verdoving. In een waas zag hij iemand zitten. Hij wilde zich weer laten wegglijden, maar het lukte niet. Een gloeiend mes doorboorde zijn rechterzijde en werd om en om gedraaid. Het gezicht van Inge doemde voor hem op, hij rook haar parfum, zag haar lippen bewegen, haar glimlach, dan werd hij weer ondergedompeld in een halfslaap waarin alleen de vlijmscherpe pijnscheuten niet gedroomd konden zijn.

's Anderendaags werd hij van de Intensive Care naar zijn eigen kamer gebracht en nog eens twee dagen later – maar hoe lang duurden die, want smart maakt iedere minuut eindeloos – kon Erik al min of meer rechtop in zijn bed zitten. De dokter noemde de operatie volkomen geslaagd.

'Je ging anders nogal tekeer, die eerste nacht,' zei Inge, toen ze alleen op de kamer waren.

'Daar weet ik niks van.'

'Neen, dat zal niet. Je hebt de verpleegsters zelfs aan het lachen gekregen.'

'Lachen?' Met zijn ellende?

'Ja, je lag de hele tijd je duim tussen je wijs- en middelvinger te duwen. 't Was een vreemd gezicht, moet ik zeggen. En ondertussen maar om een spuitje roepen.'

Hoe was het mogelijk dat zijn ziel om bescherming smeekte tegen pijn die nog moest komen? Of kan een mens lijden zonder dat hij het zelf weet?

'Hoe gaat het met Bennie?'

'Goed, denk ik. Hij heeft deze week in de school een tekening gemaakt.'

'Voor mij?'

Inge glimlachte. Het was ook een domme vraag.

'En wat stond erop?'

'Eerst zag ik het niet, maar toen ik wat beter keek, herkende ik een boom.'

'Zeker met een pak bladeren eraan?'

'Neen, dat is juist zo eigenaardig, er is geen enkel blad te zien. Het is een beetje een griezelige boom, vind ik, met van die grillige, puntige takken, het lijken wel klauwen. Alsof de bliksem alles heeft verkoold.'

Bennie tekende dus bomen. Dat had hij nog nooit gedaan.

'Wat zeggen ze ervan in de school?'

'Ze vinden het een stap in de goede richting. Zijn juffrouw noemde het zelfs een voorzichtige vorm van communicatie.'

Misschien had hij eindelijk een opening naar buiten gevonden, als een vogel die uit zijn schelp breekt en benieuwd rondkijkt wat de wereld hem te bieden heeft.

'Breng je ze eens mee?'

Inge keek verbaasd.

'Als je dat wilt.'

Toen zwaaide de deur open en schommelde de dikke, goedlachse avondzuster naar binnen, de spuit met de antibiotica in de aanslag. Net voor de naald zijn vel raakte, zag Erik hoe Inge een vuist maakte en er dan met een vlugge beweging haar duim doorheen stak.

Weer thuis had Erik het gevoel dat hij uit een veilige, beschutte omgeving was weggerukt en opnieuw in een werkelijkheid terecht was gekomen waar dreiging en gevaar op de loer lagen. Het verblijf in het ziekenhuis had iets van een retraite in een klooster gehad. De dagindeling was altijd dezelfde.

's Ochtends was er een druk heen-en-weer geloop dat al heel vroeg begon, maar na het middageten, wanneer de herfstzon de muren van zijn kamer met vegen okergele olieverf bestreek, dommelde hij weg in een sluimerende rust, die pas door het aanvangende bezoekuur werd verstoord. Dan leek het of de deuren wagenwijd open werden gezet voor de wereld daarbuiten, die als een vloedgolf de gangen en kamers overstroomde. Hij luisterde naar de verhalen en de nieuwtjes die kennissen en familieleden hem vertelden, maar voelde er zich niet bij betrokken. Hij zat op een eiland waar reizigers even voet aan wal zetten en dan weer inscheepten. Nadat de stilte was weergekeerd, las hij in de poëziebundels die Inge voor hem had meegebracht, bij voorkeur de lome, vermoeide verzen van Karel van de Woestijne of de weemoedige gezangen van Maurice Gilliams, tot het klokje van de kapel zesmaal sloeg en de schemering aankondigde. Vanuit zijn bed zag Erik hoe het licht langzaam uit de kamer werd gezogen en de strenge witheid van de wanden oploste in de deemstering. En 's avonds, nadat de tweede bezoektijd was verstreken, luisterde hij naar de ritselende schorten van de nachtverpleegsters, die op rubberzolen af en aan liepen. Het was een geruststellend geluid dat hem, toen de ergste pijn was geweken, zacht de slaap indreef.

De eerste keer dat hij, samen met Inge, opnieuw door de straten van Antwerpen liep, kreeg hij het nijpende gevoel dat de huizen aan weerskanten overhelden, alsof ze ieder moment konden dichtklappen en de voorbijgangers onder hun gevels bedelven. Er was ook iets vreemds aan de hand met de mensen, die zich schijnbaar onverstoord van de ene naar de andere winkel begaven. Waren zij zich dan niet bewust van het gevaar dat hen omgaf? Kinderen op fietsen slingerden roekeloos door het drukke verkeer, vrouwen beladen met zware pakken verlieten de stoep en holden zomaar tussen de auto's naar een tram die op het punt stond zijn deuren te sluiten. En daar liep iemand, zonder op of om te kijken, onder een meters hoge stelling door waarop metselaars met stenen en cement in de weer waren. Krankzinnig! Overal lag het onheil klaar om toe te slaan, en niemand die er zich ook maar iets van aantrok.

'Is er iets? Je ziet zo bleek.'

Inges stem leek van ver te komen.

'Een beetje moe, dat is alles.'

'Willen we daar iets gaan drinken? Je kunt dan wat uitrusten.'

'Eigenlijk liever ineens terug naar de auto.'

'En we zijn hier pas!'

Zodra hij thuis weer veilig op zijn rustbed lag, dat Inge beneden in de woonkamer had geïnstalleerd, verdween de beklemming en leken zijn eerdere gedachten zo futiel, dat hij er verder met geen woord over repte. Behalve in zijn dagboek, dat geduldig en gelaten iedere klacht en elk waanbeeld in zich opnam.

Bennie hield van regelmaat en daar werd in de school nauwlettend op toegekeken. De uren van opstaan en slapengaan waren altijd dezelfde, de bezigheden overdag verliepen volgens een vast schema en zelfs het wekelijkse menu bleef gedurende langere perioden ongewijzigd. Zijn leven verliep langs paden van geleidelijkheid en volgens de bedrieglijke eeuwige wederkeer der dingen, en iedere verstoring daarvan bracht chaos, angst en onzekerheid. Binnen dat vertrouwde patroon voelde hij zich blijkbaar gerust en dus probeerde Inge het thuis, tijdens de weekends en in de vakanties, zoveel mogelijk over te nemen. De nachtelijke huilbuien bleven steeds meer achterwege en 's ochtends lag hij, klaarwakker maar doodstil, in bed tot zeven uur. Dan was er geen houden meer aan, want op dat tijdstip begon voor hem de dag. Het gebeurde nog maar zelden dat hij ontwaakte met een vuile broek.

Soms zat hij uren achter elkaar papieren vol te krabbelen. Bomen en nog eens bomen die er allemaal eender uitzagen. Dan, van het ene moment op het andere, liet hij alles in de steek en ging naar buiten, waar hij gras en afgewaaide bladeren verzamelde. Op een keer betrapte Erik hem toen hij in de tuin met opgeheven armen, zijn handen vol takken, onbeweeglijk naast de noteboom stond. Af en toe deinde hij zachtjes heen en weer op het ritme van de wind. Alsof hij warempel zelf wortel had geschoten. In de school noemden de juffrouwen hem onder elkaar 'Bennie Boom'.

Het waren lange dagen op die sofa en van het vele lezen kreeg Erik op den duur hoofdpijn.

'Waarom ga je niet eens wandelen?' riep Inge vanuit de keuken. 'Je ligt daar altijd maar te rusten.'

'Oké, we zijn weg.'

'Ik heb geen tijd, neem Bennie maar mee, die zit zich anders toch te vervelen.'

'Bennie?'

Inge verscheen in de deur met een nat bord en een handdoek in haar handen.

'Ja, waarom niet? Of droog jij liever af?'

De draadjes waren nog maar pas uit de wonde gehaald en bij iedere stap van zijn rechterbeen voelde Erik het litteken pijnlijk schuren langs het korset dat hij droeg om makkelijker rechtop te lopen. Het leek of hij mankte. Doordat hij Bennie bij de hand hield, moest hij nog trager stappen en zo kuierden ze samen in de richting van de vijver, die wat verder aan de rand van het bos lag. De kreupele en de stomme, dacht Erik, wat een grap.

'En, Bennie, vind je 't leuk?'

Geen reactie.

'Of je 't leuk vindt, Bennie?'

'Oh!' en tegelijkertijd een snok die Erik tot in zijn heup voelde.

'Wil je naar de vijver?'

(...)

'De vijver, Bennie, water, *abwa*...'

'Ah!'

Veel is het niet, dacht Erik, maar er komt tenminste wat variatie in het gesprek.

'Ja,' zei hij, ''t is waar wat je daar zegt, zo had ik het nog niet bekeken.'

Zwijgend schuifelde de jongen aan zijn zijde voort.

'Bennie, zeg nog eens *mama*.'

Zijn gezicht klaarde meteen op, alsof hij verwachtte dat ze ieder moment van achter een boom te voorschijn kon komen.

'Má-má, Bennie.'

'A-a...'

'Neen, mmmá-mmmá, kijk, zo...'

'Ha, dag Erik! Alles goed?'

Met een schok bleef hij staan, terwijl zijn buurman hem op een rammelende fiets passeerde. Erik riep hem een groet achterna en stapte meteen weer door om Bennie in te halen. Want die had blijkbaar de vijver geroken en zette het op een sukkelachtig drafje.

'Bennie, wacht op mij. Wáchten, zeg ik.'

Maar hij huppelde onverstoord verder. Erik wist wat er nu zou gebeuren en had allang spijt dat hij geen andere weg was ingeslagen. Of nog beter: waarom was hij niet alleen gegaan?

Toen hij aan de vijver kwam, was het kwaad al geschied. Bennie stond tot aan zijn knieën in het koude water en deed de druppels hoog opspatten.

'Bennie, kom daaruit! Hiér, zeg ik. En een beetje vlug!'

Pas dan zag Erik de scoutsmeisjes die met hun akela op zoek leken naar een of andere onvindbare paddestoel. Door zijn geroep had hij hun aandacht getrokken en nu kregen ze ook Bennie in het oog. Die joelde van pret en trok zich van Eriks bevelen niets aan. Hoorde hij ze wel? Hij slaakte wilde kreten, die spoedig de lachlust van de welpenhorde wekten. Erik had in de grond willen zinken van schaamte, want ze dachten zeker dat het *zijn* zoon was die daar als een gek tekeerging. Maar het zou het water zijn waar hij zo dadelijk in moest. Als die meisjes er niet waren geweest, dan had hij die koppige idioot er beslist met een lange stok uitgeranseld. Nu ging hij tot aan de rand van de vijver en maande Bennie aan er nú, diréct, metéén uit te komen. Op den duur smeekte hij het bijna en toen ook dat niet hielp, bleef er niet veel anders over dan zijn schoenen en kousen uit te doen, zijn broek op te stropen en zo waardig mogelijk in de donkere plas te stappen. Die was nog kouder dan hij had verwacht. Vanaf de kant klonk luid applaus.

'Ik dacht het nog, toen jullie pas weg waren,' zei Inge, terwijl ze lekkend aan de achterdeur stonden, 'als hij er nu maar niet mee naar de vijver trekt.'

Omstreeks Kerstmis stak er een kaartje van Mirjam in de brievenbus. Ze zat alweer een hele tijd in Johannesburg, met haar zoontje Mark, en wilde weten hoe Erik het maakte. Ze vond het jammer dat ze elkaar slechts éénmaal hadden gezien tijdens haar 'vakantie' in België, maar na de bevalling was ze wekenlang ziek en depressief geweest. Als hij af en toe iets van zich liet horen, zou haar dat veel plezier doen en zou ze zich beslist minder ver van huis voelen. Maar wat had hij aan een jonge moeder te schrijven, dacht Erik.

Het jaar van Orwell liep ten einde. Erik en Inge brachten de laatste dagen ervan in de Ardennen door. Sneeuw lag er niet, maar de sfeer was goed en tijdens de vele wandelingen die ze maakten, voelde Erik zijn krachten weerkeren. Big Brother was er niet in geslaagd een wig tussen hem en Inge te drijven. Little Bennie voorlopig evenmin.

Deel II

Try to see it my way
Only time will tell if I am right or I am wrong
While you see it your way
There's a chance that we might fall apart
before too long
LENNON & MCCARTNEY, *We can work it out*

– 1985 –

'En nu een kort snokje aan het linkeroor.'

'A!'

'Nog eens, maar dan wat langer.'

'Aaaa.'

'Goed zo! Eentje aan het rechteroor nu.'

'O!'

'Nu weer een lang.'

'Aan hetzelfde oor?'

'Ja, dat staat hier toch.'

'Oooo.'

'Zie je wel.'

Erik keek opnieuw in het schriftje.

'Neem hem nu eens bij de neus, zoals hier, op dit prentje.'

Inge deed het en kneep zachtjes.

'Oeoeoe.'

'Formidabel! En nu nog een allerlaatste keer kort.'

'Neen, 't is genoeg geweest voor vandaag. Straks denkt hij nog dat we hem voor de gek houden.'

Alsof hij dat zou merken, dacht Erik.

Bennie zat er onbewogen bij, je kon niet zien of hij het prettig vond of dat het hem verveelde. De logopediste in de school had eindelijk succes gehad met een methode om hem wat beter en vooral gerichter te doen articuleren. Iedere klank kwam overeen met een lang of een kort rukje aan een lichaamsdeel. Zo leerde Bennie afzonderlijke geluiden in een bepaalde volgorde maken. Voorlopig waren het alleen klinkers, maar weldra zouden er ook medeklinkers bijkomen. Een automaat waar je vijf frank in stopt, dacht Erik, al stond ook hij versteld van het resultaat.

'Wat ze toch allemaal bedenken.'

'Zeg dat wel, maar het werkt.'

‘Dat moet ik toegeven.’

‘Uuuu.’

‘Kijk, nu doet hij het al zelf!’

Bennie stak zijn linkerduim omhoog, kneep erin en produceerde alweer een nieuwe klank. Vond hij het dan toch leuk? Al was dat niet dadelijk van zijn gezicht af te lezen, want dat bleef even ernstig als anders. Net als bij een dier, dacht Erik, dat lacht ook nooit. Hij stond zuchtend op en rekte zijn pijnlijke rug.

‘Wat ga je doen?’

‘Lessen voorbereiden, of wat dacht je? ’t Is morgen een zware dag.’

Enkele weken geleden was hij ’s avonds opgebeld door de prefect van een Antwerps atheneum, die zijn naam had doorgekregen van het RVA-kantoor. Of hij geïnteresseerd was in een twintigtal uren Nederlands in de hogere humaniora? Erik had over zijn operatie verteld en gezegd dat hij zich nog niet al te best voelde, maar de man had hem abrupt onderbroken met de vraag of hij misschien nog met ziekteverlof was.

‘Dat niet, neen.’

‘Wel dan? Wij hebben dringend iemand nodig.’

‘Is het voor lang?’

‘In ieder geval tot het eind van dit schooljaar. Daarna zien we nog wel.’

Inge was te blij om het niet te laten merken en dus stond Erik een paar dagen later, na al die tijd, opnieuw voor de klas. De universiteit leek verder weg dan ooit. Iedere avond kwam hij doodop thuis. De arts schreef vitaminen voor en zei dat een geopereerd lichaam zich weer moest leren aanpassen aan een normaal werkritme, en dat zoiets tijd vergde. Als Erik zich evenwel moe en slap bleef voelen, kon hij beter nog maar eens een afspraak met de specialist maken.

Dat deed hij, maar de dokter meende dat er niets aan de hand was. Iedereen reageerde immers verschillend op zo’n ingreep. De ene was het direct vergeten, de andere deed er wat langer over. Aan het werk blijven was het beste en die vermoeidheid, och, die zou vanzelf wel overgaan. Lopen was nog niet aan te raden, maar af en toe een stevige wandeling zou beslist geen kwaad kunnen. Het moreel wat opkrikken, zo noemde de dokter het, terwijl hij zijn vuist met een krachtige beweging omhoogduwde. Daarna nam hij een fiche met daarop de naam Erik Taelman en hij noteerde in een zwierig handschrift: subjectieve lichamelijke klachten. Waren er dan ook andere? dacht Erik. De arts drukte hem de hand en wenste hem veel plezier toe met 'zijn bengels'.

Al een paar keer was het hem opgevallen dat hij de deur van Bennies kamer kon openen zonder dat die het merkte. Ook al stond hij minutenlang op maar enkele meters afstand toe te kijken en knipte hij af en toe met zijn vingers, Bennie hoorde of zag schijnbaar niets. Tenminste, niets van wat er rondom hem gebeurde. Of kon het hem gewoon niets schelen? Onbeweeglijk zat hij in het midden van de kamer, alsof hij dagdroomde of mediteerde. Een eiland van stilte was het waarop hij vertoefde, en niemand die hem daarheen kon volgen. Hij wuifde niet eens naar passerende schepen. Terwijl hij toekeek, voelde Erik soms een troebel mengsel van schuchtere genegenheid, medelijden en vooral nieuwsgierigheid in zich opkomen. Alsof Bennie een interessant geheim bezat dat hij wilde ontraadselen. Maar lang duurde die emotie niet, want nog altijd moest ze wijken voor misprijzen en achterdocht. Nauwlettend speurde Erik naar het kleinste teken dat erop kon wijzen dat Bennie zich van zijn aanwezigheid bewust was, een versnelde ademhaling of een vlugge oogopslag, maar als hij het inderdaad speelde, dan deed hij het meesterlijk. Waarom, vroeg Erik zich af, kan ik zo moeilijk aanvaarden dat die jongen anders is? Het zou alles zoveel eenvoudiger maken. Als Bennie een arm of een been miste, dan zou Erik daar waarschijnlijk minder moeite mee hebben gehad. Maar dit...

Soms kon hij niet weerstaan aan de kinderachtige verleiding om dichterbij te sluipen. Wanneer hij voorzichtig te werk ging, kon hij Bennie tot op een armlengte naderen. Maar hem aanraken deed hij niet. In de plaats daarvan begon hij te fluiten of met zijn tong te klakken, en als dat niets uithaalde, liet Erik een diep, dreigend gegrom horen, als van een hond die op het punt staat toe te springen. Waarom hij dat deed, wist hij eigenlijk zelf niet. Wat hij ermee hoopte te bereiken evenmin. Dat Bennie opeens hevig schrok en als een omvergestoten vaas in scherven brak? Of dat hij zijn mantel van onaantastbaarheid aflegde en in tranen uitbarstte? En wat dan? Het was een onverklaarbare drang, een soort plaagzucht als uitlaatklep voor iets anders, dat hij niet kon benoemen.

'Dag, Bennie.'

Hij had het gefluisterd, probeerde het daarna wat luider, maar kreeg ook dan geen reactie. Hoe was het mogelijk dat die knaap, die daar als een stenen boeddha zat – een *Boe-ba*, dacht Erik – hem niet hoorde? Hij schoof nog wat naar voren, op zijn knieën nu, en bewoog zachtjes zijn hand heen en weer voor Bennies gezicht. Doof én blind, alsof hij in trance was. *The fool on the hill.* Was dit een lichaam waarvan de geest zich had losgemaakt om rond te zweven in een onbekend universum, of zat hij er juist in gevangen, wachtend tot iemand erin slaagde hem te bevrijden?

Lange hoofdstukken had Erik over het solipsisme geschreven, maar plots kreeg hij het onbehaaglijke gevoel dat er iets niet klopte. Wijde, omcirkelende bewegingen had hij gemaakt, als een roofvogel die spiralen tekent boven zijn prooi. Toegeslagen had hij evenwel niet. Want wat viel er te grijpen? Een zeepbel waarin het licht geheimzinnig flonkerde, maar die uiteenspatte wanneer je ze aanraakte. Dát was Bennie. Je kon er alleen van op een afstand naar kijken.

Dan gebeurde er iets wonderlijks. Met een schokje, schijnbaar zonder enige aanleiding, ontwaakte Bennie uit zijn lethargie. Hij keek rond, alsof hij zich niet herinnerde waar hij was, en toen hij Erik zag, kregen zijn ogen een vreemde uitdrukking. Heel even leken ze van kleur te veranderen, daarna doofden ze uit.

'Dag Bennie, alles goed?'

De jongen bleef Erik aankijken met een donkere blik die niets verraadde van wat er daarachter leefde. Zelfs geen teken van herkenning. Koel en gevoelloos, als visseogen. Je wist dat ze keken, maar niet wat ze zagen. Als ik hier ter plaatse doodviel, dacht Erik, zou hij het niet eens merken. Had Bennie misschien iemand anders verwacht? Het gaf Erik in ieder geval een onaangenaam gevoel zo te worden aangestaard. Net toen hij wilde opstaan, hoorde hij achter zich een stem.

'Ah, hier zitten jullie!'

Erik schrok zich een ongeluk. Vliegensvlug draaide hij zijn hoofd in de richting van de deur. Daar stond Inge. Ze had haar jas nog aan. Pas dan drong het tot Erik door dat *hij* ze niet had horen thuiskomen.

Met een smak sloeg hij de voordeur achter zich dicht. Hij wierp zijn boekentas neer in de gang, liep driftig door tot in de woonkamer, waar hij zich op de sofa liet neervallen, en begon zijn slapen te masseren. Inge kwam nieuwsgierig naderbij.

'Wat nu? Ben je ziek of zo?'

Erik had gedacht dat hij onderweg zou kalmeren, maar in de auto was zijn woede nog toegenomen. Ze beukte nu als een stormram op de binnenkant van zijn schedel. Vernederd tot in het diepst van zijn ziel, zo voelde hij zich. Kon hij nu maar zijn sportschoenen aantrekken en door de bossen en over de zandheuvels rennen.

'Wat is er dan? Ben je misschien ontslagen?'

Was het toeval, of keek ze dwars door hem heen?

'Nog niet, neen.'

'Hoe, nog niet?'

'Dat kan nog komen.'

Inge ging naast hem op de sofa zitten.

'Erik, ga je nu eindelijk zeggen wat er is gebeurd, of wil je dat ik eerst de dokter bel? Je doet zo raar.'

Toen vertelde hij over het laatste lesuur van die dag.

Hij stond al van 's ochtends voor de klas en was doodmoe. Het litteken in zijn zij trok als een haperende ritssluiting. Daarom had hij de leerlingen een leesopdracht gegeven, die ze in stilte konden voorbereiden. Amper twee minuten zat hij uit te blazen achter zijn bureau, toen in de gang de prefect opdook, vergezeld van een oerdeftige heer in het grijs. Nog even had Erik gehoopt dat ze zijn lokaal voorbij zouden gaan, maar de deur zwaaide al open. De leerlingen keken in één beweging om.

'Mijnheer Taelman, dit is inspecteur Stroeven, wij komen een les bijwonen.'

Eén ogenblik kwam het in Erik op de ware toedracht uit te leggen en eventueel op uitstel aan te dringen, maar de kans dat die dodernstige heren, die zich achteraan op een bank hadden geïnstalleerd, daarop zouden ingaan, leek hem erg klein. En zich belachelijk maken tegenover zijn leerlingen moest hij beslist vermijden. Vóór je het wist, had je een reputatie die je nooit meer kwijtraakte.

'Mijnheer Taelman, wilt u zo vriendelijk zijn mij de volgende documenten te overhandigen.' Stroeven zette zijn bril op en griste een blad van tussen de papieren in zijn aktentas. 'Uw agenda, uw lesvoorbereidingen met doelstellingen, uw jaarplanning en uw evaluatieschrift.'

Erik diepte zijn agenda op, nam alle beschikbare notities bij elkaar – misschien maakte dat indruk – en bracht alles naar achteren. Stroeven bekeek het vluchtig.

'En uw evaluatieschrift?'

'Dat ligt thuis, samen met mijn jaarplan.'

In werkelijkheid had hij nog nooit van zoiets gehoord. De inspecteur liet een ontevreden gegrom horen en maakte meteen een aantekening.

'U mag doorgaan met de les.'

Erik voelde een lichte paniek in zich opkomen terwijl hij terug naar het bord liep. De leerlingen bekeken hem nieuwsgierig en geamuseerd. Ze vroegen zich ongetwijfeld af hoe hij zich hieruit zou redden. Hij haalde diep adem, schraapte zijn keel en begon te improviseren. Veertig minuten later redde het belsignaal hem van een dreigende knock-out.

Nadat de leerlingen de klas hadden verlaten, bleven er nog twee norse gezichten over. De zwaarlijvige inspecteur kroop zuchtend uit de bank en keek veelbetekenend naar de prefect. Erik kreeg het gevoel dat het echte duel nog moest beginnen. Tot overmaat van ramp koos Stroeven niet het bureau van de prefect als strijdperk, maar de leraarskamer, waar voortdurend collega's van Erik in en uit liepen. Daar opende hij de aanval.

'Geeft u al lang les, mijnheer Taelman?'

''t Is te zeggen, ik ben in '79 afgestudeerd, maar door omstandigheden heb ik mijn beroep niet altijd kunnen uitoefenen.'

De inspecteur tuitte zijn lippen, zoog hoorbaar lucht naar binnen en sloeg een blad om van het dossier dat voor hem op tafel lag.

'U bedoelt dat u werkloos was?'

Erik knikte.

'Maar u heeft toch al eens van doelstellingen gehoord, neem ik aan?'

'Ja.'

'Waarom vind ik die dan nergens terug? Uw voorbereidingen zijn trouwens nogal... ongebruikelijk, zal ik maar zeggen.'

'Ik ben hier pas, ik moet mij nog inwerken.'

Nu was het de prefect die hem verontwaardigd aankeek en zei dat dit geen excuus was. Waarschijnlijk wilde hij tegenover het gezag niet de indruk wekken dat hij zijn tijdelijke leraars maar wat liet aanmodderen.

'Doelstellingen, mijnheer Taelman, zijn onmisbaar in een leerproces. Ze zetten de leerlingen aan om progressief tegemoet te komen aan datgene wat van hen wordt verwacht.' En toen volgde er een eindeloze tirade die bol stond van woorden als formatieve en summatieve evaluatie, creatieve zelfwerkzaamheid, longitudinale planning, didactische werkvormen, synthetiserende lesmomenten en remediëringsopdrachten.

'En vergeet de noodzakelijke klasinteractie niet!' viel de inspecteur in, die de hele tijd zijn kans had zitten afwachten, 'want daar heb ik, eerlijk gezegd, niet veel van gemerkt.'

Erik kreeg zin om de handdoek in de ring te gooien, want hij wilde naar huis. Maar dan gebeurde er iets wat zijn bijnieren een krachtige scheut adrenaline deed uitspuwen. De inspecteur sloeg opnieuw een blad van Eriks dossier om, laste even een dramatische stilte in en zei toen op een afgemeten toon, die Erik op zijn hoede deed zijn: 'Mijnheer Taelman, ik lees hier dat u vorig jaar tot doctor bent gepromoveerd en dat u zich bezighoudt met het schrijven van artikels voor kranten en tijdschriften.'

'Dat klopt, ja.'

'Mag ik er uw aandacht op vestigen dat lesgeven een volwaardige taak is, mijnheer Taelman, niet iets wat men er zomaar bijneemt.'

De prefect vond het nodig ook een duit in het zakje te doen.

'Vast en zeker. De tijd van Walschap en Lampo is definitief voorbij.'

'U bedoelt?'

'Dat het het één of het ander is, dát bedoel ik. Een luizenbaantje in een bibliotheek of in een gemeenteschooltje om ondertussen dikke boeken te kunnen schrijven, dat gaat niet meer op.'

'Zo denk ik er ook over, waarde collega,' zei de inspecteur ferm, 'onze jeugd heeft recht op toegewijde mensen en het is onze plicht erop toe te zien dat...'

Erik schoof zijn stoel achteruit en stond op.

'Kan ik dan nu naar huis gaan? Het is al laat en ik ben moe.'

Stroeven en de prefect keken elkaar aan.

'Bon, maar wij zijn nog niet klaar, mijnheer Taelman. Ik kom terug, en zorg ervoor dat tegen dan alles in orde is.'

'En vergeet niet morgenochtend uw inspectieverslag te komen tekenen,' bromde de prefect, 'ik heb trouwens nog iets met u te bespreken.'

'En wat nu?' vroeg Inge.

'Barstende hoofdpijn, dat heb ik nu.'

Inge ging naar de keuken en keerde terug met een bruistablet in een glas water.

'Weggaan,' zei Erik, 'dat zou ik nog het liefst doen.'

'Weggaan? Naar waar?'

'Eender waar, ik heb er hier genoeg van. Allemaal klootzakken.'

'Denk je dat het elders zoveel beter is?'

Erik haalde zijn schouders op, nam al liggend een slok van de borrelende pijnstiller en verslikte zich, waardoor de rest van het glas schuimend op zijn kleren terechtkwam.

Al een hele week lag de Kempen onder een laag sneeuw, die iedere dag dikker werd. Bennie scheen het nog altijd niet leuk te vinden. Behalve *terwijl* het sneeuwde, want dan greep hij naar die warrelende vlokjes en was hij telkens weer verbaasd dat hij met natte, lege handen stond.

'Sneeuw, Bennie, sneeeuuw.'

'Eeoeuh.'

'Nee, zo, eeeuu.'

'Eeee... oh!'

'Trek eens aan zijn twee oren tegelijk, ik neem zijn neus wel. Misschien lukt het dan.'

Inge bekeek hem met een schuine blik.

'Héél grappig, hoor.'

'Kom, laat mij eens proberen.'

'Als je belooft kalm te blijven.'

'Kijk eens naar mijn lippen, Bennie, neen, eerst kijken, naar hier.' Erik trok zijn mondhoeken zo ver mogelijk uiteen, 'eeee...', duwde ze daarna samen tot zijn wangen bijna aaneenkleefden, '...wwwe. Gezien, Bennie?'

'Oh!'

'Nu jij.'

De jongen imiteerde Eriks overdreven articulatie, maar zonder geluid.

'Goed zo, Bennie. Doe het nog eens, en nu blazen.'

Er weerklonk iets dat op *eu* leek.

'Jaja, hij komt er wel. Nog eens, Bennie. Komaan.'

Eigenlijk had Erik het voor Inge gedaan, maar nu hij haar zoon zoveel moeite zag doen om het geluid waarmee andere kinderen speelgoedvliegtuigjes laten neerstorten, tussen zijn lippen te persen, raakte hij opeens geboeid.

'Je vraagt je soms af wat er in die hersenen omgaat.'

'Als hij zou willen, dan kan hij praten, volgens de dokter. Maar hij schijnt er gewoon geen zin in te hebben.'

''t Zou anders een heel verschil maken.'

'Misschien.'

Erik keek Inge verbaasd aan.

'Hoezo, misschien?'

'Ik weet niet goed hoe ik dat moet uitleggen, maar ik ben het nu zo gewoon. Ik kan mij geen sprekende Bennie voorstellen. Alsof het dan een ánder kind zou zijn. Begrijp je?'

'Je kunt niet in zijn plaats blijven praten, Inge, zo leert hij het nooit.'

'Je hebt gelijk, dat weet ik, maar...'

Toen rinkelde de telefoon.

'Ik ga wel.'

Terwijl Inge naar binnen liep, greep Erik een handvol sneeuw. Hij kneedde hem tot een harde bal en gaf die aan Bennie.

'IJs, Bennie, ijijijsss.'

Hoe moet je hem dat aan zijn verstand brengen, dacht Erik. Vóór ik het opraapte was het *sneeuw*, nu is het *ijs*. Stel je voor dat we Eskimo's waren, die hebben wel twintig woorden voor dat witte goedje. Bennie herhaalde. De ij ging vanzelf, maar de s bengelde er achteraan als een verkreukeld staartje. Hij bracht de ijsbal naar zijn mond, likte er even aan en beet er toen in, alsof het een appel was.

‘Niet doen, Bennie, foei!’

Erik trok een vies gezicht, maar Bennie knabbelde rustig voort. Je kon het ijs tussen zijn tanden horen kraken.

Inge zag lijkbleek toen ze weer buitenkwam. Het leek of ze zo’n ijsbal in één keer had doorgeslikt.

‘Wat is er? Slecht nieuws?’

Het huilen stond haar nader dan het lachen, maar ter wille van Bennie beheerste ze zich.

‘Het was die sociaal werkster.’

‘Wie?’

‘Dat akelig mens, je weet wel.’

Erik verstrakte.

‘Wat wilde ze?’

‘Een nieuw onderzoek.’

‘Wat? En gaat dat zomaar?’

‘Vercammen heeft nog eens een klacht tegen mij ingediend.’

‘Waarom nu weer?’

‘Hij vindt opeens dat zijn zoon niet thuishoort in een internaat in het buitengewoon onderwijs. Bennie zou alleen wat trager dan de anderen zijn, maar voor de rest helemaal in orde.’

‘*Trager*, laat me niet lachen! Compleet zot is die vent. Ze zouden hém eens grondig moeten onderzoeken.’

‘Hij doet dat om mij te pesten natuurlijk, wat dacht je.’

‘En de rechter speelt dat spelletje mee?’

‘Blijkbaar wel.’

‘Zeker weer dat wijf?’

‘Wat doet dat er nu toe?’

‘Ik bel onmiddellijk Van Dijck op. Die zal er wel wat op vinden.’

Maar volgens de advocaat was er weinig of niets te doen tegen zo’n rechterlijke beslissing. Dat betekende dat Bennie opnieuw medisch en psychologisch moest worden getest en dat er een aanvullend sociaal verslag zou worden opgemaakt. Wie weet hoe ik er deze keer uitkom, dacht Erik, misschien als een pooier.

'En dat allemaal voor een gril van die kerel?'
'Tja, 't is natuurlijk heel vervelend...'
'Hoe groot is de kans dat hij gelijk krijgt?'
'Dat is moeilijk te voorspellen bij dit soort onderzoeken. Je weet toch dat Vercammen opnieuw het hoederecht opeist?'
'Daar weten wij hoegenaamd niets van!'
'Het staat zwart op wit in de brief die de tegenpartij mij heeft gestuurd.'
'Ook dat nog.'
'Klopt het dat Vercammen onlangs is hertrouwd?'
'Voor zover ik weet, ja.'
Toen Erik in de vrieskou stapte, keek Inge hem met grote ogen aan.
'En? Wat zei hij?'
'Dat we maar best zo vlug mogelijk kunnen trouwen.'
'Seeeuw!' riep Bennie, terwijl hij met beide handen in het witte tapijt graaide. Maar meer dan een mistroostig glimlachje kon er bij Inge niet af.

Het bewerken van zijn proefschrift tot een leesbare handelsuitgave viel lelijk tegen. De tekst leek op een wollen trui en als Erik aan één draadje trok, kwamen er onmiddellijk een hoop andere mee los. Bovendien had hij zoveel schoolwerk dat alleen de avonden en de weekends overbleven. Inge had gevraagd of dat dan nooit ophield. Hij hád zijn diploma nu toch?
De dooi was ingezet en had de hele omgeving in een zompige brij veranderd. Erik kon echter niet meer wachten. Hij trok zijn trainingspak en zijn loopschoenen aan, maar al na een paar honderd meter ging hij onderuit. In die slijkpoel was niet overeind te blijven, hier en daar dreven zelfs nog stukken ijs.
'Je ziet er lief uit.'
'Af en toe een modderbad kan geen kwaad.'
Hij zag dat Inge de autosleutels in haar hand had.
'Ga je weg?'

'Even naar de supermarkt.'

'En ik had nog zo gehoopt dat je mee onder de douche zou gaan.'

'Met zo'n viezerik? Neen bedankt.'

Ze kuste hem plagerig op de wang, zei dat ze die ochtend al had gedoucht en verdween met wiegende heupen door de achterdeur. Enkele ogenblikken later hoorde hij de motor aanslaan.

Sinds haar ex weer dwars lag en de strijd om Bennie opnieuw was losgebarsten, stond Inges libido op een bedroevend laag peil. Erik daarentegen voelde zijn lichaam bruisen. Het leek of de spanning van de voorbije weken zich alleen via zijn linkerhand kon ontladen. Met zijn rechterhand schreef hij over het solipsisme, met zijn linker bedreef hij het.

Nu hij wat was uitgekeken op die stereotiepe pornoblaadjes – hij begon sommige modellen al te herkennen – had hij de video ontdekt. Als Inge naar de supermarkt reed, moest hij haar het eerste uur beslist niet terug verwachten. Tijd zat dus. Hij trok zijn natte kleren uit, duwde zijn nieuwste aanwinst – 'heet van de naald,' had de verkoper met een vette glimlach gezegd – in de gleuf van het videotoestel en strekte zich behaaglijk uit op de sofa. Lichamen die pneumatisch in en uit elkaar schoven, werden op de achtergrond begeleid door een melig muziekje en een vrouwenkoor waarvan iedereen op hetzelfde moment leek klaar te komen. Erik probeerde zijn climax te laten samenvallen met die van de pompende dekstier op het scherm, maar een plotselinge close-up van een goedgevuld vrouwelijk geslachtsdeel was hem te vlug af en verstoorde zijn ritme. Terwijl hij even later de STOP-toets op de afstandsbediening indrukte, voelde hij zich een beetje belachelijk. Als ik die band wil wegsmijten, dacht hij, dan moet ik het nu doen.

Hij duwde de EJECT-knop van het toestel in en merkte tot zijn ontzetting dat er niets gebeurde. Ook de tweede keer hoorde hij alleen een nerveus gezoem dat met een ratelend bromgeluid eindigde. Dit had hij nog nooit meegemaakt.

Vooruit- en terugspoelen ging blijkbaar nog wel. Paniekerig greep Erik naar de handleiding van de videorecorder. Hij sloeg die open bij het hoofdstuk *Wat te doen bij problemen?* en onder het kopje *Storingen* trof hij het defect aan. Drie mogelijke oorzaken werden vermeld: de TIMER-toets was ingeschakeld (toch niet), het kinderslot was geactiveerd (wat evenmin het geval was), of de cassette was beschadigd en daardoor klem geraakt. Geen wonder dat het een koopje was geweest. Erik drukte nogmaals de EJECT-toets in, probeerde zijn vingers in de gleuf te wringen, nam het toestel vast, schudde ermee, hield het op zijn kop, alles tevergeefs. Het bezwarend materiaal bleef koppig waar het was. En straks kwam Inge thuis. Dat ze weet kreeg van die videoband kon hem niet veel schelen, wel dat hij op zo'n idiote manier zou worden betrapt. Als om zichzelf te straffen, nam hij een ijskoude douche.

Er ging een vreemde opwinding door hem heen toen Inge die avond de TV-programma's inkeek. Hij zag haar blad na blad omslaan, tot ze het tijdschrift zuchtend op het salontafeltje wierp.

'Alweer niks. En jij gaat zeker nog wat werken?'

'Toch niet, geen zin vanavond.'

'Ah nee?'

Ze bekeek hem ongelovig.

'Ik heb zelfs al een video klaargezet, en kijk, hier...'

Erik greep een fles wijn uit het rek en nam twee tulpvormige glazen.

'Wel, wel... Is het een film?'

'Zoiets, ja.'

'Zeker iets romantisch?'

Glimlachend ontkurkte hij de wijn. Hij vlijde zich naast Inge in de sofa, sloeg zijn arm om haar heen, hield zijn adem in en drukte op de START-knop. Toen verscheen de mededeling dat alle modellen ouder dan achttien waren.

Negen jaar werd Bennie binnenkort. Maar uit het jongste

rapport van het PMS* bleek dat hij amper het intelligentieniveau van een vijfjarige haalde. Een uit zijn voegen gebarsten kleuter. Sommige resultaten waren puur giswerk, omdat een echte test niet mogelijk was geweest. Bennie kon beslist meer dan hij toonde, meende de psycholoog, maar vaak drong het niet tot hem door wat men van hem wilde. Het gebrek aan communicatie bleef de grootste handicap. In de klas presteerde hij evenwel beter dan men op basis van zijn algemene begaafdheidsproeven zou verwachten. Vooral in rekenen en in geheugenopdrachten was hij sterker dan de andere leerlingen. Wie weet wat hij zich herinnert van mijn geheime afspraakjes met zijn moeder, dacht Erik: die en die dag elkaar zoveel keer gekust. Bennie had het allemaal netjes opgeslagen in zijn hoofd, waaruit het niet meer kon ontsnappen. Er waren immers geen woorden voor wat hij had gezien.

'Dus zit er nog vooruitgang in?'

De psycholoog liet zijn handen boven het bureaublad zweven en antwoordde dat, met een aangepaste opleiding, die kans inderdaad bestond.

'Al zullen er onvermijdelijk grenzen opduiken waar hij nooit overheen zal raken,' voegde hij er vlug aan toe, 'dat zult u moeten aanvaarden.'

'Zal hij ooit kunnen spreken, denkt u?'

De handen werden nu fladderende vogels waarvan de vleugels elkaar net niet raakten.

'Louter fysiek bekeken is er geen enkel probleem met zijn spraakorgaan. Met zijn gehoor is het anders gesteld. Het linker trommelvlies is serieus beschadigd, maar dat kan mettertijd operatief worden opgelost. Neen...' en hij tikte met zijn wijsvinger tegen zijn slaap, 'het zit hem vooral hier.'

Dat betekende in ieder geval dat Bennie in het bijzonder onderwijs op zijn plaats zat.

De kwestie van het hoederecht zou iets van langere adem worden. De sociaal werkster had haar komst schriftelijk aan-

* Psycho-medisch sociaal centrum

gekondigd, nadat ze bij Vercammen op bezoek was geweest.

'Probeer het diplomatiek aan te pakken,' had Van Dijck gezegd, en Inge had Erik bezworen in alle omstandigheden vriendelijk en rustig te blijven.

Maar toen de rechterhand van Vrouwe Justitia uit haar auto kroop en met opgeheven hoofd, een dik dossier onder haar arm geklemd, naar de voordeur stapte, begon zijn hart wild te bonzen.

'Kijk daar, de getuige van Jehovah is er! Rol gauw de rode loper uit.'

Inge liep nerveus de gang in, klaar om de deur bij het eerste belsignaal te openen.

'Dag mevrouw Haemers, kom binnen,' hoorde hij haar zeggen, 'zal ik uw jas weghangen?'

Maar blijkbaar hield ze die liever aan. Erik vertrok zijn gezicht tot een grimlach en heette haar op zijn beurt welkom. Hier werden technieken van hem vereist die hij slecht beheerste. Inge had hem ook altijd meteen door wanneer hij haar iets op de mouw wilde spelden. Liever dan in de fauteuil nam de sociaal werkster plaats op een stoel aan de tafel. Ze keek rond als een deurwaarder die zich afvraagt wat hij eerst zal aanslaan. Het idee dat die pornovideo nog altijd klem zat in het apparaat, wond Erik lichtjes op. Eén druk op de knop en dat vrouwmens had stof voor een verslag van wel tien bladzijden, waarin ze alvast niet meer zou kunnen beweren dat hij homofiele neigingen had. Haemers sloeg haar dossier open en begon te lezen. Dat duurde een hele poos. Inge keek Erik niet aan, ze zat gespannen de eerste vraag af te wachten. En die was meteen raak.

'Mevrouw De Bruyn, voelt u zich schuldig aan Bennies handicap?'

'Ik? Hoe komt u daarbij?'

'Men komt niet als autist ter wereld, mevrouw De Bruyn, men wordt het.'

'Is dat zo?' zei Inge koeltjes.

'Volgens uw ex-echtgenoot zou u uw zoontje al heel vroeg

emotioneel hebben verwaarloosd, aangezien u... laat ik zeggen, andere interesses had. Daardoor heeft het kind nooit ondervonden of geleerd wat affectie is. Wat heeft u daarop te zeggen?'

Erik keek met ingehouden adem naar Inge, maar die bleef ook nu wonderlijk rustig. Opeens verdacht hij haar ervan een kalmeermiddel te hebben geslikt.

'Dat het gelogen is, wat anders?'

'U ontkent het dus?'

'Natuurlijk ontken ik dat. Heeft u hem ook gevraagd wie er 's nachts altijd opstond, wie Bennie overdag verzorgde en met hem naar de dokter ging?'

'Uw man had en heeft trouwens nog altijd drukke beroepsbezigheden. U niet.'

'En daarom verwaarloosde ik mijn zoon?'

'Ik stel de vragen, mevrouw De Bruyn.'

Inge slikte en zweeg.

'Volgens zijn vader huilt Bennie telkens wanneer hij aan het eind van zijn bezoek weer weg moet.'

'Bennie huilt zo vaak.'

'Misschien heeft hij zijn redenen. Waarom werd hij op een internaat gedaan?'

'Omdat hij daar met leeftijdsgenoten leert omgaan en goed wordt begeleid.'

'Vroeger ging u hem iedere woensdagmiddag halen, nu niet meer.'

'Het is de school zelf die mij dat heeft afgeraden.'

'U dacht dus in de eerste plaats aan Bennie?'

'Ja.'

'Niet aan uzelf?'

Erik kreeg het warm en koud tegelijk. Hij had het gevoel dat hij op barsten stond.

'Bennie is een jongen die bijzonder veel aandacht vraagt, mevrouw Haemers, en omdat wij...'

'Met u praat ik straks, mijnheer Taelman.'

Ze had hem niet eens aangekeken.

'Gelooft u werkelijk dat Bennie ginder tevreden is, mevrouw De Bruyn?'

'Het gaat niet alleen om zijn huidig geluk, ook om zijn opvoeding. Hij wordt daar omringd door mensen die met zulke kinderen weten om te gaan en in wie ik het volste vertrouwen heb.'

'U geeft dus toe dat u zoiets niet kunt?'

'Wat?'

'Met Bennie omgaan.'

'Dat heb ik niet gezegd. Ik beweer alleen dat die school zijn beste kans is.'

De sociaal werkster snoof verachtelijk.

'Zijn vader denkt daar heel anders over. Die wil zijn zoon opnemen in een gezin.'

'Dat is niet nodig, Bennie heeft al een thuis.'

'Beseft u wel wat u heeft aangericht door dat kind uit zijn vertrouwde omgeving weg te rukken?'

De vrouw verwachtte blijkbaar geen antwoord. Ze schoof haar bril tot op het puntje van haar neus en maakte enkele hoekige notities. Alsof ze hakenkruisen tekende.

'De heer Vercammen is ervan overtuigd dat hij Bennie een evenwichtiger opvoeding kan geven dan tot nu toe het geval was.'

'Zit hij opeens zonder werk?'

Ditmaal keek de sociaal werkster Erik geïrriteerd aan.

'Toch niet, mijnheer Taelman, maar mevrouw Vercammen is er ook nog.'

Inge liep rood aan en kneep haar handen samen.

'Wil iemand koffie?'

Erik sprong op om naar de keuken te rennen.

'Doe vooral geen moeite, ik ben bijna klaar.'

Inge ademde diep in en uit, zei toen dat ze altijd haar best had gedaan om een goede moeder voor Bennie te zijn en dat ze uit de grond van haar hart hoopte dat men haar de kans zou geven dat te blijven doen. Ze wentelde zich in het slijk voor die feeks, die haar abrupt onderbrak met de bewering dat zij enkel en alleen naar het belang van het kind keek. Toen richtte ze haar geschut op Erik.

'En u, mijnheer Taelman, heeft u intussen al vast werk gevonden?'

'Ik geef les.'

'Onder welk statuut?'

'Ik ben aangesteld tot het eind van dit schooljaar, als het dat is wat u bedoelt.'

'Een tijdelijk contract dus,' mompelde de sociaal werkster, terwijl ze ijverig noteerde en vakjes aankruiste.

'Hoe zou u uw verhouding met Bennie omschrijven?'

'Ik geef toe dat er in het begin wel wat problemen waren, maar...'

'Zoals?'

'Het was eigenlijk meer een kwestie van aanpassing, denk ik. Bennie en ik...'

'En hoe gaat het nu?'

'Zo goed als het kan, geloof ik.'

'Denk ik, geloof ik... U weet het allemaal niet zeker?'

'U laat mij ook niet uitpraten. Ik bedoel dat ik voor hem geen nieuwe vader wil spelen, ik probeer meer een vriend te zijn.'

'Ach zo,' zei Haemers flauwtjes, terwijl ze haar pen losjes op en neer liet wippen tussen haar wijs- en middelvinger.

Erik wierp een snelle blik naar Inge, in de hoop dat ze hem bemoedigend zou toeknikken, maar ze bleef onbewogen voor zich uit kijken. Ze vertrouwt mij niet, dacht Erik, ze vreest dat ik het ga verknoeien. Eén verkeerd woord van mij en ze is haar zoon kwijt. Het idee dat de beslissing van de rechtbank misschien van zijn reactie afhing, maakte hem zenuwachtig. Hij vroeg zich af wanneer de sociaal assistente over een huwelijk zou beginnen en wat hij dan het beste kon antwoorden, maar tot zijn verbazing zag hij hoe ze het dopje op haar vulpen schroefde en haar papieren weer ordelijk begon op te bergen in de dikke kartonnen kaft. Toen ze daarmee klaar was, keek ze Inge aan.

'Apropos, vóór ik het vergeet, bent u vorig jaar met vakantie geweest?'

De smerige teef, dacht Erik. Inge knikte, een beetje afwezig.

'Ja, naar Zuid-Frankrijk.'

Er verscheen een listige glimlach op het gezicht van de vrouw.

'Een mooie streek is dat,' zei ze, 'en wat vond Bennie ervan?'

Erik voelde zijn vingers jeuken. Dat mens was nog veel kwaadaardiger dan hij had gedacht. Inge leek even de kluts kwijt.

'Bennie was bij mijn ouders,' fluisterde ze.

Haemers boog zich voorover.

'Wat zegt u?'

'Dat Bennie bij haar ouders was,' herhaalde Erik met luide stem.

'Bij uw ouders? En waarom?'

'We zijn wel enkele dagen met hem naar zee geweest. Hij doet niets liever dan naar de golven kijken.'

De sociaal werkster strekte haar rug.

'Waarom gaat u dan naar Frankrijk, als ik vragen mag, en zónder hem?'

Inge keek hulpeloos om zich heen.

'Omdat wij ook wel eens een rustige, ontspannen vakantie willen, mevrouw Haemers,' zei Erik, terwijl hij opstond.

Maar ze liet zich niet van de wijs brengen en was zich volkomen bewust van haar machtspositie.

'Weet u dat Bennies vader een mobilhome heeft gekocht, speciaal om met zijn zoon op reis te kunnen gaan?'

Inge vloog overeind.

'Maar dat is niet waar, die had hij al vóór Bennie was geboren!'

Haemers stond ook op, greep haar dossier en groette stijfjes. Terwijl ze gewichtig naar haar auto liep, boorde Erik zijn ogen in haar rug en wenste haar een dodelijk ongeval toe.

Nu dat vreselijke mens de deur uit was, verwachtte hij dat Inge de tranen die ze de hele tijd had verbeten, woedend de vrije loop zou laten. Eens flink uithuilen zou haar goed doen. Toen hij weer binnenkwam, zat ze echter stilzwijgend in de fauteuil, schijnbaar diep in gedachten verzonken. Erik ging naast haar zitten en sloeg een troostende arm om haar heen. Maar haar gezicht bleef gesloten als een dodenmasker.

Is het mogelijk dat de geest af en toe signalen uitzendt die alleen met de juiste antenne zijn op te vangen? In lotsbestemming, voortekens, astrologie en dat soort onzin geloofde Erik niet, maar dat nam niet weg dat sommige toevalligheden hem aan het denken zetten. Zoals die droom over zijn twee nog in leven zijnde grootouders. Daarin waren ze allebei dezelfde dag gestorven, op een erg vreemde manier. Zij organiseerden zelf hun begrafenis; woonden de uitvaart bij; stapten, gekleed in een lijkwade, mee in de stoet naar het kerkhof, waar ze iedereen de hand drukten; kropen dan in hun doodskist, waarna ze gedwee het deksel lieten toeschroeven en met een paar klopjes op de houten zijwand te kennen gaven dat ze klaar waren voor de afdaling. Erik had zelfs geen moeite gedaan om hen tegen te houden. Hij had daar onbeweeglijk gestaan en toegekeken.

De dag na die droom telefoneerde zijn moeder om te zeggen dat het ongeluk dubbel had toegeslagen. Grootmoeder had in de vroege ochtend een zware val gemaakt en zat helemaal onder de builen, kneuzingen en roodblauwe plekken, terwijl grootvader met galstenen in het ziekenhuis was opgenomen. Waarschijnlijk zou hij 's anderendaags worden geopereerd.

Toen Erik hem bezocht, zag grootvader er beroerd uit. In afwachting van de ingreep had men zijn medicatie tegen de ziekte van Parkinson gestopt en daardoor kon hij zijn hoofd en handen geen moment stilhouden. Hij woog nog amper achtenveertig kilo. Een levend geraamte. Vel over been.

'Zie mij hier liggen,' zei hij half lachend, 'precies Gandhi.'

Maar het volgende ogenblik leek het of hij zou gaan huilen. Erik bedacht dat pas enkele jaren geleden zijn grootvader nog wandelingen maakte, ging kaarten in het dorpscafé, of in de tuin werkte. En nu lag hij daar te trillen als een espeblad.

'Hoe is 't ermee?'

'Wablieft?'

'Ik vroeg hoe het ermee is!'

Hij haalde zijn schouders op, alsof hij het nog altijd niet had begrepen, en zei toen dat hij de fles wilde.

'Welke fles?'

'Die om te pissen natuurlijk.'

Erik gaf hem het urinaal en deed een paar stappen achteruit, tot aan het venster. Toen grootvader de deken wegsloeg, ging er een golf van afkeer door Erik heen. Tussen de graatmagere benen bengelde een verrimpeld geslacht dat zelfs na herhaalde pogingen niet in die lange flessehals wilde verdwijnen.

''t Is godverdomme iedere keer hetzelfde gesukkel,' mompelde grootvader, 'seffens lig ik weer nat.'

Erik greep naar het belletje boven het bed, maar de zieke protesteerde.

'Ge gaat daar toch niet voor bellen, zeker?'

'Nee? Wat dan?'

'Kunt gij dat ding hier niet vasthouden?'

Erik deed of hij die vraag niet had verstaan en drukte de fles stevig tegen de matras, terwijl de bibberende handen van grootvader er alweer net naast mikten. Een paar donkergele druppels kwamen op het laken terecht.

'Lap, daar hebt ge 't al. En ik kan het bijna niet meer houden.'

Erik beet op zijn tanden, nam de verschrompelde penis tussen duim en wijsvinger, en schoof hem voorzichtig in de plastic hals. Een dun straaltje sijpelde traag in de fles.

'Is dat alles?'

Grootvader deed zichtbaar moeite om er wat meer uit te persen, maar daar bleef het bij. Door de inspanning, ontsnapte hem een pruttelende wind.

'Da's straf, ik dacht pertang dat 't dringend was,' hakkelde hij, waarna hij zich vermoeid weer in de kussens liet zakken.

'Blijf zo maar wat liggen,' zei Erik.

Vlug trok hij de deken over dat trillende lijf, waarvan hij de aanblik niet meer kon verdragen. Hij had opeens behoefte aan frisse lucht en was blij toen even later een verpleegster de kamer binnenkwam. Terwijl zij zich over de zieke ontfermde, maakte Erik van de gelegenheid gebruik om grootvader de hand te drukken en ervandoor te gaan. Eenmaal buiten voelde hij de weerzin langzaam wegebben. Maar in de plaats kwam een wrange schaamte. Om wat hij had gezien? Of omdat hij zoveel van die oude knorpot hield en toch niet in staat bleek het ook te tonen?

Grootvaders galblaas was zo erg aangetast, dat men ze 's anderendaags maar meteen helemaal weghaalde. Toen hij dat bij zijn ontwaken vernam, zuchtte hij en zei: 'Amaai, nu weeg ik nóg minder,' waarna hij zichzelf zachtjes weer in slaap bibberde.

Naarmate hij zijn doctoraatsthesis inkortte, dreef Erik steeds verder weg van zijn oorspronkelijke visie, waarin het solipsisme als het ware de natuurlijke staat van de menselijke ziel was. Hij twijfelde er niet aan dat ieder individu uiteindelijk de gevangene van zichzelf bleef, maar vroeg zich toch af of er geen momenten bestonden waarop twee of meer mensen in elkaars sfeer werden opgenomen. Ogenblikken van gedeelde ontroering, van vreugde of verdriet. Een onuitspreekbare geestelijke harmonie.

Als hij zag hoe Inge telkens weer met een engelengeduld naar zwakke plekken zocht in Bennies bolster, dan moest hij toegeven dat het meestal geen woorden waren die zich door een barst naar binnen wisten te wringen, maar veeleer gebaren en vluchtige aanrakingen. Soms zat zij urenlang naast hem op de grond, te spelen met papiersnippers, legoblokjes waar hij nooit iets mee bouwde, of mikadohoutjes, die hij tussen zijn vingers klemde en omhooghield. En dan veranderde hij weer in een boomkruin die ruisend heen en weer wiegde in een lentebries. Met haar handen deed Inge zijn bewegingen na, tot ze beiden – moeder en zoon – twee takken aan dezelfde stam leken. Af en toe verscheen er zelfs een flauwe glimlach op Bennies lippen, maar verder liet hij ook haar niet komen. Dan, van het ene moment op het andere, trok er een waas voor zijn gezicht en hulde hij zich opnieuw in zijn vertrouwde cocon, waarin geen plaats was voor twee.

Droomde Bennie wel eens? Erik vroeg het zich af. Misschien was heel zijn leven één glijdende beweging van schimmige beelden en onderwatergeluiden. Of zwierf hij als een Toeareg door de eindeloze vlakten van de ziel, waar aan de horizon nu en dan een dwaze luchtspiegeling zinderde? Al kon hij zich evengoed aan de rand van het Nirwana ophouden, vrij van hartstochten of begeerten, als een gladde kei, in zichzelf besloten. Misschien zoek ik het weer te ver, dacht Erik, en is Bennie gewoon iemand met kortsluiting in zijn hersenen, meer niet.

Maar vandaag was het feest, want de kei werd negen jaar. Erik had het niet zo'n goed idee gevonden om enkele familieleden uit te nodigen, maar Inge wuifde zijn bezwaren weg.

'Zie dat hij weer zo'n aanval krijgt. De ooms en tantes zouden nogal staan kijken, denk ik.'

Inge haalde haar schouders op.

'Wat jij allemaal verzint! 't Is meer dan een jaar geleden dat hij zoiets heeft gehad. Of ben je dat vergeten?'

Neen, Erik was het niet vergeten, de rillingen liepen nog langs zijn ruggegraat als hij eraan terugdacht.

'Ik bedoel, al die drukte en zo, dat kan toch niet goed zijn. Hij is dat niet gewoon.'

'Als het vreemden waren, maar het zijn mensen die hij kent.'

'We zullen zien...'

Erik had uiteindelijk bakzeil gehaald en nu zaten ze allemaal samen rond de tafel: de ouders van Inge, een paar tantes en ooms, enkele neven en nichten. In plaats van speelgoed hadden de meesten kleren meegebracht. Ook een paar kleurboeken, waarin Bennie even had zitten krabbelen maar die hij daarna geen blik meer had gegund. En legoblokjes, die hij dadelijk bij de grote hoop gooide. Nu en dan deed hij er met beide handen een greep in en begon hij de plastic steentjes tussen zijn vingers te kneden alsof hij ze tot gruis wilde malen.

Tijdens het eten werd er over weinig anders dan voetbal, duivensport en *Dallas* gesproken, zodat Erik zijn antwoorden kon beperken tot ja of neen. En af en toe een uitdrukking van verwondering op zijn gezicht. Hij was het al flink beu en hoopte maar dat ze niet te lang zouden blijven napraten. De jarige begon trouwens ook tekenen van ongeduld te vertonen. Hij zat voortdurend met zijn vork op de rand van zijn bord te tikken terwijl hij zijn hoofd ritmisch heen en weer wiegde, alsof hij in trance probeerde te raken. Misschien is hij evenmin geïnteresseerd in de voetbaluitslagen, dacht Erik. De tantes vonden het schouwspel in ieder geval hoogst vermakelijk.

'Zie hem toch eens bezig, onze Bennie.'

'Dat hij daar geen koppijn van krijgt,' zei oom Pol tegen Inge, 'ik zou allang sterren zien.'

'Laatst zat ik met hem in zo'n snelle draaimolen, je weet wel, waarvan de bakjes op den duur helemaal schuin gaan hangen, alsof je in een reusachtige droogtrommel zit.'

'Ha, een *kakkewak* wilt ge zeggen!' kuchte oom Frans, terwijl hij een walm sigarerook uitpufte.

'Bijlange niet, dat is iets anders.'

'Maar laat Inge nu toch eens verder vertellen!'

'Ik dacht dat ik bewusteloos raakte, maar Bennie gierde van het lachen. Hoe sneller dat ding ging, hoe liever hij het had.'

'Pas toch maar op, daar zijn al veel accidenten mee gebeurd.'

Met een doffe dreun liet Bennie zijn voorhoofd op het tafelblad neerkomen, waarna hij zijn schommelbeweging gewoon hervatte.

'Amaai, wat een slag.'

'Maar jongen, seffens doet g'u nog zeer.'

Oma boog zich voorover en probeerde Bennie in te tomen.

'Laat hem toch doen, Lisette, hij zal daar vanzelf wel mee stoppen,' zei opa Jan, die zich tot dan nogal afzijdig had gehouden.

'Hij heeft er plezier in,' giechelde tante Anna, 'dat ziet ge zo.'

'Wat wilt ge,' mompelde Jan, 'ik zou ook blij zijn als ik eindelijk weer thuis was.'

Erik zag hoe Inge even verstijfde, maar ze was zo slim er niet op in te gaan.

'Begin weer niet, hé Jan,' zei Lisette met een dreigende ondertoon in haar stem.

''t Is toch waar,' ging hij door, 'dat moet niet meevallen, zo'n hele week in die school. Precies een gevangenis.'

'Allé, nu niet overdrijven, hé,' protesteerde oom Pol voorzichtig.

Inge veerde recht en ging naar de keuken. Uit Bennies keel steeg een gorgelend geluid op. Het leek of die kwijlende idioot gewaarwerd dat hij in het middelpunt van de belangstelling stond.

'Hoor dat maar eens aan.'

'Jaja, hij kan het nogal zeggen, onze Bennie.'

Het begon Erik te duizelen in zijn hoofd. Hij ruimde zwijgend de borden af en bracht ze naar de keuken, waar Inge met het dessert bezig was.

'Zég toch eindelijk eens iets, voor zijn stoppen helemaal doorslaan.'

'Met mijn vader erbij? Geen denken aan. Heb je hem daarjuist niet bezig gehoord?'

‘En dan?’

‘En dan, en dan... Bennie kan bij hem niets verkeerd doen, dat weet je toch.’

‘Maar bij mij wel!’

Inge bekeek hem boos en verdween toen met een grote slagroomtaart naar binnen. Er prijkten negen brandende kaarsjes op. Ik mag een steenezel worden als hij die krijgt uitgeblazen, dacht Erik, terwijl hij haar een beetje bedremmeld achternaliep.

‘Oooh, kijk nu eens, Bennie!’

‘Hip, hip, hip...!’

Handgeklap en hoerageroep. Bennie schokte vervaarlijk van links naar rechts, als een kolossale metronoom waarvan de veer het ieder moment kan begeven.

‘Zie hem toch eens dansen van pret.’

‘Voorzichtig, jongen,’ zei Anna op een zangerig toontje, terwijl ze haar hand op zijn arm legde, ‘straks slaat hij met stoel en al omver.’

‘En nu blazen!’

Buiten wat krampachtige o- en a- klanken bracht die sukkel er natuurlijk niets van terecht, al werd hij van alle kanten toegejuicht alsof hij zopas een nieuw wereldrecord had gevestigd. Het waren ten slotte de neefjes en nichtjes die de feestelijke klus klaarden.

Nadat de taart was versneden en rondgedeeld, begon het pas goed. Bij Bennie leek de laatste rem weggevallen. Hij nam gulzige happen, verslikte zich, spuwde alles weer uit, klauwde met zijn handen in de smurrie en maakte walgelijke slikgeluiden. Dat werd ook Inge te veel.

‘Bennie, hou daarmee op!’

‘Och, laat hem doen,’ suste oma, ‘’t is toch zijn feest, nietwaar jongen?’

Ze nam de keukenhanddoek die onder zijn kin bengelde en trachtte zijn mond schoon te vegen. Maar Bennie rukte moedwillig zijn hoofd naar achteren en stootte hierbij het bordje met de taart om. Een grote dot slagroom kwam op het tapijt terecht.

'Voilà, dat moest ervan komen.'

Inge rende naar de keuken en keerde terug met een vaatdoek. Op het vloerkleed bleef een donkere vlek achter. Zij greep Bennies schouder, schudde hem flink door elkaar en riep dat het gedaan moest zijn met die gekke streken. Opa Jan zette zijn kopje koffie neer en zei met een lijzige stem:

'Al die drukte voor zo'n klein ongelukje. *Hij* kon daar toch niks aan doen, zeker,' terwijl hij verwijtend in de richting van zijn vrouw keek.

Maar Inge gaf zich deze keer niet zonder meer gewonnen.

'Je moet hem niet altijd goedpraten, vader. Het wordt tijd dat hij eens leert gehoorzamen, zoals andere kinderen.'

Jan ging daar niet op in en lachte schaapachtig naar zijn kleinzoon. Erik had 'onze Bennie' het liefst meteen een paar klinkende oorvegen gegeven, maar besefte dat zoiets niet kon in dit gezelschap. Dat die dwaas zou boeten voor zijn wangedrag stond evenwel vast. Erik zou geduldig zijn kans afwachten.

Die kwam ongeveer een uur later, toen de familie eindelijk opstapte en Inge haar ouders naar huis bracht. Erik bleef achter om alles op te ruimen. Terwijl hij stofzuigde en daarna tafels en stoelen weer op hun plaats zette, hield hij Bennie scherp in de gaten. Eén misstap en hij zou ervan lusten! Maar Bennie leek opeens aan het eind van zijn krachten. Hij zat stilletjes in de sofa, alsof hij ieder moment in slaap kon vallen. Alleen al de aanblik van die idioot vervulde Erik met woede en afkeer. Als zijn gramschap zich niet kon ontladen, dan zou hij vannacht beslist geen oog dichtdoen. Waarom het lot geen handje helpen?

Hij nam een kijkboek met reprodukties van schilderijen uit het rek en legde dat nonchalant op de salontafel, amper een meter van de sofa. Bennie wist dat hij van de boekenkast moest afblijven en deed dat ook, sinds hij een paar keer flink was gestraft. Hij maakte geen onderscheid tussen soorten papier, maar Erik had het hem laten voelen. Een achtergelaten boek kon Bennie evenwel nog altijd in verleiding brengen, want dat leek voor hem niet tot het verboden terrein te behoren.

Erik ging naar de keuken en wachtte. Toen hij even later weer in de woonkamer kwam, lag het kunstboek onaangeroerd op zijn plaats. Erik kon er niet aan weerstaan: hij legde het exemplaar uit de reeks *Meesters der Schilderkunst* open op een kleurrijke bladzijde en schoof het vervolgens tot aan de rand van het lage tafeltje. Bennie hoefde alleen maar wat voorover te buigen en zijn arm te strekken, meer niet. Erik deed een paar stappen achteruit, tot hij uit Bennies gezichtsveld verdween en hield zich stil.

Minuten verstreken zonder dat er iets gebeurde. Straks kwam Inge thuis, en dan waren zijn kansen verkeken. Waarom greep die onnozelaar nu niet naar het boek dat daar open en bloot voor zijn neus lag? Erik kon het toch moeilijk zélf in zijn handen gaan stoppen? Er waren grenzen! Terwijl hij wachtte, vroeg hij zich af waarom hij dit deed. Was het niet veel eenvoudiger die rotjongen gewoon een pak rammel te geven, een uitgestelde straf als het ware? Of had Erik toch een reden nodig om zichzelf vrij te pleiten, vooral tegenover Inge? Heel even kwam het in hem op dat hij desnoods eigenhandig een klein scheurtje in één van de bladzijden kon maken. Maar daarvoor hield hij te veel van boeken. De gedachte dat hij misschien toch, zij het op een onbeholpen manier, een vorm van contact zocht met die koele kikker, zette hij vlug van zich af. Want dan was hij eigenlijk even beklagenswaardig als Bennie, maar wel veel schuldiger.

Net toen hij het wilde opgeven, veranderde er iets in Bennies houding. Hij scheen zich opeens weer bewust te worden van de omgeving en keek verwonderd rond. Natuurlijk kon hij niet naast het opengeslagen boek kijken en werd hij, als een bij door een bloem, aangetrokken door al die felle kleuren. Erik werd een vreemde tinteling in zijn buik gewaar, bijna dezelfde als wanneer hij voor het schreeuwerige uitstalraam van een sexshop stond. Ademloos keek hij toe hoe Bennie tot op de rand van de sofa schoof en met zijn linkerhand naar het veel te zware boek reikte. Dat moést fout gaan. Het moment van de wraak was aangebroken! Hij trok even aan een hoekje van de stijve kaft, liet ze weer los en ging wat meer rechtop zitten. Met twee handen greep hij de kunstuitgave vast en zo slaagde hij erin ze ongeschonden naar zich toe te halen. Dan begon het bladeren. Erik voelde hoe zijn spieren zich spanden. Eén scheurtje of zelfs maar een kreukje zou volstaan om hem als een duivel uit een doosje te voorschijn te doen springen. Maar Bennie, die pestkop, leek fluwelen vingers te hebben gekregen. Wist hij dat Erik op de loer lag?

Hij bladerde Picasso's Blauwe en Roze Periode door zonder ook maar iets te beschadigen en liet daarbij zijn zeurderig gebrom horen. Een spinnende kater die zijn klauwen heeft ingetrokken, dacht Erik. Bennie stopte met bladeren en wreef voorzichtig met één vinger over een afbeelding, alsof hij zich ervan wilde vergewissen dat de verf al helemaal droog was. Vanuit zijn schuilplaats kon Erik niet zien om welke foto het ging, het interesseerde hem ook niet. Zijn woede was omgeslagen in hoofdpijn die bonkend onder zijn schedel tekeerging. Drukte en lawaai had hij nooit goed kunnen verdragen.

Toen hoorde hij de sleutel in het slot van de voordeur. Snel liep hij naar de keuken en nam een stapel borden. Inge kwam zuchtend binnen, zei dat ze bekaf was en vroeg of Bennie niet te lastig was geweest.

'Dat viel nogal mee.'

'Gelukkig maar, hij heeft vanmiddag al genoeg zijn best gedaan.'

'Dat vond ik ook, ja.'

Ze ging naar de buffetkast en opende die voor Erik. Toen zag ze Bennie in de sofa zitten.

'Wat heeft hij nu weer vast?'

'Een boek.'

'Ja, dat zie ik ook. Maar is dat niet een van die dure kunstboeken?'

'Nu je het zegt.'

'Hoe is hij daaraan geraakt?'

Ze keek boos naar Bennie en stak een vermanende vinger op, klaar om haar zoon flink de les te lezen.

'Die heb ik hem gegeven,' zei Erik vlug.

Inge stond perplex.

'Wat zeg je? Gegeven?'

Erik knikte.

'Je weet toch hoe dat gewoonlijk afloopt?'

Het is niet eens begonnen, dacht Erik met een vaag gevoel van spijt.

''t Is niet de eerste keer dat hij bladen uit een boek scheurt. Kom, Bennie, geef dat eens aan mama, dat is niets voor jou.'

'Má-má.'

Gewillig liet hij het boek los en Inge legde het op het salontafeltje.

'Anders mag hij nog niet naar die kast wijzen of je schreeuwt moord en brand, en nu stop je hem zelf zo'n kostbaar boek in zijn handen. Hoe weet die jongen op den duur nog wat wel en wat niet mag?'

Erik antwoordde niet. Hij had de reproduktie herkend waarnaar Bennie had zitten kijken en schrok om zoveel toevalligheid. *Moeder en zoon* heette het schilderij. Een vrouw staart bezorgd naar het beetje eten dat op een bord ligt, terwijl haar kind, een jonge acrobaat, met dromerige blik een heel andere richting uitkijkt. Naar iets wat zich buiten het olieverfdoek bevindt.

'Soms begrijp ik echt niet waar jij met je gedachten zit,' zei Inge, nog altijd met wat wrevel in haar stem, 'een boek van zeker vijftienhonderd frank en dat geef jij zomaar aan Bennie. En vorige week was je kwaad omdat hij een oude krant in stukken scheurde.'

'Hij heeft er toch niets aan mispeuterd,' protesteerde hij zwakjes, terwijl hij het boek dichtklapte en weer op zijn plaats zette, 'en in die krant stond toevallig wel een artikel van mij.'

Nog diezelfde avond schreef hij de ware toedracht in zijn dagboek, dat hij deze keer niet veilig in een lade borg, maar op zijn bureau legde, waar Inge het 's anderendaags kon vinden. En lezen, als ze dat wilde.

'Wat is me dat voor iets?'

Met afschuw staarde ze naar de inhoud van het bruine inpakpapier.

'Ik dacht dat je ermee akkoord ging, of niet soms?'

'Een *geweer* was er gezegd, maar dit is een kanon!'

'Ja, zeg...'

Nu Erik het wapen eens goed bekeek, moest hij toegeven dat ze gelijk had. Maar wat had hij dan moeten doen? De wapenhandelaar had meteen een riotgun uit het rek gehaald en beweerd dat er geen beter verdedigings- en afschrikkingsmiddel op de markt was. Met een krachtige beweging van zijn linkerhand had hij gedemonstreerd hoe snel het geweer kon worden geladen en het akelige geluid dat het moordtuig daarbij maakte, had Erik koude rillingen bezorgd. Alsof hij voor het vuurpeloton stond.

'Als ze dat horen, hoeft u niet meer te schieten,' had de verkoper glunderend gezegd, 'dan slaan ze zo op de vlucht.'

Erik had een paar keer geslikt en daarna gevraagd of hij geen lichter kaliber in huis had. De man had hem een beetje laatdunkend aangekeken en geantwoord dat je gevaarlijke inbrekers moeilijk met een luchtkarabijntje kon verjagen. Na wat geaarzel had Erik zich het wapen laten aanpraten. Eigenlijk had hij liever een revolver gekocht, maar dàarvoor had je blijkbaar een vergunning nodig.

'Die doos cartouches krijgt u er gratis bij,' had de verkoper gezegd, terwijl hij het wapen inpakte. 'Voilà, en veel plezier ermee.'

Op straat kreeg Erik de indruk dat de mensen hem achterdochtig bekeken, alsof ze in hem een ontsnapte crimineel meenden te herkennen. Hij had het wapen in de koffer gegooid en was er vliegensvlug mee naar huis gereden. Want stel dat hij onderweg een rijkswachtcontrole passeerde. De jongste weken trof je ze overal aan, met kogelvrije vesten en tot de tanden gewapend, op zoek naar sporen van de moordende Bende van Nijvel die het land in een ware angstpsychose had gedompeld. Bovendien werd de buurt waar Erik woonde, overspoeld door een golf van inbraken. Toen hij enkele nachten geleden wakker was geschrokken van gemorrel aan de achterdeur – en Inge had het óók gehoord – was de maat vol: ze zouden een geweer kopen om zich te verdedigen.

'Zorg in ieder geval dat Bennie er niet bij kan,' zei Inge, 'wie weet wat hij ermee aanvangt.'

Erik pakte het van olie glimmende wapen weer in, ging ermee naar boven en borg het veilig weg in een kast. De patronen kon hij beter op een andere plaats bewaren. Hoewel het geweer zelf hem angst inboezemde, voelde hij zich op slag geruster. Want hoe je het ook draaide of keerde: wie niet in staat was van zich af te bijten, liep voortdurend gevaar het slachtoffer van zijn eigen zwakte te worden. Daar kon geen enkele ethiek tegenop. Maar tegelijkertijd hoopte Erik nooit in een situatie verzeild te raken waaruit zou moeten blijken of hij dat duivelstuig ook écht durfde te gebruiken.

Toen hij beneden kwam, stond Inge te strijken.

'Naar schatting drie op de vier Vlaamse gezinnen hebben één of meer vuurwapens in huis,' zei hij op een luchtig toontje, alsof hij zichzelf een beetje wilde goedpraten, 'wist je dat?'

'Ja, ik heb het ook in de krant gelezen. En toch waren maar enkele honderden brave huisvaders bereid toe te geven dat ze inderdaad een geweer in huis hebben.'

'Het geeft te denken,' zei Erik, 'hoe klein het vertrouwen in de medemens wel is, bedoel ik.'

Inge keek hem van achter haar strijkplank aan. Haar linker wenkbrauw wipte nerveus op en neer.

'En hoe groot de schaamte om dat te bekennen,' zei ze.

Er ging een schokje door Erik heen. Wat probeerde ze te insinueren? Dat ze zijn dagboek had gelezen en hem ondertussen stilaan doorhad?

'Tja,' zei hij weifelend, maar voor de rest vond hij geen woorden.

Inge zweeg ook, maar keek hem aan met een doordringende blik. Toen tilde ze het gloeiende strijkijzer weer op, gleed er vluchtig met haar hand langs en liet het daarna met een vervaarlijk sissend geluid op het zitvlak van een van Eriks jeans neerkomen.

– 1986 –

'RAAF-AAP-RIEK-MUUR-BOOM-ZUUR-ZOON.'
Ongelooflijk maar waar: het stond er, in kleurige hanepoten die beverig hun evenwicht probeerden te bewaren op de dunne lijntjes in het schriftje. 'Noot-kat-vuur-kip-zeep-mol' las Erik op de volgende bladzijde, en dat twee plus twee vier was, scheen dat genie ondertussen ook te weten. Het was een raadsel hoe ze dat in de school van hem gedaan hadden gekregen. Met eindeloos geduld en veel toewijding, dat kon niet anders. Maar dat was niet alles. Bennie kon die woorden ook min of meer uitspreken, met een stem die uit een automaat leek te komen, al bleven de meeste medeklinkers als visgraten in zijn keel steken. Soms ratelde hij, zonder aanleiding, een reeks eenlettergrepige woordjes af, altijd in dezelfde volgorde. Had hij ze alleen maar stomweg van buiten geleerd of begreep hij ook wat hij zei? In ieder geval: Bennie had de spraak ontdekt en daarmee een stukje van de muur tussen zichzelf en de anderen gesloopt. Tijdens de weekends gonsde het huis van nooit eerder gehoorde klanken.

Inge kon haar geluk niet op. Ze kocht onmiddellijk een schoolbord waarop ze in koeien van letters korte woorden schreef, die Bennie dan opdreunde. Hij kon dus toch een beetje lezen. Tenminste, als hij er zin in had, want het gebeurde ook dat hij urenlang weigerde een begrijpelijk geluid voort te brengen, alsof hij opeens alles weer vergeten was. Als Inge bleef aandringen, kreeg het bord het meestal hard te verduren. Hij beukte er met zijn hoofd op los, misschien om er die gehate krijtlijntjes met geweld in te rammen.

Maar gewoonlijk wist Inge haar voorbeelden goed te kiezen.

'Wat staat hier, Bennie? Lees het eens hardop.'

'*Bwoom!*'

‘Goed, en hier?’

‘*Zzzzeee!*’

Zóveel letters stonden er nu ook weer niet, dacht Erik, maar kom.

‘Juist, en wat staat daar?’

(...)

‘Bennie? Let eens op. Wat is dat?’

‘*Gas!*’

‘Grrras. Zeg het nog eens.’

‘*Chras!*’

Bennie sprak met uitroeptekens. Ieder woord klonk even luid en machinaal. Soms bleef hij telkens weer hetzelfde herhalen, als een platenspeler waarvan de naald haperde. Misschien omdat de klank ervan hem beviel? Maar irriterend was het wel.

‘*Poesh! Poesh! Poesh! Poesh!...*’ terwijl hij naar Mira wees, die van op de vensterbank naar binnen zat te loeren.

‘Jaja, stop maar, Bennie, we weten het nu wel. Zeg liever eens wat dit is.’

Erik toonde een blad dat hij uit een reclamefolder had gescheurd.

‘*Labwe!*’ riep Bennie, en hij greep er met twee handen naar.

Plagerig hield Erik het blad in de hoogte.

‘Mis, Bennie. Hoé heet dit? Zeg het nog eens.’

Maar de concentratie was weg. Hij begon wild om zich heen te schoppen, net of hij een karatewedstrijd uitvocht met een onzichtbare tegenstander. De kreten die hij daarbij liet horen, waren er ook naar. De kleine woordenschat waarover hij beschikte – die van een kind van een jaar of vier – smolt weg als sneeuw voor de zon en wat overbleef was niets dan een brij van geluiden. Inge legde zuchtend haar krijt weg.

‘Eind van de les, veronderstel ik. Geef het hem nu maar, of hij wordt nog lastiger.’

Met tegenzin liet Erik zijn hand zakken. Bennie nam het blad en scheurde het dadelijk in reepjes, die hij tussen zijn vingers stak, tot hij op een treurwilg leek.

'Bennie Boom is weer in 't land.'
'Lach hem niet uit, hij heeft nog zo zijn best gedaan.'
'Ik lach hem toch niet uit, wat is dat nu!'
'Je weet dat hij geen twee dingen tegelijk aankan. Dan raakt hij compleet in de war.'
Dat is zoals ik, dacht Erik, lessen voorbereiden en aan een boek over het solipsisme werken gaan bij mij ook niet samen. Hij stond op en zette de radio aan. Het gezang van Stevie Wonder vulde de kamer.
I just called to say I love you
I just called to say how much I care
I just called to say I love you
And I mean it from the bottom of my heart.
'Wat krijgen we nu?'
Erik, die met zijn gedachten bij de stapel verbeterwerk zat die hij dit weekend nog moest doornemen, schrok op.
'Kijk daar.'
Hij zag hoe Bennie met gespitste oren zat te luisteren en toen zachtjes van links naar rechts begon te wiegen, misschien toevallig juist op het ritme van de melodie.
'En ik dacht dat meneer niet van muziek hield.'
'Dat doet hij ook niet. Vorige week vertelde z'n juffrouw nog dat hij absoluut niet in liedjes geïnteresseerd is. Soms stopt hij zelfs zijn oren dicht om de andere kinderen van zijn klas niet te horen zingen.'
'Vreemd.'
Bennie bleef heen en weer schommelen tot de laatste noot was weggestorven. Daarna herviel hij in zijn eentonig boomspel.
'Luister, hij is aan 't neuriën.'
Erik draaide de volumeknop van de radio dicht.
'Helemaal niet, hij bromt zomaar wat, zoals gewoonlijk.'
Maar Inge meende er de melodie die zopas had weerklonken, in te herkennen.
's Anderendaags kocht ze het plaatje, en zie: het wonder herhaalde zich. Bennie liet alles vallen waarmee hij bezig was

en bleef tot op het einde in stille vervoering zitten luisteren, wat met geen enkel ander lied wilde lukken.

'Dat is sterk,' zei Erik, 'probeer eens met Santana of zo, dat swingt nog meer de pan uit.'

Maar aan Bennie waren die opzwepende Zuidamerikaanse ritmen niet besteed.

'Hij is wel kieskeurig, moet ik zeggen.'

'Ik vind dat hij nog niet zo'n slechte smaak heeft,' zei Inge, die het hitje opeens ook best leuk scheen te vinden. 'En wil je nog eens iets weten?'

'Zingt hij het al mee in het Engels?'

'Haha, flauw hoor. Neen, Bennie heeft op school een vriendinnetje.'

'Een vriendin? Dat kan niet.'

'Toch wel.'

'En hoe weet jij dat? Hij is het toch niet zelf komen vertellen?'

'In het contactboekje zat een brief van zijn lerares. Kijk maar.'

Erik nam het schriftje aan dat wekelijks mee naar huis werd gegeven, en las:

Beste ouders,

Bennie is een flinke leerling. Spelenderwijs leert hij onze acht letters: a-aa-s-n-r-l-p-f, en maakt alle woordverbindingen (meestal nog zonder medeklinker vooraan). Een dictee met letterkaartjes levert evenmin problemen op. Alleen is hij af en toe wat slordig, vooral tijdens het rekenen.

In de klasgroep schijnt hij zich goed te voelen. Hij steekt soms vrijwillig zijn vinger op om te antwoorden of een opdracht uit te voeren, bijvoorbeeld een versje uitbeelden. Binnenkort komt er een nieuwe leerling naar onze klas, en hopelijk heeft Bennie het daar niet te moeilijk mee. Want zoals u weet, houdt hij niet van veranderingen. Hij is heel goede maatjes met Tinne en probeert zelfs contact met haar te zoeken door haar te aaien of op haar wang te blazen. Soms is hij zo hevig, dat hij echt moet worden afgeremd.

'Ah zo, Bennie,' zei Erik, 'wie is Tinne?'

Met een ruk schrok de hoofse minnaar wakker uit zijn dromerijen.

'Inne! Inne!'

'Wel verdorie, het is dus toch waar,' al kon Erik het zich nog altijd moeilijk voorstellen. Bennie met een vriendin? Hij las verder.

Zijn weigerachtige stemmingen blijven, jammer genoeg, ook bestaan: niet willen antwoorden of niet willen deelnemen aan een activiteit, al komt dit minder vaak voor dan in het begin van het schooljaar. De resultaten van een onlangs afgenomen IQ-*test waren niet zo goed. Bennie weigerde alle verbale opdrachten uit te voeren en antwoordde zelfs niet op de eenvoudigste vraag. Een test is een objectieve benadering van het kunnen van een kind en moet daarom in voor iedereen gelijke omstandigheden worden afgenomen. Maar ik weet of vermoed althans dat Bennie veel meer verstandelijke mogelijkheden heeft dan hij in een testsituatie toont. Men kan echter niet meten hoeveel. Toen ik hem daarover aansprak, zei hij: 'Alleen in klas goed werken.' Ik denk dat Bennie zijn kennis enkel laat zien aan mensen die hij goed kent en vertrouwt.*

'Binnenkort is het ouderavond,' zei Inge, 'ga je mee?'

Erik vouwde de brief dicht en stak hem in het contactboekje.

'Moet dat?'

'Nee, ik vraag het alleen maar.'

'Misschien. Stel dat Vercammen er ook is.'

Inge grijnsde minachtend.

'Die heeft zich daar bij mijn weten nog nooit laten zien.'

'Pas maar op, die kerel is in staat om achter je rug al die nonnen op te vrijen.'

Inge zweeg en haar gezicht betrok. Over enkele weken werd de uitspraak over het hoederecht verwacht, een zwaard van Damocles dat haar voor de tweede keer boven het hoofd hing. Van Dijck had het sociaal verslag mogen inkijken en dat was weer allesbehalve rooskleurig voor hen. Het stond vol verdraaiingen en halve waarheden. Zo zou Erik verklaard hebben dat hij 'absoluut geen vader voor Bennie wilde zijn'. Punt, andere lijn. Dat hij hoopte een *vriend* te worden, was nergens vermeld. En Inge werd opnieuw afgeschilderd als een lichtzinnig iemand zonder verantwoordelijkheidsbesef. Volkomen ongeschikt om een kind als Bennie, dat zoveel behoefte aan warmte en tederheid had, fatsoenlijk op te voeden. In de passages waar Vercammen en zijn nieuwe vrouw ter sprake kwamen, werd Haemers opeens lyrisch en waren de innige adjectieven niet van de lucht. Woordjes als knus, veilig, geborgen, beschuttend en liefdevol werden met kwistige hand rondgestrooid en de conclusie liet zich dan ook raden.

'Geen nood,' had Van Dijck door de telefoon gezegd, 'het ligt er deze keer te dik bovenop om geloofwaardig te zijn.'

Zijn stem verraadde echter dat hij er evenmin helemaal gerust in was. Maar dat had Erik voorlopig voor zich gehouden.

Weer had hij niet aan de verleiding kunnen weerstaan en was de schaamte hierover groot. De eigenaar van de sexshop bleek hem zelfs al te herkennen. Hij had Erik meteen naar de nieuwe collectie fotoboekjes en videobanden geleid en gezegd dat hij daaronder ongetwijfeld zijn gading zou vinden. Borsten en billen bij de vleet, in alle maten, kleuren en gewichten. Zelfs van hoogzwangere vrouwen. Erik had snel zijn keuze gemaakt en was er met zijn onopvallend pakje in bruin papier ijlings vandoor gegaan.

'Tot de volgende keer!' had de verkoper hem nageroepen, als een drugsdealer die weet dat hij beet heeft. Erik begreep niet hoe die man het daar hele dagen volhield zonder gek te worden, omringd als hij was door de wildste verlokkingen. Maar die schenen hem Siberisch te laten. Of stond hij zich voor en na sluitingstijd op te geilen en af te rukken tot het verzadigingspunt was bereikt en hij tijdelijk immuun werd?

Op de terugweg naar huis vroeg Erik zich af waar die drang de jongste tijd weer vandaan kwam. Vroeger had hij daar nooit last van gehad, was hij hooguit nu en dan wat nieuwsgierig geweest. Wekenlang waren zijn gedachten vrij van pornografische beelden, tot opeens de koorts weer hoog oplaaide. Was het een laffe vorm van overspel die hij pleegde? Een verdoken vlucht uit zijn monogame relatie met Inge? Als hij zo verder zou gaan, puilde zijn bureau straks uit van de seksfantasieën die hij uit Nederland had binnengesmokkeld. Vroeg of laat zou Inge ze ontdekken, en dan stond hij pas goed voor aap. Om zich te bevrijden van zijn kwellend onbehagen bestond er maar één middel: Inge deelgenoot maken van zijn obsessie.

Hij wachtte het geschiktste moment af, op een avond vlak voor het slapengaan. Eerst toonde hij haar de boekjes, maar de foto's van al die blote mannen en vrouwen in acrobatische houdingen konden alleen haar lachlust opwekken. Zij zag duidelijk niet wat hij zag, en bijna betreurde hij zijn plotselinge openhartigheid. Want die maakte hem kwetsbaar. Bij het kijken naar de video, waarin een hete mulattin zich door twee bronstige dekstieren tegelijk liet bespringen, terwijl ze met iedere hand een paal van een erectie omvatte die ze ritmisch heen en weer trok alsof het roeispanen waren, lag Inge al na vijf minuten te zuchten. Niet van opwinding, maar van verveling.

'Waar jij je geld aan uitgeeft,' hoorde hij haar zeggen, en toen wilde ze weten of die idiote neukpartij nog lang ging duren. De ijskoningin had gesproken.

'Ben je het nu al beu?' vroeg Erik, een beetje overbodig.

'Wat dacht je, ik begrijp echt niet wat jij daar mooi aan vindt.'

'Dat heb ik ook nooit gezegd,' protesteerde hij zwakjes.

Met mooi of lelijk had het inderdaad weinig te maken, realiseerde hij zich nu.

'Ik weet in ieder geval wel wat beters dan dat belachelijk gestuntel.'

'Oh ja?'

De avond was dus toch nog niet verloren. Ze vond het zelfs goed dat Erik, zoals destijds in Frankrijk, foto's van haar nam. Hij hielp haar uit de kleren en daarna plooide ze haar lichaam gewillig naar zijn verlangens. Het verwonderde hem eigenlijk dat ze zich zo ongeremd liet gaan. Of vond ze dit spelletje echt leuk? Op een bepaald moment greep ze naar de vibrator die ergens onder in het nachtkastje lag. Ze spreidde haar benen, dreef het zoete marteltuig ongenadig diep in haar lichaam en schakelde het ding in eerste versnelling. Erik flitste dat het een lust was. Weldra werd het zachte gezoem van de trillende dildo overstemd door Inges gekreun. Zij deed haar ogen dicht en straalde niets dan vleesgeworden wellust uit.

Opeens werd Erik bekropen door een kil gevoel. Was zij bezig wraak te nemen? Zij toonde hem haar lichaam, maar wat daarin gebeurde, kon hij niet op foto vastleggen. Ze had hem volkomen buitengesloten en was onaantastbaar geworden. Hij liet de camera nog een paar keer klikken, maar zonder veel overtuiging, terwijl Inge stilaan haar hoogtepunt scheen te bereiken. Alleen, en door geen mens gestoord. Was dat *zijn* vrouw die daar gelukzalig lag te kronkelen? Erik voelde zijn erectie ineenschrompelen. Hij legde zijn fotoapparaat weg en ging op de rand van het bed zitten, ten prooi aan een triestheid waarvoor woorden tekortschoten. Met een vreemde onverschilligheid zag hij hoe Inge pas tot rust kwam nadat ze alle duivels in zich had ontketend. Hij vroeg zich af met wie ze daar had liggen vrijen en werd zelfs jaloers op haar genot. Toen opende ze haar ogen en keek hem aan met een wazige blik.

'Wat nu? Gedaan met fotograferen?'

Haar stem was schor. Ieder woord klonk als een gesmoorde zucht. Overal op haar huid parelden kleine zweetdruppeltjes. Ze trok de joystick uit haar lichaam en veegde hem af aan een papieren zakdoek. Erik sloeg zwijgend de deken weg en kroop in bed. Dodelijk vermoeid, zo voelde hij zich, en van zijn opwinding was geen spoor meer te bekennen. Slapen, dat was het wat hij wilde.

'Is er iets?'

Inge kwam half rechtop zitten en bekeek hem nu wat aandachtiger.

'Erik?'

Nog reageerde hij niet.

'Ik vroeg of er iets is.'

De ongerustheid in haar stem troostte hem een beetje. Misschien had hij zich vergist en zag hij schimmen.

'Doe jij dat vaak?'

'Wat?'

'Zoals daarjuist.'

'Soms. Vond je het niet leuk?'

'Jij alleszins wel, zo te zien.'

Ze kroop dichterbij en boog zich over hem heen.

'En ik begin nog maar pas,' fluisterde ze in zijn oor. De hand waarmee ze enkele ogenblikken geleden zichzelf had bevredigd, streelde nu hem.

'Waarom ben je gestopt met fotograferen?'

'De film was op,' loog hij.

'Wat jammer,' zei ze, 'anders was het nu mijn beurt.'

Ze wentelde zich helemaal boven op hem en schoof haar tong in zijn mond. Toen hief ze haar kontje op, nam zijn gezwollen lid tussen haar vingers, duwde het kopje voorzichtig naar binnen en liet zich weer zakken. Erik stroomde vol tintelende energie en met al de liefde die hij voor Inge voelde, drong hij in haar. Dichter dan dit zou hij nooit raken. De bewegingen die ze maakten, kregen iets hartverscheurends. Alsof ze samen ademloos ten onder wilden gaan in deze momenten van tedere gewelddadigheid.

Het stond er zwart op wit: binnen de dertig dagen veertigduizend frank terugbetalen.

'Maar zijn ze nu helemaal gek geworden!' riep Erik. 'Zij zijn *mij* nog een hoop geld schuldig.'

Inge begreep er evenmin iets van. Alhoewel Erik voltijds les gaf in de hogere humaniora, ontving hij nu al enkele maanden amper zevenduizend frank loon. Brieven en telefoons naar Brussel hadden tot nu toe niets uitgehaald. Telkens wist men hem te vertellen dat men zijn probleem zou onderzoeken of dat men ermee bezig was. Hij had ook de vakbond ingelicht, maar die had geen oog voor individuele gevallen. Daarom overwoog hij een klacht in te dienen bij de arbeidsrechtbank en, indien mogelijk, een paar kranten in te schakelen. Er waren altijd wel enkele journalisten te vinden die zoiets graag aan de grote klok hingen.

'Zou je dat wel doen?' vroeg Inge. 'Dan sta je volgend jaar zeker op straat.'

'En dan?'

Het zou hem inderdaad weinig kunnen schelen, want die school bezorgde hem de jongste tijd weer nachtmerries. Onlangs was Erik door de prefect op het matje geroepen omdat hij, volgens een paar ouders, de opstellen van hun zoon of dochter veel te streng verbeterde. Een d met een streepje aan leek toch sterk op *dt*, of niet? En daarbij, was dat echt nog zó belangrijk, als binnenkort de computer in staat zou zijn foutloos te spellen?

'Waar het vooral op aankomt, mijnheer Taelman, is dat onze jeugd iets te zeggen heeft,' vond ook het schoolhoofd, 'dat ze er eigen ideeën op na houdt, begrijpt u?', en een beetje soepelheid vanwege de leraren Nederlands kon daarbij geen kwaad. 'Die zogezegde taalarmoede loopt nog niet zo'n vaart.'

Erik had willen antwoorden dat hij in al die opstellen nog geen enkele originele gedachte had aangetroffen en dat die bende sufkoppen die hij dagelijks over de vloer kreeg, alleen in reclameslogans en clichés dacht. Maar hij zweeg en nam zich voor om er vanaf de volgende dag dubbel zo hard tegenaan te gaan. Geen komma zou hij nog over het hoofd zien!

Toen hij de leraarskamer binnenkwam, viel zijn oog op een doodsbrief aan het prikbord. Even dacht hij dat hij droomde. De heer Stroeven, inspecteur en erevoorzitter van talrijke pedagogische raden, had het tijdelijke met het eeuwige verwisseld.

'Een hartaanval, naar het schijnt,' hoorde hij een collega zeggen, 'triestig hé, in de *fleur* van zijn leven.'

'Zeg dat wel,' zei Erik, 'en hij had mij nog zo beloofd dat hij terug zou komen.'

Even leek het hem of gerechtigheid was geschied.

'Wat dan?' riep Inge uit. 'Dan kunnen we opnieuw allebei gaan stempelen. Een mooi vooruitzicht, moet ik zeggen.'

'Je denkt toch niet dat ik zelf ga betalen om te mogen werken?'

Maar ze had gelijk, hij moest het wat diplomatieker aanpakken, of hij zou ook nu weer aan het kortste eind trekken. Hij schreef dus nog maar eens een brief waarin hij de hele zaak voor de zoveelste keer omstandig uit de doeken deed.

Enkele dagen later stak er een bruine vensterenvelop van het Ministerie van Onderwijs in de bus. Aangezien Erik blijkbaar ook voor kranten en tijdschriften werkte, beschouwde men zijn lesopdracht als een gecumuleerd bijberoep, dat derhalve naar verhouding werd betaald. Het stond hem natuurlijk vrij het tegendeel te bewijzen.

'Zie je nu wel,' mopperde Inge, 'ik heb altijd gezegd dat je daar vroeg of laat last mee zou krijgen.'

Maar toen ze de blik in zijn ogen zag, zweeg ze. Die veertigduizend frank, las hij verder, moest hoe dan ook worden betaald binnen de vastgestelde termijn, anders kwam er nog een intrest bovenop. In de hoop hem van dienst te zijn geweest, met de meeste hoogachting en vriendelijke groeten.

Erik raakte er steeds meer van overtuigd dat zijn leven met Inge een curve volgde die nu eens op- en dan weer neerwaarts ging, en dat er tegen die beweging niet veel te doen was. Momenteel was de dalende lijn ingezet. Juist nu er financiële moeilijkheden waren, had de huiseigenares de huur opgeslagen, het hele schoolgedoe stak hem danig tegen, met zijn boek over 'Ethiek en solipsisme' zat hij ergens halfweg vast en tot overmaat van ramp leek Vercammen regelrecht op een overwinning af te stevenen. Toen Inge terugkeerde van het gerechtshof, waar zij 'in haar verweermiddelen was gehoord', zoals dat heette, keek ze somber.

'Die heks heeft mij niet eens aangekeken. Zelfs geen groet kon eraf.'

'Was het dan wéér die vrouwelijke rechter?'
'Wat dacht je?'
'Godverdomme, dat kutwijf!'
'Van Dijck heeft zijn best gedaan om alles wat Haemers ons aanwrijft te weerleggen, maar dat akelig mens scheen er geen oren naar te hebben.'
'Kan Vercammen dat hoederecht zomaar opeisen, nadat het hem al eens werd geweigerd?'
'Als er zogezegd nieuwe elementen zijn wel.'
'En die zijn er?'
'Hij is toch hertrouwd ondertussen en hij houdt nog altijd vol dat Bennie alleen wat trager is dan andere kinderen en niet in een internaat, maar bij hem thuishoort. De schijnheilige vent! Je had hem daar moeten zien staan, in zijn zondags kostuum en met het gezicht van een lijkbidder.'
'Is er iets over mij gezegd?'
'Over jou?'
'Ja, Van Dijck heeft toch verteld dat mijn uitspraken helemaal werden verdraaid?'
'Daar kreeg hij de kans niet toe. Dat mens onderbrak hem voortdurend. Ze zei dat ze alleen kon voortgaan op wat er in het verslag stond.'
'De volgende keer neem ik alles op band op, wees daar maar zeker van.'
Inge deed haar best om niet te huilen. Haar ogen werden vochtig en haar lippen trilden.
'Wanneer is de uitspraak?'
'Over enkele weken. Van Dijck zal ons opbellen zodra hij iets weet.'
Erik wilde nog vragen of er ook nu weer kans op hoger beroep bestond, maar hij bedacht zich. Het was zo al erg genoeg.
'Willen we een wandeling maken? Een beetje frisse lucht zal je goed doen.'
Inge schudde van neen, en om in de tuin te gaan werken had ze evenmin zin. Er was nochtans heel wat te doen, want

de voorjaarsstorm van enkele dagen geleden had lelijk huisgehouden. Overal waren takken afgerukt en de rottende bladeren die Erik na de herfst netjes bijeen had geveegd, lagen in hoopjes tot tegen de muren van het huis. Urenlang reed hij met de kruiwagen heen en weer, en nadat hij ook nog eens zijn acht kilometer in de bossen had gelopen, voelde hij zich sterk genoeg om het weekend aan te kunnen. Want het was vrijdag en straks kwam Bennie naar huis.

'Ik eet een peer.
De raaf eet de kaas.
Ik zie de zee.'

Het waren maar enkele van de vele zinnetjes die hij in grote, beverige letters in zijn schriftje had geschreven. Onder elk van die uitspraken kleefde een ingekleurd prentje. 'Haha, wat een mop!' las Erik boven een tekening van een jongen die zich van pret op de knieën sloeg. Dat was dus zeker Bennie niet, want die lachte zelden of nooit en zeker niet om grappen. Ieder gevoel voor humor scheen die droogstoppel vreemd.

Ook voor televisie had hij niet de minste interesse, behalve wanneer het deuntje van *Tik Tak* weerklonk. Dan zette hij zich vlak voor het scherm en bleef er gefascineerd naar kijken tot de omroepster opnieuw in beeld verscheen. Het was wel een vreemd gezicht, zo'n jongen van negen die met open mond naar een kleuterprogramma zat te kijken, ook al was het vindingrijk gemaakt. Meer dan eens was Erik zelf benieuwd welk dier er nu weer van onder de verfkwast zou komen of hoe al die kleurige puzzelstukjes uiteindelijk in elkaar zouden passen. En die morsende baby was telkens weer leuk. Ook de avonturen van Plons, de gekke kikker, konden Bennie soms boeien, maar iedere toespeling daarop leek hem dan weer te ontgaan.

'Kijk, Bennie, wie ben ik?' vroeg Erik, terwijl hij op handen en voeten door de kamer sprong.

Bennie vertrok geen spier van zijn gezicht, en ook toen Erik een paar keer hardop kwaakte, verroerde hij geen vin.

Zelfs geen glimlach kon eraf.

'Wat is me dat hier allemaal?'

Erik had Inge niet horen binnenkomen.

'Wij spelen wat. Ik ben Plons.'

'Dat zie ik.'

'Ja, maar hij niet.'

Erik kroop overeind. Hij voelde zich betrapt.

'Waar liggen die Plons-boekjes?'

'Daar in de kast. Waarom? Ga je je rol nog wat beter instuderen?'

Erik koos er eentje uit en gaf het aan Bennie, samen met enkele kleurpotloden en papier.

'En nu tekenen, Bennie. Eerst goed kijken hoe die kikker eruitziet.'

'*Pwons!*'

'Ja, dat is Plons, probeer hem nu eens te tekenen.'

Inge stond afwachtend toe te kijken. Bennie knelde een donkerbruin potlood in zijn vuist en maakte daarmee cirkeltjes boven het blad, als een roofvogel die rondjes draait boven zijn prooi. Dan plofte de punt op het papier en verschenen de eerste lijnen. Bennie tekende altijd met hoekige bewegingen, het leek of er vanuit zijn pols korte stroomstootjes naar zijn vingers werden gegeven.

'Maar nee, Bennie, dat is toch geen kikker. Het lijkt er nog niet op.'

Erik liep zuchtend naar het raam.

'Wat is 't, weer een boom, zeker?'

'Natuurlijk, wat anders?'

Altijd diezelfde boom met kale, puntige takken. Nog een raaf erin en het is een prentje uit een boosaardig sprookje, dacht Erik. Hij keek naar twee eksters die kibbelend over het gras drentelden. Af en toe boorden ze hun lange zwarte snavel in de grond. Dat deden ze automatisch en dat zouden ze blijven doen zolang ze leefden, ze wisten niet beter. Misschien waren Bennies hersenen evenmin in staat andere patronen dan de bekende te volgen. Ergens in dat beschadigde hoofd bevond zich het oerbeeld van een boom, dat iedere keer weer naar buiten brak, en Bennie had blijkbaar te weinig fantasie om er iets méér mee te doen.

'Maar dat is mooi!' riep Inge opeens. 'Zie je wel dat hij het kan!'

Erik kwam nieuwsgierig dichterbij.

'*Pwons opte bwoom*,' hoorde hij Bennie zeggen.

'Neen, *onder* de boom,' verbeterde Inge, waarna ze glimlachend en ook een beetje trots naar Erik keek.

En inderdaad, aan de voet van die verkoolde stam met zijn vlijmscherpe grijparmen zat zowaar een groen ding, dat zeker een kikker moest voorstellen. Bennie wipte van de stoel, liep naar het venster en wees naar de noteboom achter het huis.

'*Bwoom, bwoom, bwoom...*'

'Bravo, goed gedaan,' onderbrak Erik hem vlug met een schouderklopje. Hij zag dat de kwebbelende eksters nog altijd door de tuin paradeerden. 'En wat zijn dat daar? Hoe heten die?'

'Nu niet te veel ineens, Erik,' zei Inge, maar Bennie leek de vogels ondertussen ook in de gaten te hebben. Zijn uitgestoken vinger volgde al hun bewegingen. Toen mompelde hij iets wat Erik niet goed meende te verstaan. Fronsend bekeek hij Inge, maar die trok eveneens een vragend gezicht.

'Wát zei hij?'

'Ik weet het niet, ik verstond zoiets als...'

Op dat moment herhaalde Bennie doodkalm het woord, klaar en duidelijk deze keer.

'Dus toch!' schaterde Erik. 'Hoe is het in godsnaam mogelijk?'

'Maar Bennie,' zei Inge met een verwrongen stem, ook zij had blijkbaar alle moeite om niet in lachen uit te barsten, 'dat zijn toch geen *pinguïns*.'

'Waar haalt hij het vandaan, pinguïns...'

Erik veegde met een zakdoek zijn lachtranen weg en snoot luidruchtig zijn neus.

'In het contactboekje las ik dat ze deze week met de klas naar de zoo zijn geweest. Nietwaar, Bennie?'

'Oh!'

Dat kon dus van alles betekenen. Hij kromde zijn vingers, hield ze hoog boven zijn hoofd en maakte er dan trage draaibewegingen mee, alsof hij twee reusachtige schroeven wilde loskrijgen. De aanblik van de notelaar had zijn diepste roerselen geraakt en zijn instincten wakker geroepen. Hij liep naar de achterdeur en verdween in de tuin, als een hond die dringend een boomstam zoekt. Er weerklonk een geweldig gekrakeel en even later zag Erik twee geschrokken pinguïns klapwiekend voorbij het venster vliegen.

Als twee verweerde standbeelden zaten ze naast elkaar. Het leek of ze sinds Eriks laatste bezoek, vorige week, niet meer hadden bewogen. Zij met haar gevouwen handen rustend in haar schoot, hij met zijn pet diep over zijn ogen getrokken. Nog voor Erik hen kon groeten, begon zijn grootvader al te klagen.

''k Heb vandaag weeral niet kunnen kakken, jongen.'

'Gust, zeg zoiets niet!' stoof grootmoeder op. 'Wat zijn dat voor manieren.'

''t Is toch waar, zeker!' riep hij met een schrille falsetstem, terwijl hij zijn vrouw boos aankeek. 'En gisteren waren het ook niet veel meer dan wat paternosterbollekes.'

'Plezant, hé,' morde grootmoeder, 'en daar moet ik dan de hele dag naar zitten luisteren.'

Grootvader keek koppig voor zich uit. Zijn handen lagen bevend op de leuning van zijn stoel en zijn kunstgebit klapperde zachtjes. Erik had de indruk dat hij nog was vermagerd. Zijn gezicht leek op een doodskop.

'En hoe is het voor de rest?'

De klassieke beginvraag, die al even bekende antwoorden opriep.

'Och,' zuchtte grootmoeder, 'de benen willen niet meer mee, hé.'

Zij behielp zich al meer dan een jaar met een looprek, waarmee ze heen en weer schuifelde tussen het bed en de fauteuil. Maar ook dan nog verloor ze soms het evenwicht en kwam ten val. Tot nu toe was ze er met kneuzingen en blauwe plekken vanaf gekomen.

'Versleten werk, zegt den doktoor, niks aan te doen. Ik moet er leren mee leven.'

'Tja.'

Erik keek naar grootvader, maar die zweeg.

'En de eetlust?' probeerde hij voorzichtig.

'Wablieft?'

'Ik vroeg of het eten al wat beter smaakt.'

'Pff...'

Grootvader haalde onverschillig zijn schouders op en deed zijn ogen dicht. Dat was zo zijn manier om zich van de wereld af te sluiten. Op de tafel stond een halve apotheek bijeen, misschien had hij zich weer suf geslikt aan allerlei kalmeermiddelen of pijnstillers. Want hij voelde altijd wel ergens iets.

'Die,' zei grootmoeder laatdunkend, terwijl ze haar man van opzij bekeek, 'die kan eten als een paard.'

'En toch blijft hij graatmager.'

'Dat is van de zenuwen!' riep grootvader, met zijn ogen toe. 'En van dat gebibber natuurlijk.'

Het was waar, hij bewoog de hele dag zonder van zijn stoel te komen.

'Hoe is 't met het werk, jongen?' vroeg grootmoeder, vastbesloten om geen woorden meer vuil te maken aan die echtgenoot van haar, die zijn mond wijd open sperde, zijn gebit eruit viste, het bekeek alsof het een onbekend voorwerp was en het dan met veel moeite weer op zijn plaats probeerde te krijgen. 'Doet ge nog altijd school?'

Erik knikte glimlachend.

'Een schoon beroep is dat, onderwijzer. En zijn de bengels niet te lastig?'

Erik stelde haar gerust. Hij had het allang opgegeven haar aan het verstand te brengen wat hij precies deed en onderwees.

'Gisterennacht heb ik wat meegemaakt,' zei ze, 'dat was nog niet om mee te lachen.'

'Ah nee?'

'Ik werd wakker en 't was precies of ze hadden de muren van de slaapkamer vol zilveren slingers gehangen.'

'Dat moet nogal geblonken hebben.'

'Wat zegt ge?'

'Niets, laat maar.'

'Ja, en er kropen overal zwarte beestjes uit, met van die lange poten, echt griezelig. Ik bibber nog van schrik als ik eraan denk.'

Grootmoeder leed aan hersenverkalking en kreeg soms hallucinaties.

'Heel het bed krioelde ervan. Ik pakte ernaar, maar dat hielp niks, ze bleven terugkomen.'

'Dat moet inderdaad vervelend zijn,' zei Erik op een medelevende toon.

'Daar hebt ge geen gedacht van. En *hij* daar sliep maar voort.'

Erik keek naar grootvader, maar die scheen heel ver weg te zijn. Misschien was hij ingedut.

'En toen kwam er ineens een grote zwarte hond binnengewandeld.'

'Een hond nog wel?'

'Ja, dwars door de muur, ik wist niet wat ik zag.'

'Dat kan ik geloven.'

'Maar 't was een brave, hij bekeek mij precies of hij verwachtte iets, en toen ging hij er op zijn gemakske bij zitten.'

'Dat is niet waar!' riep grootvader verontwaardigd uit. 'Gisteren ben ik óók niet naar 't gemak geweest.'

'Maar Gust, wie spreekt daar nu over?'

'Wie zal dat het beste weten, gij of ik?' beet hij, waarna hij zijn lippen weer stijf dichtkneep.

Grootmoeder tikte met haar vinger tegen haar voorhoofd en zuchtte.

'En daar ben ik nu al bijna zestig jaar mee getrouwd. Een mens zou van minder zot worden.'

Erik stond op, het was snikheet in de kamer en hij begon hoofdpijn te krijgen, alsof er te weinig zuurstof in zijn hersenen kwam. Hij gaf grootmoeder een zoen en drukte grootvaders benige hand.

'Zijt ge nu al weg?' zei die verwonderd, terwijl hij met zijn ogen knipperde.

'Ja, ik heb nog werk, lessen voorbereiden en zo.'

'Allé, vooruit dan maar,' zei grootmoeder, 'doe de groeten aan Inge, en aan Bennie.'

'Dat zal ik doen.'

'Niet vergeten, hé!'

'Nee, nee.'

Erik bekeek hen alsof het de laatste keer was en hij het beeld voor altijd wilde bewaren. Eenmaal buiten overviel hem een wee gevoel, iets tussen verdriet, medelijden en afkeer in. Dat gebeurde wel vaker na zo'n bezoek. Vooral grootvader met zijn bodemloos pessimisme en zijn eeuwig gekanker irriteerde hem, en soms had hij zin om dat knarsende geraamte bij de schouders te grijpen en eens flink dooreen te schudden, tot zijn levenslust weer boven zou komen drijven. Want straks was hij voor niets of niemand nog bereikbaar en kwam hij zelfs zijn bed niet meer uit. Een kleurloze, bibberende plant die langzaam wegkwijnde bij gebrek aan licht. In dat hoofd sluimerde nochtans een tachtigjarige levenswijsheid en zat een jongetje verborgen dat tijdens de Eerste Wereldoorlog brieven voor de soldaten en boter voor thuis smokkelde, want wie zou een kind van zoiets verdenken? Talloze beelden en herinneringen waren onder zijn schedel opgeslagen, maar niemand die erbij kon. Misschien ook hijzelf niet meer. Het enige waaraan hij kon denken, was zijn dagelijkse gang naar het toilet. Daar perste hij werkelijk de *ziel* uit zijn lijf, tot er alleen een hijgend, afgepeigerd lichaam overbleef dat met rust gelaten wilde worden. Dat wilde slapen en vergeten tot wat het ooit in staat was geweest. Maar dat te bang was om te sterven.

'Bennie, blijf van dat gras af!'

Inge had het al wel tien keer herhaald, maar het was sterker dan hemzelf. Aan dat prille groen kon hij blijkbaar niet weerstaan. Hij kroop erin rond als een vlo in de vacht van een grote teddybeer.

'Straks knettert hij als je met een geigerteller in zijn buurt komt.'

'Ik vind dat niets om flauwe grappen over te maken,' zei Inge, en ze had natuurlijk gelijk.

De rook boven het Libische puin, na een moordende Amerikaanse vergeldingsactie tegen Khaddafi, was nog niet opgetrokken of de Russen hulden de wereld in een onzichtbare radioactieve mist. Volgens de officiële Russische berichtgeving had er zich in de buurt van Kiev een miniem ongeval voorgedaan, eigenlijk niet meer dan een lek, maar ondertussen spuwde de brandende kernreactor nog altijd zijn giftige adem uit. Westerse waarnemers spraken van een ware nucleaire ramp, met ten minste enkele duizenden doden.

'Communisten zijn geboren leugenaars,' zei Inge.

'Ze moeten wel, want wie in dat systeem niet zelf bedriegt, wordt bedrogen.'

In Rusland stierven de grote leiders nooit aan drankzucht of aan kanker, dat was algemeen bekend, daar gingen ze dood aan een banale verkoudheid, zoals Andropov. Maar binnenkort niest heel de wereld, dacht Erik, toen hij in de krant las dat er na Zweden, Noorwegen, Tsjechoslowakije en Polen, nu ook verhoogde metingen in Duitsland waren genoteerd. In België was er, zoals gewoonlijk, niets aan de hand. Vooral geen paniek, was de boodschap. Alles bleef beneden de toegelaten normen, al kon je toch maar beter alle zelfgekweekte groenten weggooien, zeker spinazie, want daar werd je niet langer sterk maar licht radioactief van, en na het onweer van het voorbije weekend bleek ook het gras niet meer helemaal te vertrouwen. Vooral kinderen, bejaarden en mensen met een zwakke gezondheid konden hun neus beter niet te veel buiten de deur steken. En baby's moesten voorlopig maar wat anders drinken dan verse melk, want koeien hielden nu eenmaal van mals lentegras en wisten niet dat er een reukje aan zat. Maar voor de rest...

Op school stonden alle lessen opeens in het teken van de wereldcatastrofe. 'Inspelen op de actualiteit' noemde de prefect dat en in de ramp zag hij een uitgelezen kans om een pedagogisch project rond kernenergie 'op te starten'. Nadat de fysica-, wiskunde- en aardrijkskundeleraars hun duit in het zakje hadden gedaan en de lerares moraal de ethische kant van de zaak had belicht, was het de beurt aan de taalleraren. Toen Erik het kortverhaal *De sneeuwbui* van Ward Ruyslinck liet uitdelen, ging er een ontevreden gemompel door de klas en hij had nog geen vijf zinnen voorgelezen, of er waren al een paar vingers te zien.

'Meneer?'

'Ja, wat is er?' vroeg Erik geërgerd.

Hij hield er niet van telkens te worden onderbroken met een of andere domme vraag.

''t Gaat toch weer niet over radioactiviteit, hé meneer?'

Erik ademde diep in en uit, en keek een beetje argwanend de klas rond.

'Hoezo?'

'Wel, dat zit ons zo stilaan tot hier!' riep er één vanaf de achterste rij.

Dit was inderdaad geen kritische bewustmaking meer, dacht Erik, maar een duidelijk geval van 'overkill'.

'Het bruine puntje?' herhaalde Inge, met een levensgroot vraagteken op haar gezicht.

'Ja, heeft u daar thuis nooit wat van gemerkt?'

'Hij komt mij wel vaak over mijn wang aaien en zo, of hij houdt mijn hand vast, maar dat hij nu ook al in sproeten en moedervlekjes geïnteresseerd is, neen, dat wist ik niet.'

'Alle kinderen in zijn klas die zoiets hebben, moeten eraan geloven,' glimlachte de juffrouw, 'hij raakt die bruine puntjes voorzichtig met zijn vinger aan en probeert dan of hij ze kan wegvegen.'

Inge keek Erik ongelovig aan.
'Is jou dat ooit opgevallen?'
'Neen, nooit.'
'We hebben er met een paar mensen die hem dagelijks meemaken, zoals de opvoeders in zijn paviljoen, over gesproken en allemaal denken ze dat het een wat onhandige manier is om contact te zoeken.'
'Is hij nog altijd goede maatjes met Tinne?' vroeg Inge.
'Tegenwoordig zoekt hij vooral het gezelschap van Maarten op.'
Die heeft waarschijnlijk meer sproeten, dacht Erik, die zich had laten overhalen om mee naar de ouderavond te gaan. Hij had er nochtans een hekel aan in die school rond te lopen. Je werd er voortdurend aangeklampt door vriendelijk-opdringerige kinderen die je wilden betasten of die maar niet ophielden met het stellen van onbescheiden vragen, die ze vaak slechts met veel moeite kregen uitgesproken. Erik wist er alles van sinds hij iedere week op vrijdagavond Bennie ging afhalen. Hij had dan les tot halfvijf en de school lag min of meer op de weg naar huis. Bennie deed meestal heel vervelend, want hij wilde dat zijn mama hem kwam halen. Dat was vroeger zo geweest en dat moest dus zo blijven.
De paviljoenen waren met elkaar verbonden door een lange gang. Ze hadden allemaal namen van vogels: de Nachtegalen, de Merels, de Roodborstjes of de Mussen. Bennie zat bij de Zwaluwen, aan het eind van de gang. Op vrijdagavond stonden de deuren van de kooien wagenwijd open en waren de vogels klaar om uit te vliegen. Je kon geen lokaal voorbij zonder dat er iets werd gevraagd of geroepen en iedereen zong zoals hij gebekt was. Waar je woonde, hoe je heette, wie je kwam halen, hoe oud je was, ze wilden het allemaal weten. Sommigen vroegen het iedere keer opnieuw, anderen hadden een beter geheugen. Zoals Jantje uit het Vinkenpaviljoen. Hij was door zijn ouders compleet verwaarloosd en uiteindelijk door de kinderrechter bij de nonnetjes ondergebracht. Niemand kwam hem afhalen en toch stond hij iedere vrijdagavond weer op wacht.

'Daar is de papa van Bennie!'

De eerste keer dat hij het riep, had Erik geprobeerd hem uit te leggen wie hij was, maar de jongen had er geen oren naar. Voor hem bleef Erik de papa van Bennie en telkens ontspon zich hetzelfde gesprek.

'Dag, mijnheer.'

'Dag, Jantje.'

'Bennie is deze week heel braaf geweest.'

'Ah, dat is goed.'

'Hij zit ginder, bij de Zwaluwen.'

'Dan zal ik hem wel vinden. Bedankt, Jantje.'

''t Is niets, tot volgende week, mijnheer.'

Straks, wanneer iedereen was afgehaald, bleef Jantje samen met een handvol andere kinderen achter in die grote, lege school. Soms maakte hij een uitstapje met de zusters, naar zee of naar de dierentuin.

Bennie wachtte nooit aan de deur. Hij zat aan een tafel te tekenen of met legoblokjes ziekenhuizen te bouwen. Soms, als hij weer eens boos was omdat Inge hem niet afhaalde, stond hij koppig met zijn gezicht naar de muur gekeerd.

'Kijk eens wie hier is!' riep de opvoedster dan, maar Bennie wist het al lang en hield zich van den domme.

'Dag, Bennie.'

Een antwoord kwam er zelden of nooit en op de vraag of hij een goede week had gehad, volgde gewoonlijk een verveeld schouderophalen. De overgang van de ene naar de andere leefwereld verliep altijd moeizaam en meestal duurde het tot in de auto voor hij langzaam begon te ontdooien.

'Heb je veel geleerd, Bennie?'

'Weet ik niet.'

'Je hebt toch wel iets geleerd?'

'Hoe kan ik nu weten?'

'Rekenen, misschien?'

'Plus tot honderd.'

'Heb je al tot honderd leren optellen?'

Een stug hoofdknikje. Om hem echt los te krijgen, bestond er maar één middel, en dat werkte altijd.

'Wacht tot je de noteboom ziet!'
Zijn gezicht klaarde meteen op.
'Veel blad?'
'Héél veel.'
'Alle takken staat vol?'
'Toch bijna, ja.'
'Oh! Dan kunt ik het lucht niet meer zien.'
'Ik denk het niet, neen.'
'Komt veel noten aan?'
'Dat zal wel, maar daarvoor is het nog een beetje te vroeg.'
'Oh!'

Wanneer ze thuis de garage inreden, was hij meestal in 'weekendsfeer'. Hij sprong uit de auto en liep dadelijk de tuin in om te controleren of alles wel klopte.

'Heb je dat gehoord, Erik?'
Inge en de juffrouw keken hem aan.
'Neem me niet kwalijk, ik was even verstrooid.'
'Bennie vertelt over jou.'
'Ah zo, en wat dan wel?'
'Hij zegt dat u hem leert tekenen.'
'Zegt hij dat?'
'Ja, en hem namen van vogels leert.'
'Dat ook al!'
Inge verbeet een glimlach, maar zweeg.

'In de klas is er echt een grote vooruitgang, al zijn er nog wel van die dagen dat het hem niet gaat. Vooral 's maandags. Hij slaat dan met zijn hoofd, schopt in de lucht en doet opzettelijk alles verkeerd.'

'Dat klinkt bekend,' zei Inge.

'Maar gewoonlijk werkt hij goed mee en moeten we hem zelfs wat afremmen. Hij wil altijd als eerste met iets beginnen om vóór de anderen klaar te zijn, en daardoor is hij nogal slordig.'

'En het spreken?'

'Daar wordt op geoefend. Eenvoudige zinnetjes met vijf of zes woorden zijn geen probleem, maar als het ingewikkelder wordt, raakt hij in de war. Misschien kunt u thuis een beetje op de uitspraak van de k, de l en de s letten, want daar heeft hij veel moeite mee.'

Inge leek gerustgesteld. Er hing nu nog maar één schaduw over haar leven. Maar die bleek donkerder dan verwacht. Toen Erik 's anderendaags van de school thuiskwam, trof hij haar aan met roodomrande ogen. Van Dijck had opgebeld en meegedeeld dat het hoederecht aan Vercammen was toegekend. Hij begreep zelf niet hoe het mogelijk was dat een rechter – een vrouw nog wel – tot zo'n beslissing kwam.

't Is altijd hetzelfde met die wijven, dacht Erik, zodra ze hogerop raken, worden het krengen.

'Wat nu?'

'Hoger beroep aantekenen, natuurlijk, wat anders.'

'En Bennie? Moet hij verhuizen?'

'Neen, volgens Van Dijck kan het wel een half jaar of langer duren vóór er een definitieve uitspraak komt. Heel waarschijnlijk moet het sociaal onderzoek door iemand anders worden overgedaan en ondertussen verandert er niets.'

Toen het hoederecht de eerste keer op de helling werd gezet, had het Erik eigenlijk niet veel kunnen schelen. Hij was vooral om Inge bekommerd geweest. Maar nu was het anders. De woede die zich ditmaal van hem meester maakte, had hij destijds niet gevoeld. Alsof het op een of andere manier ook zijn gevecht was geworden.

De vakantie in Bretagne, mét Bennie deze keer, werd een ramp. Inge en Erik hadden een huisje gehuurd in de omgeving van het vissersplaatsje Roscoff. Weken op voorhand hadden ze Bennie voorbereid op de reis, maar tijdens de heenrit ging het al mis. Alhoewel ze 's nachts waren vertrokken, in de hoop dat hij onderweg zou slapen, deed hij geen oog dicht. Na ongeveer vijfhonderd kilometer bleek zijn geduld uitgeput en wilde hij zowat om de tien minuten uit de auto, om gras te plukken en takken te verzamelen. Toen Erik er genoeg van kreeg telkens weer langs de kant van de weg te gaan staan, beukte Bennie zo hard met zijn hoofd tegen het portier dat hij er een bloedneus aan overhield.

'Kun je hem niet wat Valium geven of zo?'

'Ben je gek? Een kind van tien!'

'Als hij zo voortdoet, kunnen we beter meteen terugkeren.'

De resterende driehonderd kilometer zat Inge naast Bennie op de achterbank en probeerde ze hem, zo goed en zo kwaad als dat ging, met van alles en nog wat bezig te houden. Toen de dag in de lucht kwam, hield Bennie het voor bekeken en viel in slaap. Maar Inge zag scheel van de hoofdpijn.

Eenmaal ter plaatse was de beproeving nog niet ten einde. Het strand was te rotsig en te klein, het zeewater te zout, de zon scheen nu eens te veel, dan weer te weinig, en vooral: er groeiden niet genoeg bomen. Sinds Bennie kon spreken, deed hij niets dan zeuren.

'Dit is echt de laatste keer dat ik met dat ventje op reis ga,' zei Erik, 'straks kom ik overspannen weer thuis.'

Zelfs Inge gaf toe dat het niet vol te houden was. Bennie veranderde van de ene op de andere dag in een nukkige dwarsligger. Als er bruin brood op tafel kwam, dan wilde hij wit, in plaats van vis moest hij vlees hebben, of omgekeerd, en na al die jaren begon hij waarachtig opnieuw met zijn nachtelijke klaagzangen. Tijdens een uitstapje naar Guimilliau, waar een mooie Enclos Paroissial te zien was, sloegen zijn stoppen helemaal door: hij liet zich herhaaldelijk op de grond vallen, huilde aan één stuk door en gedroeg zich als een zwakzinnige met buikkrampen. De druppel die de emmer deed overlopen, was het bord soep dat hij 's avonds opzettelijk van tafel stootte. Erik dacht dat hij van razernij een hartaanval kreeg. Hij vloog op Bennie af, schudde hem door elkaar, sloeg en schopte waar hij hem raken kon en joeg hem daarna, onder luid gevloek, de trap op, tot in zijn kamer.

'En dat ik je vandaag niet meer hoor of zie, stuk ongeluk!'

Lijkbleek kwam hij weer naar beneden, waar Inge bezig was de rommel op te ruimen. Geen van beiden sprak een woord en de schotel met verse *fruits de mer* had opeens haar glans en smaak verloren. Nog drie dagen en de week was eindelijk voorbij.

Amper een half uur waren ze thuis, of Bennies stemming sloeg helemaal om. Zijn grillen verdwenen en Bretagne leek al tot een ver en duister verleden te behoren. Hij rende uitgelaten de tuin in, sloeg zijn armen om de noteboom en begroette hem als een vriend die hij in lange tijd niet meer had gezien. Er bestond geen twijfel over dat *zijn* vakantie nu pas begon.

Pas toen hij een kaartje van Mirjam uit de bus haalde, schoot het Erik te binnen hoe weinig hij sinds hun laatste ontmoeting aan haar had gedacht. Neen, hij had nog wel aan haar gedacht, maar op een manier die hem – en Inge – niet meer kon schaden. Opeens voelde hij zich opgelucht dat het tussen hen fout was gelopen, want hij zou met haar vast en zeker in de hel zijn terechtgekomen.

Het kaartje was ditmaal niet vanuit een of ander Afrikaans land verstuurd, maar vanuit Londen. Wat hem vooral verwonderde, was dat er naast haar naam en die van haar zoontje nog één stond, die hij echter niet kon lezen. Maar hij telde in ieder geval veel meer letters dan de drie van *Luc*. Was Mirjam gescheiden en wilde ze hem dat op die manier laten weten? Ze vroeg om haar zo vlug mogelijk op haar nieuwe adres te schrijven. Of kon hij eens op bezoek komen?

Een week lang liep Erik erover te piekeren wat hij moest doen. Toen hakte hij de knoop door: hij verbrandde het kaartje en nam zich voor haar adres uit zijn geheugen te wissen. Zo moeilijk kon dat niet zijn, want er kwamen een heleboel cijfers aan te pas. Tussen Mirjam en hem lag niet alleen de Noordzee, maar ook zijn leven met Inge en Bennie.

En zo moest het blijven.

– 1987 –

NET TOEN DE EERSTE SNEEUWVLOKJES NEERDWARRELDEN, ging de telefoon.

Erik legde zijn boek weg en stond op.

'Taelman.'

'Dag zoon, hoe is 't ermee?'

'Goed, zeker.'

'Ik dacht, ik bel zelf maar eens, want we horen zo weinig. Veel werk?'

'Dat gaat nogal.'

'Zijt ge nog altijd bezig aan dat boek over… hoe heet het nu weer?'

'Ja,' loog Erik.

Hij had er al wekenlang niet naar omgekeken en iedere dag werd het moeilijker om de draad weer op te nemen.

'Zie toch maar dat ge uw schoolwerk niet te veel verwaarloost. 't Is daar dat ge uw kost mee moet verdienen.'

'Wees maar gerust.'

'Is er nog altijd geen kans dat ge vast wordt benoemd?'

Dat vroeg hij iedere keer.

'Niet dat ik weet.'

Sinds de besparingswoede van de regering was het erger dan ooit. Tijdelijke collega's berekenden in het geniep elkaars geldige diensttijd, want er hingen ontslagen in de lucht en wie het kleinste aantal dagen had, kon het eerst opstappen. Een echt dominospel. Erik vermoedde dat hij ergens helemaal onder aan de rangschikking bengelde, maar het kon hem niet veel schelen.

'Het is overal hetzelfde tegenwoordig.'

'Zeg dat wel.'

'Dat was vroeger zo niet.'

Neen, dacht Erik, toen kon hij…

'...op ten minste tien plaatsen tegelijk beginnen,' zei zijn vader, 'maar ja, de tijden veranderen.'

De loden hemel zonk steeds dieper over het landschap, het leek al avond. De vlokken die geluidloos tegen het venster waaiden, werden groter en steviger. Erik sloot zijn ogen. Wanneer hij ze weer opende, zou de hele omgeving veranderd zijn. Af en toe zei hij ja, neen of hmm.

'Neem het gerust van mij aan: moeder heeft het niet onder de markt met dat koppel van hierboven.'

'Wat is er nu weer gebeurd?'

'Niks speciaals eigenlijk, maar die mensen worden zo... hoe moet ik dat zeggen, zo...'

Stokoud, dacht Erik. Zijn grootouders hadden altijd bij hen ingewoond, het huis was groot genoeg om drie generaties te herbergen. Maar sinds Erik en zijn zuster waren uitgevlogen, leek de ruimte om elkaar te ontwijken, vreemd genoeg, iedere dag wat enger te worden.

'...alsof ze nog alleen aan zichzelf denken,' besloot zijn vader, 'vooral uw grootvader wordt lastig, niets is nog goed voor hem.'

'Een gemakkelijke is het nooit geweest.'

'Van 's morgens tot 's avonds ligt hij op de sofa met een zakdoek over zijn ogen, ge moest dat zien, en iedereen moet voor hem springen, anders zit het er tegen. Dat is niet vol te houden. Uw grootmoeder lijdt daar natuurlijk het meest onder, maar wij...'

'Misschien moest je er eens wat meer tegenin gaan, als je altijd toegeeft, dan...'

'Dat is rapper gezegd dan gedaan, die vent is nog koppiger dan een ezel. En daarbij...'

Nu komt het, dacht Erik.

'...moeder en ik, wij worden er ook niet jonger op, weet ge, wij kunnen nog maar amper een voet buiten de deur zetten, en met mijn hart...'

De toon van zijn stem was opeens veranderd.

'Heb je daar dan nog altijd last van?'

'Nee zeker, soms kan ik bijna niet meer ademen, precies of ze zetten een klem op mijn borst.'

'En wat zegt de dokter?'

Uit de hoorn weerklonk een klaaglijke zucht.

'*Angine de poitrine*, denkt hij. Ik mag mij vooral niet opwinden, of ik raak in *syncope*.'

'In wat?'

'Een soort toestand van diepe, bijna comateuze bewusteloosheid,' verduidelijkte zijn vader, alsof hij het van buiten had geleerd.

Waarom zegt hij niet gewoon: flauwvallen, dacht Erik.

'Dat klinkt onheilspellend.'

'Dus ge begrijpt dat ik mij liever niet te dik maak over wat er hierboven allemaal gebeurt, al valt dat niet mee. Gisteren bijvoorbeeld...'

Erik herinnerde zich de gigantische woedeuitbarstingen van zijn vader vroeger. Meestal ging het om slechte schoolresultaten, maar ook ongehoorzaamheid of de kleinste inbreuk op het goed burgerlijk fatsoen die de familie in opspraak kon brengen – 'wat zullen de mensen wel denken!' – waren aanleiding tot een brulpartij. Vader liep dan altijd hoogrood aan, terwijl moeder buiten de onweerscirkel met ineengewrongen handen ongerust stond toe te kijken.

'Henri, kalmeer toch, denk aan uw hart!'

Soms leek het of hij op dat teken van bezorgdheid had gewacht om pas echt uit de startblokken te schieten. Zijn rechterhand ging dan dreigend de hoogte in en met overslaande stem riep hij de ene na de andere verwensing.

Toen Erik wat ouder werd en niet meer zo snel overdonderd raakte door al dat verbaal geweld, had hij die vertoning vaak met verwondering gadegeslagen. Er ging iets theatraals van uit en ze eindigde steevast op dezelfde manier: vader die opeens lijkbleek en hees, met een getormenteerd gezicht, hijgend in de fauteuil neerzeeg, zijn das en bovenste hemdsknoopje losmaakte en met een zakdoek over zijn bezweet voorhoofd wreef, terwijl moeder naar het apotheekkastje in de keuken holde en met een klein roos pilletje en een glas water terugkeerde. Als hij wat gekalmeerd was en de onvermijdelijke migraineaanval kwam opzetten, was het moeder die het laatste woord had. Ze keek haar zoon vernietigend aan en zei: 'Zijt ge nu content, koppigaard? Uw vader zoiets aandoen. Ge moest u schamen!' En tegen vader: 'Hier zie, laat dat maar onder uw tong smelten, en niet op bijten, hé. Of wilt ge dat ik de dokter bel?'

'Volgende week ga ik naar een specialist,' besloot hij zijn verhaal, 'als 't maar geen operatie wordt.'

Erik wist dat hij nu iets troostends of opbeurends moest zeggen, maar hij kreeg de woorden niet over zijn lippen.

'Sneeuwt het daar ook zo?'

Even bleef het stil aan de andere kant van de lijn.

'Ja, straks kunnen we weer gaan kuisen.'

'Waarom? Laat dat liggen, 't is toch mooi.'

'En dan morgenvroeg uitschuiven en een been breken, zeker. Daarbij, wat zullen de buren wel denken als dat hier allemaal voor de deur en op de stoep blijft liggen? Voor ge 't weet is het in een vieze slijkboel veranderd.'

'Tja, daar had ik natuurlijk niet aan gedacht.'

Erik hoopte dat het gesprek hiermee was afgelopen. Hij keek op zijn horloge – waar bleef Inge? – en trommelde met zijn vingers op het telefoontoestel.

'Anders geen nieuws?' drong vader zonder veel overtuiging aan.

'Neen, echt niet.'

'En met Inge ook alles goed?'

'Die is boodschappen gaan doen. Te voet nog wel.'

Sinds hij met pensioen was, leek zijn vader alle tijd van de wereld te hebben. Dat was ooit anders geweest.

'Vorige week heb ik met moeder een grote wandeling gemaakt en daarna zijn we...'

'Wacht even,' onderbrak Erik hem, 'daar is de postbode, hij komt iets afgeven, geloof ik, waarschijnlijk een pakje met boeken.'

'Allé, dan gaan we 't hier maar bij laten. Ik moet trouwens dringend gaan voortdoen, want het werk blijft liggen en als straks uw moeder thuiskomt en ze ziet dat de afwas er nog staat, dan zal ik wat te horen krijgen, denk ik, ge kent ze, hé.'

'Dag vader, doe ze daar allemaal de groeten.'

''t Zal niet mankeren. En bel eens wat meer op, het duurt altijd zo lang voor we iets van u horen.'

'Ik zal eraan denken, maar ik moet nu eerst de deur gaan openmaken of ik ben te laat. Tot binnenkort!'

Zuchtend legde hij de hoorn in. Ook als hij morgen of overmorgen telefoneerde, zouden ze vinden dat het een hele tijd geleden was. Toch mag ik hem niets verwijten, dacht Erik, het ligt aan mij, ik houd iedereen altijd te veel op een afstand en straks is het voor alles te laat.

Hij ging naar de keuken, zette koffie tegen dat Inge thuiskwam, want ze zou wel verkleumd zijn, trok vervolgens de telefoonstekker uit en liet zich in de fauteuil vallen. Hij had vandaag een vrije dag en terwijl hij naar de fladderende vlokken keek, doorstroomde hem een behaaglijk gevoel. Het leek of de wereld rondom hem zachtjes dichtsneeuwde. Hij nam zijn boek van de tafel en hervatte zijn lectuur.

Het geluid van een auto deed hem midden in een hoofdstuk opkijken. De Opel Kadett van de buurman stopte voor hun huis, het portier zwaaide open en Erik zag hoe Inge uitstapte en met zakken vol winkelwaren voetje voor voetje over de oprit schuifelde. Hij sprong op en haastte zich om tijdig de voordeur te openen.

'Hier, pak eens aan. Waar heb jij in godsnaam gezeten?'

Ze klonk boos.

'Ik ben hier niet weg geweest.'

'Heb jij dan niks gehoord? Ik heb wel drie keer vanuit het dorp getelefoneerd.'

'Niets, neen.'

'Hoe is dat mogelijk? Gelukkig kwam Paul juist langs en kon ik meerijden.'

Terwijl Inge in de keuken alles uitlaadde, stak Erik vlug de stekker weer in het contact.

'Er zal toch niets mis zijn met de telefoon?' hoorde hij Inge vragen. 'Je weet nooit, met die sneeuw op de draden.'

Erik hield de hoorn tegen zijn oor en luisterde naar de fluittoon.

'Waarschijnlijk een tijdelijke storing,' zei hij, 'dat komt wel vaker voor.'

Hij schrok zich bijna een ongeluk toen de bel begon te rinkelen op het moment dat hij de telefoon op de haak gooide. Het was de directrice van Bennies school. Ze had al een paar keer opgebeld, zei ze, om te verwittigen dat Bennie ongeveer een uur geleden door zijn vader was afgehaald.

De gang leek nog langer dan anders.

'Dag meneer, dag mevrouw.'

'Dag Jantje,' zei Erik in de vlucht, 'alles goed?'

'Met mij wel, maar Bennie is weg.'

'Ja, dat weten we,' zei Inge, die moeite had om Erik bij te benen.

In het lokaal van de Zwaluwen zat de directrice met de opvoedster te praten. Ze waren allebei duidelijk verveeld met de zaak. Omstreeks halfvier had een zekere mevrouw Haemers getelefoneerd, die beweerde in naam van de rechter te spreken en over officiële documenten te beschikken waaruit bleek dat het hoederecht over Bennie aan de vader was overgedragen. Die zou zijn zoon vroeger komen afhalen, om met hem een weekend naar zee te gaan.

'Met dit weer?' riep Inge. 'En u geloofde dat zomaar?'

'Ik moet eerlijk bekennen dat ik het ook wel wat vreemd vond,' zei de directrice, 'maar wat konden wij anders doen? Mevrouw Haemers en mijnheer Vercammen hadden inderdaad papieren bij zich waarin sprake was van een wijziging van het hoederecht, en ik kon u niet bereiken.'

Ze keek vragend naar Inge, maar die zweeg.

'Hebben zij die rechter met naam genoemd?' vroeg Erik.

De directrice knikte.

'Mevrouw Van Schoonbeke.'

Inge zuchtte.

'We hebben haar een halfuurtje geleden aan de telefoon gehad,' ging de directrice voort, 'maar...'

Ze keek een beetje hulpeloos naar de opvoedster, die op haar beurt naar buiten staarde.

'Maar wat?'

'Die bleek van niets te weten.'

In de gang stond Jantje nog altijd op de uitkijk. Toen ze hem passeerden, verscheen er een brede glimlach op zijn gezicht.

'Bennie is een gelukzak,' riep hij vrolijk, terwijl hij een eindje mee opstapte, 'nu heeft hij al twéé papa's!'

'Eerst en vooral een klacht indienen bij de politie,' herhaalde Van Dijck doodkalm, 'naar hem toe rijden heeft geen enkele zin, geloof me, hij is waarschijnlijk niet eens thuis.'

'Goed. En daarna?'

'Niets, afwachten.'

'Hoezo, afwachten? En Bennie dan?'

Inge drukte haar hoofd nog dichter tegen dat van Erik aan, in een poging iets van het telefoongesprek op te vangen.

'Maak je maar niet ongerust, die duikt vanzelf weer op. Je denkt toch niet dat hij zijn eigen zoon gaat gijzelen of zo?'

'Daar gaat het niet om,' protesteerde Erik, 'hij hoort hier te zijn, bij zijn moeder. Wat is me dat nu!'

Aan de andere kant van de lijn viel een korte pauze.

'Luister, Erik, je hebt natuurlijk gelijk, maar denk eens na: het is vrijdagavond, geen enkele rechter die nu nog bereikbaar is, en het zou ronduit stom zijn om op eigen houtje iets te ondernemen. Daar rekent Vercammen juist op. Neen, laat hém de fouten maar maken.'

Erik knikte vragend naar Inge, die gelaten haar schouders ophaalde.

'Jij verwittigt dus de politie,' zei Van Dijck nogmaals, 'en ik beloof je dat ik maandag onmiddellijk contact probeer op te nemen met Van Schoonbeke. Heb je het getuigenis van die directrice op papier?'

'Nog niet, nee.'

'Zorg dat ze een schriftelijke verklaring aflegt, want daarmee kan ik Haemers het vuur aan de schenen leggen.'

Het vooruitzicht alleen al stemde Erik vrolijk. In lichterlaaie wilde hij dat mens zien staan.

'En Bennie? Wat doen we als hij er morgen niet is?'

'Je mag me altijd thuis opbellen.'

Nadat ze meer dan een uur in het politiebureau hadden gezeten, drie vierde van de tijd in het wachtkamertje, kon Inge het niet laten naar haar ex te telefoneren. Maar daar nam niemand op. En 's anderendaags evenmin. Het eerste levensteken van Vercammen én van Bennie kwam pas zondagavond, om kwart over tien.

Opeens rinkelde de deurbel, waarna een auto er vliegensvlug vandoor ging. Op de stoep stond Bennie, met in zijn ene hand een hoopje takken en in de andere zijn reistas die uitpuilde van vuile en gescheurde kleren. Hijzelf stonk uren in de wind naar stalmest.

'Ik ruik al waar hij heeft gezeten,' zei Inge met trillende stem, 'Vercammens broer heeft een grote boerderij.'

'Wel, Bennie,' vroeg Erik langs zijn neus weg, 'waar ben je geweest?'

Meteen kneep de jongen zijn lippen samen en hij staarde voor zich uit.

'Ben je bij oom Johan geweest?' drong Inge voorzichtig aan. 'Je mag het gerust zeggen, hoor, wij zijn niet boos.'

Maar ook nu kwam er geen antwoord.

'Jij hebt vast en zeker veel koeien gezien,' probeerde Erik, terwijl hij naar Bennies vieze, bruine handen wees. 'Plons op de boerderij, hé, weet je 't nog?'

'Hoe kan ik nu weten!' riep hij opgewonden uit. 'Ik kan toch niet weten!' Waarna hij zenuwachtige sprongetjes begon te maken, alsof hij net in een mierennest had getrapt. Nu en dan draaide hij vreemd met zijn ogen.

'Laat hem maar,' fluisterde Inge vlug, 'ze hebben hem grondig de les gelezen, dat is wel duidelijk.'

‘Misschien moesten we hem zo eens gaan tonen op het politiebureau,’ zei Erik, ‘als daar tenminste iemand is.’

‘Dat zie je van hier, dat ik hem dat óók nog zou aandoen!’

Voor het eerst leek het of ze tegen haar tranen moest vechten. Ze ging naar de badkamer en even later hoorde Erik het geluid van de warmwaterkraan.

Bennie was ondertussen op een stoel gaan zitten en bestudeerde aandachtig de takken die hij nog altijd tussen zijn vingers knelde. Erik vroeg zich af wat er nu in dat hoofd omging.

‘Was het leuk op de boerderij?’

(...)

‘Bennie?’

‘Ik krijg zeker weeral naar de voet, *ofwà*?’ bromde hij zonder op te kijken.

‘Helemaal niet,’ lachte Erik, ‘ik vroeg mij alleen af wat je daar de hele tijd zoal hebt gedaan.’

‘Slaapt de noteboom nog?’

Dan maar langs een omweg, dacht Erik.

‘Natuurlijk! ’t Is toch nog altijd winter.’

‘Oh!’ Zijn blik werd lichter. ‘En wat heeft de weerman geverteld?’

‘Dat het nog véél meer gaat vriezen,’ antwoordde Erik, op een toon alsof hij een sprookje voorlas.

‘Oh!’

Hij stak de takken hoog boven zijn hoofd, wiegde ze zachtjes van links naar rechts, alsof hij er mysterieuze signalen uit de ruimte mee wilde opvangen, hield er toen bruusk mee op en keek Erik geschrokken aan.

‘Misschien heef geliegd?’

‘Wie? Jouw papa?’

‘De weerman,’ zei Bennie, zonder een krimp te geven.

‘Tja, dat zou kunnen,’ antwoordde Erik, een beetje teleurgesteld, ‘die vergist zich wel meer.’

Opnieuw begonnen de takken geruisloos te bewegen. Ik moet mijn mond houden, dacht Erik, straks hoort Inge het. Maar het was sterker dan hemzelf.

'Was het bij oom Johan ook zo koud?'

'Wat een luierik!'

'Oom Johan?'

'Die noteboom. Die slaap lang!'

Erik besloot het op te geven. Tegen zoveel geniale onschuld was niets te beginnen.

'En wij dachten dat jij aan zee zat,' zei hij plagerig, in een laatste poging om een reactie los te krijgen, maar Bennie deed ook nu alsof hij van de prins geen kwaad wist. Hoe had Vercammen dat voor elkaar gekregen? Met beloften, die hij toch niet zou houden, of met dreigementen? Waarmee kon je iemand als Bennie bang maken, vroeg Erik zich af, want wie alleen *nu* leefde, kende toch geen echte angst.

Vanuit de badkamer klonk Inges stem. Zou hij tegenover haar iets loslaten? Benieuwd liep Erik Bennie achterna. Hij zag dat er weer te veel schuim op het water dreef. Zo dadelijk zou het, onder het geweld van Bennies grijpgrage vingers, in een kolkende zee veranderen waarvan de golven over de rand sloegen en overal op de tegelvloer terechtkwamen. Bennie kon er zich urenlang mee amuseren, tot het badwater bijna koud was. Maar Erik nam zich voor er deze keer geen enkele aanmerking over te maken.

Vóór het slapengaan poetste Bennie plichtsgetrouw zijn tanden. Op de rand van de lavabo lag zijn horloge. Precies drie minuten zou de poetsbeurt duren, geen seconde meer of minder, want dat had hij zo geleerd. Bennie was in alle omstandigheden klokvast, tenminste als het van hem afhing.

Daarna was het tijd om onder de wol te kruipen, met naast zich de oudste popjes die hij had: twee versleten plastic beertjes die hij overal mee naartoe nam, anders raakte hij slecht in slaap. Op de grond en in de kast lagen wel twintig gloednieuwe pluchen diertjes, maar die dienden alleen om nu en dan wat mee te spelen. Een magische uitstraling hadden zij blijkbaar niet.

Voor het licht uitging, werd Inge nog vlug overladen met kussen, strelingen en aaitjes, terwijl hij spon als een tevreden kat. Net of hij zijn jarenlange achterstand wilde inhalen. Erik kreeg in het beste geval een slap handje, waarbij Bennie altijd vermeed hem recht in de ogen te kijken. Dat hij het de jongste tijd meestal uit eigen beweging gaf, leek een kleine stap voor de mensheid. Maar voor hem was het een duizelingwekkende sprong in het nieuwe.

Hoe was het mogelijk dat hij dit graf niet meteen had teruggevonden? Ooit had hij het bijna dagelijks bezocht en nu was hij warempel aan de verkeerde kant van het kerkhof beginnen te zoeken. Uit het oog, uit het hart. Was het dan toch waar? Hier lagen de ouders van zijn vader. Zij al sinds 1966, hij had haar zes jaar overleefd. Wat herinnerde Erik zich van hen? De luide, schelle lach van zijn grootmoeder, waarbij haar telkens de tranen over de wangen rolden. Veel reden om te lachen had ze nochtans niet, zoals ze haar laatste jaren door had moeten brengen: verlamd aan beide benen en niet meer in staat haar water op te houden. En toch. Dertien was Erik toen ze stierf, en het had uren geduurd vóór het tot hem doordrong dat er iets onherroepelijks was gebeurd. Even had hij zich ingewijd gevoeld in een geheim waarvan alleen volwassenen op de hoogte waren. Daarna was het verdriet gekomen, want sommige raadsels kun je beter niet ontsluieren.

Toen Inge vorige week met Bennie een begraafplaats was gepasseerd, had hij met alle geweld de bomen eromheen van naderbij willen bekijken. Pas na een tiental minuten waren hem de zerken en kruisen opgevallen en had hij gevraagd wat die daar deden. Het had haar heel wat moeite gekost om hem uit te leggen dat onder elk van die stenen dode mensen lagen, en waarschijnlijk had het denkbeeld hem de rest van de dag niet meer losgelaten, want hij bleef Inge maar om de oren zeuren. Wát die mensen daar nu juist deden? Of ze misschien sliepen? Of ze geen kou hadden in die kille, natte grond? En vooral: wie zou hen er weer uitlaten wanneer ze wakker werden? En toen wilde hij weten of ook hij in zo'n kist zou terechtkomen. Inge had een duidelijk antwoord proberen te ontwijken, maar omdat hij niet ophield, had ze uiteindelijk moeten toegeven dat ook hij, Bennie Vercammen, net als iedereen sterfelijk was, al zou dat vast en zeker nog héél lang duren.

Hij had haar ontzet aangekeken en toen uitgeroepen: 'Hé? *Ikke* toch niet?!' alsof hem een groot onrecht was aangedaan. Weer thuis had hij urenlang stilletjes naar buiten zitten kijken, als een mediterende monnik. Daarna was hij plotseling opgestaan, en hij had Inge mee in de tuin getrokken, naar zijn vriend de noteboom, en haar attent gemaakt op enkele verdroogde takken die volgens hem dringend moesten worden verwijderd, omdat er anders geen nieuwe scheuten zouden komen. Leven en dood in een *notedop*. Oude mensen stierven om plaats te maken voor jongere, had Inge gezegd, net als de takken van een boom. Zo eenvoudig was dat. En daarmee was de dood binnengestapt in de kleine, simpele wereld van Bennie, en hij had haar een plaats gegeven.

Aanvankelijk scheen hij het hele voorval vlug vergeten te zijn, maar de eerstvolgende keer dat hij Inges ouders te zien kreeg, had hij hun meteen vlakaf gevraagd wanneer zij van plan waren dood te gaan. Met een achterdochtige blik op zijn enige dochter had opa Jan geantwoord dat hij daar liever nog wat mee wachtte. Toen had Bennie zijn oma vorsend aangekeken en gezegd dat hij de rimpels in haar gezicht lelijk vond.

'Bennie!' had Inge verschrikt uitgeroepen. 'Zeg zoiets niet.'

'Och, laat maar,' was oma Lisette blozend tussenbeide gekomen, 'de waarheid mag worden gezegd.'

Iets wat Bennie altijd en overal heel letterlijk nam.

Zelf wilde hij, net als het jongetje in *Die Blechtrommel*, opeens niet meer ouder worden, want, dat stond nu wel vast, oude mensen belandden onvermijdelijk onder de grond. Iedere toespeling op het feit dat hij stilaan opgroeide, zette bij hem kwaad bloed.

'Jaja, onze Bennie wordt een hele kerel.' (Oma)

'Da is nie waar! Jij zegge zomaar wat!'

'Nee zeker, kijk maar, zijn snor schiet al uit.' (Erik)
'Mááḿáá, die daar *pessmij* weer!'
Nu en dan de tijd even kunnen stilzetten of de eeuwige jeugd, wie heeft er nooit van gedroomd...

Van zijn grootvader herinnerde Erik zich natuurlijk veel meer dan van zijn grootmoeder. Hij strompelde niet door zijn gedachten als een deerniswekkende invalide, maar bleef een figuur die een aantal op het eerste gezicht onverzoenlijke tegenstellingen in zich verenigde. Onder zijn lankmoedigheid en zijn grootvaderlijke trekken ging een bloeddorstig soldaat uit de Eerste Wereldoorlog schuil, die af en toe naar buiten brak en de man in Eriks ogen onherkenbaar maakte. Ondanks zijn veeleer magere en kleine gestalte was hij iemand die kracht en viriliteit uitstraalde, waarvoor vrouwen van zijn eigen leeftijd niet ongevoelig bleken. Zo viel het Erik op dat grootmoeders nicht, ondertussen ook al enkele jaren weduwe, na verloop van tijd steeds meer op bezoek kwam en op den duur zelfs bleef overnachten. In de familie werd er soms in bedekte termen op gezinspeeld, maar daar bleef het bij. Ze konden er op hun oude dag maar plezier van hebben, was de gangbare stoplap. Wáárvan, dat was Erik voorlopig niet helemaal duidelijk.

Toch was er dat ene, troebele beeld dat hij nooit helemaal was kwijtgeraakt. Toen hij op een dag zonder kloppen dat deel van het grote huis binnenstormde waar grootvader woonde, zat de vermoeide oud-strijder geen patience te spelen, zoals hij omstreeks dat uur pleegde te doen, maar stond hij gebogen over een fauteuil waarin een vrouw zat die hij iets in het oor leek te fluisteren, zo dicht hing hij tegen haar aan.

Enkele seconden versteende hij in die houding en Erik kreeg het onbehaaglijke gevoel dat hij getuige was van iets heimelijks dat door zijn plotselinge binnenkomst was stilgevallen. Toen kwam zijn grootvader bruusk overeind en keek Erik recht in het rood opgezette gezicht van zijn grootmoeder van moederskant. Zij die zich er altijd met een wrange glimlach over beklaagde dat ze met de verkeerde vent was getrouwd, zoals ze zei.

'Wat komdegij hier godverdomme doen?' vloekte grootvader, terwijl hij een kordate stap in de richting van de deur zette. Net zoals tijdens de oorlog moet hij gedacht hebben dat de aanval de beste verdediging was. Grootmoeder had er merkelijk meer last mee, want die leek alle moeite te doen om in de fauteuil weg te zinken.

Tot op vandaag was Erik er niet zeker van wát hij eigenlijk had gezien en soms kwam het hem zelfs voor dat hij alles had gedroomd. Het was nog altijd niet te laat om zijn grootmoeder te vragen of zij zich dat verre voorval herinnerde en wat er toen juist was gebeurd, maar op een of andere manier kwam hij er niet toe. Misschien had zij zich verzoend met het idee dat kinderen anders naar de wereld kijken dan volwassenen. En had niet iedereen het recht een paar goedbewaarde geheimpjes mee in het graf te nemen? Wellicht ging er daarom zo'n melancholische sfeer uit van een oude begraafplaats, zoals die waar zijn grootouders te midden van die honderden bekenden en onbekenden rustten. De ondergrond gonsde er van verzwegen woorden, onuitgesproken gedachten, nooit vervulde wensen en verlangens, gefnuikte dromen. Hele levens boordevol kleine en grote gebeurtenissen, gevangen tussen twee jaartallen. Het eerste kende je zelf, het tweede werd door anderen ingevuld.

'Ikke toch niet?!' had Bennie geroepen op zo'n manier dat het lachwekkend was. Maar bestond er een gedachte zo onvoorstelbaar als die aan de eigen sterfelijkheid?

Erik kon zijn oren niet geloven. Vercammen en Haemers hadden uiteindelijk ook eens in het stof gebeten! Vooral het getuigenis van Eerwaarde Zuster Directrice had de doorslag gegeven. Van Schoonbeke was blijkbaar hoogmoedig genoeg om haar naam niet ijdel te laten gebruiken. De sociaal werkster was op het matje geroepen en zelfs van haar taak ontheven.

'En dat betekent?' vroeg Inge nerveus.

'Dat betekent,' zei Van Dijck triomfantelijk, 'dat zij verder niets meer te maken heeft met het onderzoek. En dat is nog niet alles.' Als een volleerd redenaar laste hij een pauze in, waarin je het tromgeroffel kon horen aanzwellen. Erik en Inge keken elkaar in spanning aan. 'Ik weet namelijk waar Bennie dat weekend heeft gezeten.'

'Ja,' zei Inge teleurgesteld, 'dat is niks nieuws.'

'Maar weet je ook waarom hij in die boerderij heeft geslapen?' ging Van Dijck onverstoord verder, met een lichte twinkeling in zijn ogen.

Inge moest toegeven dat ze dat inderdaad niet wist.

'Doodeenvoudig omdat de nieuwe mevrouw Vercammen hem niet langer bij zich in huis wilde, nadat hij... laat ons zeggen, nogal opgewonden tekeer was gegaan.'

Erik kon een lachbui niet onderdrukken. Hij zag en hoorde Bennie al bezig. Maar dat hij daar op een dag plezier in zou scheppen, had hij nooit vermoed.

'Hoe weet jij dat?' vroeg Inge ongelovig.

Van Dijck griste een brief uit het stapeltje post op zijn bureau en opende de envelop.

'Hier, die heb ik vanochtend ontvangen,' zei hij, terwijl hij beurtelings Erik en Inge van achter zijn afgezakt brilletje aankeek, 'en daarin staat zwart op wit, hou je vast,' zijn toon kreeg nu iets officieels, 'dat Vercammen afziet van zijn eis om het hoederecht te krijgen. Voilà.' Met een breed gebaar gaf hij de brief aan Inge, die van de ene verrassing in de andere tuimelde. Ook Erik moest er even van slikken, want dit was het laatste dat hij had verwacht. 'Ik heb natuurlijk dadelijk de advocaat van de tegenpartij opgebeld en die heeft mij bevestigd dat zijn cliënt, onder druk van zijn vrouw wel te verstaan, inderdaad niet langer de hoede over zijn zoon wil. Met een bezoekrecht van één zaterdag om de veertien dagen is hij tevreden. Wat zeg je daarvan?'

Inge hapte naar adem.

'Dat het... fantastisch is...' stotterde ze, waarna haar blik van Van Dijck naar Erik gleed, 'nietwaar?'

Wat kon hij zeggen? Hij die zelf liever geen kinderen wilde, zat nu opgescheept met een halve dwaas. Voorlopig was het internaat er gelukkig nog, maar daarna? Die jongen zou zijn hele leven hulpbehoevend zijn en het vooruitzicht dagelijks in Bennies gezelschap te moeten vertoeven, lokte hem allesbehalve aan.

'Erik?'

Inge keek hem afwachtend aan – er lag nu iets smekends in haar blik – en ook Van Dijck fronste opeens vragend zijn wenkbrauwen. De stilte begon te wegen.

'Hmm, welja,' kuchte Erik, 'wat moet ik zeggen, we hebben hem aan ons been, hé!'

Inge glimlachte opgelucht en het scheen Erik toe dat ook haar raadsman, met wie ze al van vroeger bevriend was, een bevrijdende zucht slaakte. Opgewekt greep deze een fles rode porto en hij schonk voor iedereen een glas uit.

Misschien, dacht Erik, had ik vanaf het begin als de nieuwbakken mevrouw Vercammen moeten reageren. Daarvoor was het nu natuurlijk veel en veel te laat. De mens mocht dan veroordeeld zijn tot de vrijheid, ondertussen zat hij, Erik Taelman, voor de rest van zijn leven met handen en voeten gebonden aan een bomen- en bladminnende autist. Wie weet wat stond hem nog meer te wachten, bijvoorbeeld wanneer dat kereltje in zijn puberteit kwam? Goed gek was hij geweest om het ooit zover te laten komen. In zijn hoofd schoot een molentje in gang. Was hij destijds maar niet werkloos geworden, dan had hij Inge nooit ontmoet, was hij dus evenmin stapelverliefd op haar kunnen worden en had hij bijgevolg ook met Bennie niets te maken gehad, en wie weet, misschien had hij dan met Mirjam...

'Proost!' riep Van Dijck. 'Op de goede afloop, en op Vrouwe Justitia, die dan toch eindelijk wakker is geschoten.'

Dat laatste was alvast iets waar ook Erik voluit op wilde drinken.

'Nu is 'm compleet zot geworden,' jammerde grootmoeder

met een boosaardige flikkering in haar ogen, 'ziet dat toch eens aan.'

'Watte?' echode grootvaders stem van onder een grote zakdoek.

'Laat Erik maar eens zien wat ge nu weer hebt aangevangen.'

Even ging het doek een stuk op en er kwam een grauw, ingevallen gezicht te voorschijn.

'Ah, dag Erik. Hoe is 't?'

'Ik mag niet klagen, en met jou?'

'Bah...'

Terwijl hij zijn magere schouders ophaalde, zakten zijn mondhoeken ver beneden het vriespunt en liet hij zijn zakdoek weer los.

'Bekijk die sloefen nu toch een keer,' knorde grootmoeder, 'en zeg nu eens eerlijk: vindt gij dat nog normaal?' In de pantoffels die grootvader droeg, zaten ter hoogte van zijn tenen enkele grote gaten, alsof een razende hond er zijn tanden in had gezet. 'En die heeft hij er zelf in geknipt, moet ge weten.'

'Waarom? Is dat de nieuwe mode?'

'Ja, lach er maar mee,' mopperde grootmoeder.

'Anders... mijn voeten...'

De rest ging verloren in de rimpels van de zakdoek.

'Wat zeg je?'

'Dat anders mijn voeten zeer doen.'

'Een echte schande, ja, dát is het. Gisteren kwam de pastoor op bezoek. Die mens zal hier nogal met een gedacht zijn weggegaan.'

'Als deze zo knellen, waarom koopt hij dan geen grotere?'

'Ah!' Grootmoeder schoot in een misprijzende lach. 'Dat heb ik hem al wel honderd keren gezegd.' En dan, dubbel zo luid, in de richting van de fauteuil: 'Voilà, hoort ge 't nu, betweter?'

'Wablieft?'

'Doe maar weeral of ge doof zijt, ja, dat is 't gemakkelijkste.'

'Ze zullen mijn tijd nog wel meegaan,' zuchtte grootvader gelaten.

'Daar gaat het niet om. Dat ge niet beschaamd zijt om zo rond te lopen, en dan nog terwijl andere mensen het zien, dat begrijp ik niet.'

'Och, laat hem stilletjes doen,' zei Erik verzoenend, 'hij doet er toch niemand kwaad mee.'

Maar grootmoeder was onverzettelijk.

'Ge moest voor de aardigheid eens in onze kleerkast gaan kijken, wat daar allemaal in ligt. Kapotte bretels, plastrons vol vetvlekken, kostuums die zeker nog van vóór de oorlog zijn en onderbroeken met zóóó'n gaten in, en dat houdt meneer allemaal bij. Niks mag ervan weg. Allé, zeg nu zelf.'

Erik ademde diep in en uit, hij voelde zich opeens doodmoe worden.

'Gewoon uit gierigheid,' ging grootmoeder dapper door, 'anders niets.'

'Dat is niet waar!' riep de beschuldigde, terwijl hij vanuit zijn liggende houding half overeind kwam. De zakdoek gleed traag van zijn gezicht, tot op zijn hijgende borst, zodat het leek of hij een slabbetje om had.

'Ha nee? Waarom dan wel, als ik vragen mag?'

Even werd het stil. Toen liet grootvader zich weer moedeloos achterover zakken, alsof hij zich op het laatste moment had bedacht, en hij zei op een berustende toon: 'Daar verstaat gij toch niks van.'

Grootmoeder strekte haar beide armen uit, net of ze in wanhoop iets afsmeekte van de een of andere patroonheilige.

'Nu dat weer!' schimpte ze. 'Is dat nu een serieus antwoord? Maar wacht tot...'

Erik sloot zijn ogen en masseerde zijn slapen. Hij beeldde zich in dat hij heel alleen boven op een bergtop zat, terwijl onder hem het drukke menselijke gedoe onhoorbaar zijn gang ging. Hij kon de ergernis van zijn grootmoeder begrijpen, maar voelde ook sympathie voor die oude knorpot die, toen Erik weer om zich heen keek, net verwoede pogingen deed om zijn zakdoek als een tulband rond zijn hoofd te wikkelen. Of wilde hij er zijn oren mee bedekken?

Als kind had Erik het zelf nooit over zijn hart kunnen krijgen iets weg te gooien, ook als het stuk was. Alleen al doordat hij sommige kleren zo lang had gedragen of omdat iets zijn lievelingsspeelgoed was geweest, leek het of die spullen een ziel hadden gekregen. Zich ervan ontdoen betekende: een stuk van jezelf opofferen. Meestal was het zijn moeder die achter zijn rug de rommel liet verdwijnen, wat later altijd tot fanatieke ruzies leidde. Ook nu nog had hij er vaak moeite mee in zijn werkkamer grote schoonmaak te houden en overbodig geworden cursussen of voorwerpen naar de prullenbak te verwijzen. In zijn bureaulade lagen zeker drie kapotte vulpennen en twee onherstelbare horloges. En als Inge hem niet af en toe een kleerwinkel binnen dwong, zou hij alle dagen in dezelfde afgewassen jeans en vertrouwde slobbertrui rondlopen.

Hij had er vorige week nog aan moeten denken, tijdens Bennies verjaardagsfeestje. Elf jaar was hij geworden. De meeste familieleden hadden op veilig gespeeld en puzzels, kleurboeken en -potloden meegebracht. Alleen oma Lisette en opa Jan vielen wat uit de toon. Zij hadden, op aanraden van Inge, een nieuwe pyjama gekocht, want Bennie groeide de laatste tijd overal uit. Toen ze het pakje overhandigden en hij merkte dat er blijkbaar niets hards in zat, wilde hij het meteen teruggeven.

'Eerst opendoen, Bennie, en kijken wat het is.'

Even rook hij eraan, daarna scheurde hij traag een hoekje van het papier af.

'Hij is er precies niet gerust in,' monkelde oom Pol.

'Komaan, 't zal niet bijten,' spoorde oom Frans hem aan.

'Maar laat hem nu toch eens doen,' zei tante Martha berispend, 'straks denkt hij nog dat ge hem uitlacht.'

Ondertussen was de verpakking er al zo ver af dat de inhoud gedeeltelijk zichtbaar werd. Maar Bennie scheen meer zin te hebben in de kleurige stukjes inpakpapier, die hij rond zijn handen en armen probeerde te wikkelen.

'Wat zou dát zijn?' declameerde tante Anna, alsof ze zopas iets uit haar hoge hoed had getoverd dat ze nu aan een stel kleuters toonde.

Het laatste restje papier viel eindelijk op de grond. Het gezelschap hield de adem in.

'Een py-ja-maa!' zongen Lisette en Martha in koor.

Bennie stond er beteuterd naar te kijken, zijn lippen trillden en het leek of hij alle momenten kon gaan wenen.

'Wat zegt ge daarvan?' vroeg opa Jan, toch een beetje onzeker.

Hij was er duidelijk niet meer zo gerust in en ook Lisette drukte haar hand in spanning tegen haar volle boezem.

'Wel, Bennie?' drong Inge voorzichtig aan.

Verveeld haalde hij zijn schouders op.

'Wacht tot je hem aan hebt.'

'Maar ik heb al één!' riep hij nukkig.

'Wat geeft dat?' antwoordde Inge geduldig, 'die andere is versleten en veel te klein.'

Dat had ze blijkbaar niet mogen zeggen, want daar kwamen de eerste tranen.

'Allé, wat nu?' schrok opa Jan.

Bennie greep de pyjama en probeerde hem onhandig weer in te pakken. Toen dat niet lukte, stopte hij alles in Inges handen.

'Geef maar terug,' snotterde hij, met een ongelukkig gezicht.

'Maar Bennie, dat kan toch niet, dat is onbeleefd! Zo'n mooi cadeau.'

'Is niet interessant voor mij.'

'Wat zegt hij?' vroeg Erik, die zich stilaan begon op te winden. 'Niet interessant voor hem? Dat is weer iets nieuws.'

'Ik dacht het nog,' zei Lisette blozend, 'we hadden toch beter iets anders gekocht, maar misschien kan ik hem nog omwisselen voor...'

'Niks van,' zei Inge kordaat, 'hij zal die pyjama dragen, en daarmee uit.'

'Anders slaapt hij maar bloot,' voegde Erik eraan toe. 'En zeg eens dank u tegen oma en opa.'

Dat bleek evenwel te veel gevraagd en pas nadat de pyjama uit het gezicht was verdwenen, sloeg Bennies stemming weer om en kon het feestje beginnen.

's Avonds, vlak voor het slapengaan, toonde Inge hem het knalrode kledingstuk opnieuw, echter zonder resultaat, en ook de volgende dagen wilde hij er niet van weten. Pas tijdens het weekend gaf hij zijn protest op.

'Vind je hem nu toch mooi?' vroeg Inge.

Neen, dat wist hij echt niet, maar ondertussen was hij er wel, zoals hij zei, 'gewoon' aan geraakt. Zijn oude pyjama moest in ieder geval blijven waar hij lag, al was het alleen maar om er af en toe even naar te kunnen kijken.

Het geratel van grootmoeder drong weer tot Erik door. Daar was maar één remedie tegen. Hij stond op en drukte een vluchtige zoen op haar voorhoofd. Hij wist wat ze zou zeggen.

'Zijt ge nu al weg? En ge zijt hier pas!'

'Ja, maar ik heb nog zoveel werk.'

Het was niet gelogen. Er lagen zeker tien romans op een bespreking te wachten en ook het stapeltje schooltaken en -toetsen groeide angstwekkend aan. En volgende week moesten alle punten binnen zijn voor het maandelijkse rapport.

'Als 't zo zit,' zei grootmoeder gemelijk, 'vooruit dan maar.'

'Hou jullie goed.'

Hij greep grootvaders knokige hand en kneep er even in. Van onder de zakdoek steeg een verre groet op, gevolgd door een diepe zucht, alsof hij zijn allerlaatste adem uitblies.

Zichzelf onderweg verliezen. Daarvoor was Erik steeds meer beducht. Zou hij bijvoorbeeld nog verliefd kunnen worden? Hij die vroeger voortdurend balanceerde op het slappe koord van zijn emoties, onderdrukte angstvallig ieder verlangen dat hem kon doen wegdrijven van Inge. Zo had hij Mirjam bijna helemaal uit zijn gedachten weten te bannen. Minder dan een hersenschim was zij geworden. Was hij misschien eindelijk volwassen? En was dat dan zo'n vooruitgang? Of berustte hij in zijn situatie, uit angst voor toestanden en stemmingen die hem konden ontwrichten?

Dat de universitaire carrière waarvan hij jaren had gedroomd nooit werkelijkheid zou worden, daar had hij zich in ieder geval bij neergelegd. Zijn tekst over 'Ethiek en solipsisme' lag roemloos weg te kwijnen onder in zijn bureau. Soms nam hij het onvoltooide manuscript nog eens ter hand en werkte hij een paar losse notities uit, maar de aandrift was er niet meer. Hij was van zijn eigen onderwerp vervreemd en zijn doctoraatsdiploma beschouwde hij als een leugen waarin hij had geloofd als een kind in Sinterklaas.

En zijn kritieken in tijdschriften en dagbladen? De jongste tijd gebeurde het steeds vaker dat hij uitnodigingen voor literaire recepties ontving en omdat hij daarin toch een vorm van erkenning zag, was hij er een paar keer op ingegaan. Telkens was hij met barstende hoofdpijn terug naar huis gekeerd, ervan overtuigd dat het nu echt de laatste maal was geweest dat hij aan zoiets had deelgenomen. Want hoewel zijn liefde voor de literatuur niet was verminderd, zijn bewondering voor schrijvers was zeker niet toegenomen. Integendeel. En hoe beter je die ijdeltuiten leerde kennen, hoe erger de aversie werd. In alle stilte, zelfs Inge wist er niets van, had hij zelf wel eens geprobeerd verhalen te schrijven, één ervan ging trouwens over Bennie, maar uiteindelijk had hij ook die gok als een noodsprong terzijde geschoven. De vaderlandse letteren zouden er niet onder lijden. Die gingen zo al genoeg gebukt onder de vermeende genieën.

Maar wie of wat was hij dan wel? Eén van de vele anonieme leraren die amper een stapje van de werkloosheid af stonden? Met dit verschil dat hij, in tegenstelling tot de meeste van zijn collega's, iedere dag met grotere tegenzin naar school ging. Soms zat er al lood in zijn benen nog vóór hij de poort had bereikt. Ziek werd hij ervan en ongeduldig telde hij de uren en de minuten af die hem van het laatste belsignaal scheidden. Zou hij al opgebrand zijn voordat hij goed en wel was begonnen? En met wie kon hij erover praten, als hij toch steevast te horen kreeg dat hij blij mocht zijn werk te hebben in een tijd waarin het steeds slechter ging?

Op weg naar huis was hij daarstraks terechtgekomen in een betoging van verplegers en opvoeders, die de toenemende besparingen in de sociale sector grondig beu waren. Ook in Bennies school waren al enkele ontslagen gevallen en het zag ernaar uit dat het daarbij niet zou blijven. Alleen grote bedrijven konden nog op handenvol geld rekenen, want daar werden zowel de zakenlui als de politici beter van. Stel je voor dat ook het internaat werd opgedoekt, daar was trouwens al sprake van geweest. Het vooruitzicht dag in dag uit met Bennie onder één dak te moeten leven, zweefde als een donkere wolk boven Eriks hoofd en volgde hem overal waar hij ging.

Tot zelfs in de Hollandse sexshop waaraan hij vandaag weer niet had kunnen weerstaan. Waar die plotselinge kriebels vandaan kwamen, wist hij nog altijd niet. Hij trachtte zichzelf wijs te maken dat hij een soort schoonheidservaring in het lelijke en het wansmakelijke zocht en vond. Hij had er inmiddels *Portnoy's complaint* op nagelezen, maar ook Philip Roth had hem niet verlost van zijn bij tijden onstuitbare drang naar beelden van lichamen die zich wellustig uitleefden in diabolische fantasieën, waarvan hij beslist zou walgen indien ze in werkelijkheid werden omgezet. Inge betrok hij al lang niet meer bij zijn schunnige verbeelding, want ze was er ongevoelig voor, zodat hij telkens voor lul stond. Misschien was zijn denkwereld inderdaad door en door verziekt en verklaarde dit zijn stugge omgang met anderen.

Vooral bij nieuwe contacten had hij het moeilijk. Niemand scheen te merken dat hij in feite mensenschuw was, maar dat maakte de inspanning niet geringer. In groepen klapte hij soms als vanzelf dicht, een enkele keer liet zijn stem het zelfs afweten zonder aanwijsbare oorzaak, en wanneer iemand hem ondanks alles te dicht naderde, ging er opeens een alarmlichtje branden dat hem op zijn hoede deed zijn. Zou er iets freudiaans achter zitten? Werd hij cynisch? Of leed hij gewoon aan een minderwaardigheidsgevoel?

Bijna vierendertig, en waar stond hij? Wat was zijn plaats op het grote schouwtoneel? Nooit eerder had hij het volle gewicht van zulke vragen op zich voelen drukken, en nu rezen ze als een kolossale bergflank op uit het landschap. Zou hij de beklimming aandurven? Of was het raadzamer al fluitend, met de handen in de zakken, om het obstakel heen te wandelen?

Zelfs het weer stak hem geen hart onder de riem. Bijna zomer, en de temperatuur bereikte amper de 15 °C. Regen en grijze lucht. Je zou van minder depressief worden. Maar een echte troost was het niet.

Het telefoontje van zijn moeder, enkele dagen later, zette hem weer met beide voeten op de grond. Vader had de voorbije weken een aantal medische onderzoeken ondergaan en daaruit bleek dat zijn kransslagaders gevaarlijk waren dichtgeslibd. Een ingreep was onvermijdelijk. Overmorgen al werd hij in het ziekenhuis opgenomen, en een dag later geopereerd.

'Zijn er risico's?'

'Volgens de dokters niet, maar ik ben er toch niet gerust in.'

'En wat gaan ze juist doen?'

'Een coronaire by-pass, of zoiets.'

Dat vaders situatie zo ernstig was, had Erik niet vermoed. Hij was er allang aan gewend geraakt hem over zijn hart of over migraine te horen klagen en had verwacht dat zijn vervroegde pensionering uitkomst zou bieden. En uitgerekend nu sloeg de rampspoed keihard toe.

'Ik kom straks eens langs.'

'Och, misschien beter niet,' zei moeder weifelend, 'hij is nogal... hoe zal ik het zeggen, onder de indruk.'

'Dat kan ik geloven, 't is ook niet om mee te lachen.'

Even dacht Erik erover zijn vader aan de telefoon te vragen, maar bij nader inzien zag hij er liever van af. Het zou vast en zeker een gesprek met veel pijnlijke stiltes worden.

Toen hij twee dagen later voor de deur van de ziekenhuiskamer stond, aanklopte en zijn vader met een zwakke stem 'binnen' hoorde roepen, kreeg Erik ineens een krop in de keel. Hij kwam recht van de school en was nog maar net op tijd. Zo dadelijk was het bezoekuur afgelopen. De zieke zag er bleekjes uit en de hand die hij gaf, voelde klam aan. Moeder zat zwijgend op een stoel naast zijn bed. Haar gezicht was al even kleurloos.

'Ze hebben mij goed liggen, jongen,' glimlachte vader mistroostig.

'Ik zie het.'

'En juist nu ik er eindelijk eens van kon gaan profiteren. We waren al plannen aan het maken om op reis te gaan.'

Erik knikte begrijpend en nam plaats op een stoel naast die van moeder.

'Wanneer is de operatie?'

'Hij is de eerste morgenvroeg.'

'Ik ben zeker het zwaarste geval op hun lijst,' mompelde vader met een omfloerste stem, 'ik word van kop tot teen binnenstebuiten gekeerd.'

'Nu niet overdrijven, hé Henri,' protesteerde moeder voorzichtig, en dan tot Erik: 'Ze moeten eerst een grote, gezonde ader uit zijn been halen en die gebruiken ze dan voor zijn hart.'

Erik schoof wat ongemakkelijk heen en weer, en kneep onwillekeurig zijn vingers samen tot ze wit uitsloegen. De idee dat men levende stukjes mens zomaar van plaats kon verwisselen, alsof het auto-onderdelen waren, deed hem griezelen. Hij zag de gemaskerde chirurgen al bezig met bloederige scharen, darmpjes en kniptangen waarmee ze vaders ribbenkast openbraken. Als hij niet vlug aan iets anders dacht, werd hij nog misselijk.

'Nog altijd druk bezig?' vroeg vader zonder veel interesse.

Het was duidelijk dat ook hij liever over iets anders sprak, al zouden de gedachten aan morgen ongetwijfeld als doodskloppertjes onder zijn schedel blijven hameren.

'Momenteel gaat het nogal.'

'En uw boek? Vlot het een beetje?'

'Langzaam maar zeker,' antwoordde Erik, terwijl zijn blik van het bed naar het raam gleed.

'Zie maar dat ge u niet kapotwerkt,' zei vader met een verbitterd trekje om de mond, 'het is het allemaal niet waard.'

Dat is ook de eerste keer dat ik zoiets van hem hoor, dacht Erik.

Even later deelde een stem via de intercom mee dat het bezoekuur ten einde was. Zeg het nog vlug, spoorde Erik zichzelf aan, zég het vóór het te laat is, maar de woorden wilden geen klanken worden. Hij slikte en stond op.

'Wacht,' zei vader, terwijl hij moeizaam overeind kwam en uit bed kroop, 'ik loop nog een eindje mee.'

Moeder verkoos op de kamer te blijven. Misschien wil *hij* me iets zeggen, dacht Erik, maar ook vader zweeg en schuifelde met gebogen rug tot aan de liftdeuren. Heel zijn leven was hij een plichtsgetrouwe ambtenaar geweest en als Erik zich hem voorstelde, was het in een grijs maatpak.

Er stonden nog vier mensen te wachten. Het stijgende pijltje flikkerde. Erik vermeed zijn vader aan te kijken. Toen gingen de liftdeuren automatisch open. Hij gaf zijn vader een hand, wenste hem veel moed en even keken ze elkaar diep in de ogen. Opeens dacht Erik aan die keer, jaren geleden, dat zij samen hun hond hadden begraven. Zelden had hij zich dichter bij zijn vader gevoeld dan toen. Hij stapte de lift in en door de geopende deuren zag hij de man staan die hem vierendertig jaar geleden had verwekt. In zijn kamerjas leek hij magerder en breekbaarder dan ooit. Als hij het morgen niet haalt, dacht Erik, dan is dit de allerlaatste herinnering die ik aan hem heb. Hij zwaaide nog even en toen schoven de deuren zuchtend dicht, als een toneeldoek dat een eind maakt aan een melodrama dat net iets te lang heeft geduurd en de toeschouwer wat verweesd, maar ook opgelucht achterlaat. Ziedaar mijn vader, dacht Erik, ik hou van hem, maar krijg het niet gezegd omdat het vals zou klinken, waarop de lift zich zoemend in beweging zette en Erik het gevoel gaf dat hij letterlijk van schaamte in de grond zonk.

Hoog boven de Toscaanse stad leunden Inge en Erik over de cirkelvormige balustrade. In de verte rees de lange, spitse toren van het Palazzo Vecchio als een naald op uit het mozaïek van platte, roodbruine daken. Schuin achter hen, naast het reusachtige schip van de Duomo, blonk het witte, groene en roze marmer van de Campanile, dat de bouwers van de kerk en van de belendende toren uit Carrara, Prato en de Maremma hadden laten aanvoeren. Inge en Erik hadden de 463 treden van het koepelvormige meesterwerk van Brunelleschi in één keer beklommen. Hoe hoger je kwam, hoe meer de wanden naar binnen overhelden, tot je uiteindelijk met je ogen stond te knipperen tegen het felle zonlicht. Zij waren de laatsten die naar boven mochten, want het uur van de middagrust was aangebroken. Nadat ze het panorama lang genoeg hadden bewonderd, begonnen ze weer spiralende rondjes aan de binnenzijde van de koepel te draaien.

Tot ze halfweg een galerij bereikten en werden overrompeld door adembenemende orgelklanken die vanuit de diepte opstegen en de ruimte onder het gewelf vulden. Iedereen die zich daar bevond, bleef staan en blikte eerbiedig in de duizelingwekkende afgrond, waarin een organist zich aan het oefenen had gezet. Wát hij speelde, wist Erik niet, maar het geweld waarmee de klanken uit de machtige orgelpijpen wegschoten, greep hem naar de keel. Hij kon amper zijn tranen bedwingen en toen hij heimelijk naar Inge keek, zag hij dat ook zij haar ontroering wegslikte. Aan de overkant van de koepel stond een groepje Japanners, als in trance, de ogen ten hemel geheven. Dit wás ook een goddelijk moment, te groot voor welke woorden dan ook, waarin de ziel onweerstaanbaar aan het bloeden ging. Erik voelde zich plots vol goedheid en geluk stromen, en raakte hierdoor ontredderd. De broederlijkheid onder de mensen, het medelijden, de solidariteit onder hele volkeren, het hing daar allemaal in de lucht.

Nadat de laatste orgelklanken waren verstomd, leek het of iedereen die er getuige van was geweest, moeite had om weer in beweging te komen. Alsof de muziek hen allen lam had geslagen. De rest van de afdaling werd in een ontzagwekkende stilte aangevat.

Deel III

Day after day, alone on a hill,
the man with the foolish grin is
keeping perfectly still
But nobody wants to know him,
they can see that he's just a fool
and he never gives an answer
But the fool on the hill sees the sun going down
And the eyes in his head see the world spinning round.
LENNON & MCCARTNEY, *The Fool on the Hill*

- 1988 -

TOEN ERIK ZIJN DAGBOEK VAN HET VOORBIJE JAAR nog eens doorbladerde alvorens het bij de andere op te bergen, viel het hem op hoe vaak Bennie erin voorkwam. Wat hem mateloos aan die jongen irriteerde, scheen ook datgene te zijn wat hem fascineerde. Soms zat Erik hem, aan tafel bijvoorbeeld, onopvallend te observeren, want als hij doorkreeg dat iemand hem bekeek, was het hek van de dam. Zijn gezicht verstrakte meteen tot een masker en boos vroeg hij waarom je hem beloerde.

'Dat doe ik niet,' loog Erik.

'Jawel, jij kijk mij af!'

'Je droomt, Bennie.'

'Máámáá!'

'Ja, wat is er?' klonk het vanuit de keuken.

'Die Erik *pessmij* weer.'

'Zeg, hou nu eens op, allebei!', alsof ze het tegen twéé kinderen had.

'Goed, als het zo zit, dan zal ik met mijn ogen dicht moeten eten.'

Daarna was het Bennie die schichtige blikken in Eriks richting wierp, tot hij ervan overtuigd raakte dat hij niet langer werd bespied.

Ook op straat of in de winkel kon het gebeuren dat hij opeens het onschuldige slachtoffer meende te zijn van iemands nieuwsgierige blikken, alsof hij er zich stilaan van bewust werd dat hij 'anders' was. Zolang hij zijn mond hield of geen dwaze streken uithaalde, viel hij nochtans niet op. Alleen die wat wazige, starende ogen en zijn houterige bewegingen konden hem verraden. Maar wie liep er nooit eens te dagdromen?

En nu wilde hij van Inge weten waarom hij uitgerekend naar dié school ging. Verwonderd, maar ook een beetje op haar hoede vroeg ze wat hij juist bedoelde.

'Er is veel te veel rare kinderen daar,' antwoordde hij ontevreden, en enkele dagen later vernam Inge van zijn lerares dat hij weigerde naast leerlingen te zitten die een of ander zichtbaar lichamelijk gebrek vertoonden. Buiten het klaslokaal maakte het weinig verschil uit, want sinds Tinne naar een andere school was vertrokken, duldde Bennie zelden of nooit gezelschap. Hij stond bekend als een koppige eenzaat, die je best met rust liet.

'Wil jij dan geen vriendjes?' vroeg Inge, waarop hij zonder aarzelen neen schudde.

'En waarom niet?'

'Die lach mij uit.'

'Dat is maar een gedacht.'

Hij bleef evenwel bij hoog en bij laag volhouden dat hij het pispaaltje van de hele school was. Iedereen was tegen hem en hijzelf was met niemand solidair. Alleen bij de leerkrachten probeerde hij meestal op een goed blaadje te staan, zolang ze tenminste geen dingen van hem verlangden die niet strookten met zijn opvattingen. Zo had hij onlangs, bij wijze van behendigheids- en concentratieproef, met een speelgoedboogje en een pijl met een rubberen dopje op een schietschijf moeten mikken. Terwijl de andere leerlingen stonden te popelen van ongeduld om aan de beurt te komen, had hij die 'doodschieter' zonder omhaal in de eerste de beste vuilnisbak gekieperd. Want zoiets was veel te gevaarlijk en dus niets voor kinderen.

'Hij ziet gewoon het verschil niet tussen lachen en uitlachen,' zei de juffrouw, 'zelfs het onschuldigste grapje beschouwt hij als een zware belediging.'

Bennie had inderdaad nog steeds geen gevoel voor humor. Hij vatte alles letterlijk op en zette bij het minste zijn stekels overeind. Daar kwam nog bij dat hij slecht hoorde en zich vlug druk maakte om woorden die niemand had uitgesproken. Misschien stond hij daarom zo weigerachtig tegenover mensen die hij niet goed kende, hoewel hij zelf dan weer geen blad voor de mond nam als het erop aankwam.

De eerste keer dat de hoofdredacteur van het tijdschrift

waaraan Erik meewerkte en zijn charmante echtgenote op bezoek kwamen, zat Bennie hen aan tafel de hele tijd schaapachtig aan te kijken. Iedere oogopslag in *zijn* richting werd evenwel onmiddellijk met een nurkse trek op zijn gezicht afgestraft. Tot hij opeens doorkreeg dat de vrouw tegenover hem lichtjes loenste. Nieuwsgierig fronste hij zijn wenkbrauwen en hij boorde zijn onbeschaamde blik in haar ogen. Erik, die nattigheid voelde, zei dat hij daarmee moest ophouden, maar na enkele minuten werd het Bennie weer te sterk.

'Bennie!' riep Inge nu ook, in een poging het naderende onheil af te wenden. 'Heb je niet gehoord wat Erik zei? Eet liever je bord leeg.'

Maar het was al te laat. De woorden die op zijn tong hadden liggen sudderen, braken onhoudbaar naar buiten.

'Die mefrouw daar kijke beetje scheel!'

In de stilte die daarna viel, kon je de meubelen horen ademen. Erik schraapte nerveus zijn keel en Inge vroeg met een dun stemmetje of er misschien nog iemand koffie wilde. Maar Bennie hield voet bij stuk.

'Hoe komt zo zijt?' drong hij aan, terwijl hij de vrouw van de hoofdredacteur ononderbroken fixeerde.

'Wat zegt hij?' vroeg ze, een beetje beduusd.

'Jij ogen kijken zo raar,' antwoordde Bennie, nog vóór Erik of Inge iets beters hadden kunnen verzinnen.

'Bennie,' zei Erik, die zijn verdere medewerking aan het tijdschrift al in rook zag opgaan, 'ga onmiddellijk naar je kamer.' Zijn stem trilde van ingehouden woede. 'Vooruit!'

'Och, laat hem,' suste de hoofdredacteur, 'hij bedoelt er vast niks kwaads mee,' en ook zijn vrouw scheen het sportief op te pakken. Veel kon ze er trouwens niet tegenin brengen, want bij nader inzien kruisten haar ogen elkaar inderdaad op een onzichtbaar punt ergens in de ruimte.

's Anderendaags riep Inge haar zoon op het matje. Ze trachtte hem aan zijn verstand te brengen dat hij in het vervolg wat beter op z'n woorden moest letten, want dat hij daarmee mensen kon beledigen en zodoende nooit vrienden zou maken. Maar dat was zijn laatste zorg, hij was toch van plan om later, als hij groot was, helemaal alleen te gaan wonen. Hij kende trouwens al meer dan genoeg mensen, vond hij, en anders raakte hij nog meer in de war.

'Want, je weet,' legde hij uit, 'ik ben een zenuwpees!'

En daar kon hij niets aan doen omdat hij zo geboren was, voegde hij er nog aan toe. Inge was natuurlijk altijd welkom in zijn huis en, na wat aandringen, Erik blijkbaar ook, als hij zich tenminste niet te veel met alles en nog wat bemoeide. Ze moesten maar laten weten wanneer ze op bezoek kwamen en dan zou hij voor ieder één flesje bier in huis halen.

Iedere frank die Bennie kreeg, kwam in zijn spaarpot terecht en geregeld zat hij als een vrek zijn geld te tellen. Van de waarde ervan had hij nochtans geen benul. De prijs van een brood schatte hij op duizend frank en een auto op ongeveer het dubbele.

'Weet je wat,' zei Erik treiterig, 'om het weer goed te maken, mag hij ons vanmiddag op een stuk taart trakteren, hij is toch rijk genoeg.'

Maar daar had Bennie geen oren naar. Geld diende niet om aan zoiets uit te geven.

'Ah nee?' zei Inge. 'En hoe ga jij dan later aan eten geraken?'

'Hij gaat op jacht,' spotte Erik, 'met pijl en boog...'

'Gewoon, met centen uit de muur natuurlijk!'

Verbaasd keken Erik en Inge elkaar aan.

'Centen uit de muur?'

Bennie knikte overtuigd. Zuchtend stond Erik van zijn stoel op en hij rekte zich uit.

'Ik denk dat ik nog maar wat lessen ga voorbereiden,' zei hij op een meewarige toon.

Toen herinnerde Inge zich opeens dat ze de dag voordien met Bennie naar de winkel was geweest. En dat ze onderweg aan een Mister Cash-automaat waren gestopt.

Tegen zo'n rotdag bestond er maar één remedie: trainingspak en loopschoenen aantrekken, en de bossen in. Maar ook dat wilde niet zo best lukken vandaag. In plaats van zijn longen vol zuurstof te pompen, liep Erik te hijgen en te puffen als een astmalijder. Het leek of zijn zolen met lijm waren ingesmeerd en na amper drie kilometer gutste het zweet in straaltjes van zijn gezicht en moest hij overschakelen op een stapritme. Zijn hart ging tekeer als een opgejaagd konijn.

Na een schooldag als deze voelde hij zich een doorgeefluik dat 's ochtends werd geopend en 's avonds, na het laatste belsignaal, opnieuw werd dichtgeklapt. Hoe had hij zo'n hekel kunnen krijgen aan een beroep waarvoor hij toch zelf had gekozen? Bijna verlangde hij ernaar dat iemand anders de beslissing voor hem zou nemen en dat hij aan de deur werd gezet, zoals zijn onfortuinlijke collega's die plaats hadden moeten ruimen voor andere met meer diensttijd. Maar wat dan?

Onlangs had hij nog eens een gooi gedaan naar een deeltijdse vacature in het universitair onderwijs. Ook ditmaal was het met een sisser afgelopen en hadden ze een pas afgestudeerde aangesteld. Erik begreep er niets van. Tot de muzikale professor die destijds deel had uitgemaakt van de examenjury en die vaak in adviesraden en selectiecomités zetelde, hem vertelde dat hij bij het solliciteren beter in alle talen zweeg over zijn doctorstitel, omdat hij anders geen schijn van kans maakte. Eerst dacht Erik dat hij de brave man slecht had verstaan, maar de hoogleraar hield vol dat kandidaten zónder academische graad altijd voorrang kregen, want die konden ze na enkele jaren probleemloos wandelen sturen. Nee maar, dat Erik ooit zo naïef had kunnen zijn! Z'n diploma was dus een lege huls, een scheet in een fles. En voor dat vodje papier had hij vijf jaar van zijn leven opgeofferd en zijn relatie met Inge op het spel gezet. Stomme klootzak dat hij was geweest. Vloekend zette hij het weer op een sukkeldrafje, vervuld van naargeestige gedachten die als inktvlekken in zijn hersenen drongen.

'Herselen' zou Bennie zeggen. Vorig weekend had hij met alle geweld willen weten wat er nu eigenlijk mis met hem was.

En of hij die prentjes van zijn 'rare kop' eens mocht zien.

'Prentjes? Welke prentjes?' had Inge gevraagd.

Tot bleek dat hij de röntgenopnamen bedoelde die jaren geleden van zijn weerbarstig hoofd waren gemaakt. Dat wist hij dus nog.

Inge had blijkbaar ook een zwarte dag gehad. Toen Erik daarstraks thuiskwam, klaar om zijn klaaglitanie af te steken, had hij het gelukkig meteen gemerkt: haar ogen zagen rood en om haar mond schemerde dat droevige trekje dat hij ondertussen maar al te goed kende. De demon van de vertwijfeling en van het zelfmedelijden had weer toegeslagen!

'Is er iets?'

'Wat zou er zijn?'

'Ik weet niet, je ziet eruit als iemand die hoofdpijn heeft, zou ik zeggen.'

'Och, dat gaat wel over.'

'Weer aan het piekeren geweest?'

Haar neen klonk weinig overtuigend.

'Wil je erover praten?'

'Liever niet.'

Maar even later deed ze het toch. Het was een bekend verhaal dat geregeld weer opdook en waar Erik alleen zwijgend naar kon luisteren, wachtend op het onvermijdelijke breekpunt. Waarom uitgerekend háár zoon zo ter wereld was gekomen en dat hij misschien maar beter niet geboren was, want dat hij nooit ofte nimmer een gewoon leven zou kunnen leiden en altijd hulp nodig zou hebben, en wat er van hem moest worden als zij er later niet meer zou zijn, enzovoort, de ene doemgedachte aan de andere geregen, tot ze haar tranen niet langer de baas kon en de woorden snikkend in haar zakdoek bleven steken. Wat kon Erik ertegen inbrengen? Al wat ze zei, was waar.

En toch ook weer niet. Want welke jongen had zo'n onverbrekelijke band met zijn moeder? Niets van wat hij voor haar deed of voelde, was gespeeld of met een bijbedoeling, want huichelen kón hij doodeenvoudig niet. Bennie was gedoemd tot eerlijkheid. Zijn onschuldig geflirt met Inge was even hartverwarmend als zijn stijfkoppigheid onuitstaanbaar. Als hij blij was met iets, dan kende zijn vreugde geen grenzen, en wat hij in zijn kop had, had hij warempel niet in zijn kont.

'Wie weet,' troostte Erik, die zich Bennie niet eens kon voorstellen als een normaal kind, 'misschien is dat het ware geluk: overal en altijd zichzelf zijn.'

Inge haalde moedeloos haar schouders op, maar het grootste verdriet was, zo te zien, voorbij. De wanhoop was weer voor een tijdje bezworen.

Het huis kwam in zicht. Het stond in een rustige straat, een eindje buiten het dorp, te midden van het groen. De streek was voorlopig gespaard gebleven van een al te grote verkavelingswoede of van verminkende projectontwikkelaars en betonbaronnen. Alleen tijdens het weekend was de hemel gevuld met het geronk van sportvliegtuigjes die van een naburig vliegveldje opstegen, beladen met valschermspringers. Vorig jaar hadden ze één van die roekelozen van de grond moeten schrapen. Niemand wist of het een ongeluk of zelfmoord was geweest, want met de parachute bleek niets mis.

Tijdig aan het koordje trekken om de val, waaraan we vroeg of laat allemaal beginnen, wat af te remmen, daar komt het op aan, dacht Erik, terwijl hij zich inspande om er nog een spurtje uit te halen. Zou hij het aandurven ontslag te nemen in de school en van zijn artikelen, af en toe een lezing en misschien wat vertaal- en correctiewerk te leven? Of was dat zoiets als springen zonder valscherm?

Toen hij buiten adem zijn chronometer afdrukte, markeerde hij een absoluut dieptepunt in zijn jarenlange solitaire joggerscarrière.

Een oude hond laten afmaken en hem daarna eigenhandig onder een laag modder bedelven, deed pijn. Hem jaren later weer zien opgraven, viel al evenmin mee. Het stuk tuin waarin hij lag, was door Eriks ouders verkocht aan zijn zus, die er een huis op wilde bouwen. Erik had zich daar niet tegen verzet, het bleef tenslotte in de familie, maar het was met lede ogen dat hij toekeek hoe struiken en bomen één voor één werden omgehakt en het oude rommelhok waar grootvaders motor had gestaan met de grond gelijk werd gemaakt. Het rook er altijd naar smeerolie, leder en benzine, en alles bij elkaar moet de knutselaar er maanden van zijn leven in hebben doorgebracht met het uiteenhalen en weer ineenflansen van zijn 'machientje'. Niets gooide hij weg. Duizenden schroefjes en moertjes, verroeste spijkers, kapotte onderdelen en halfverteerde rubberen buisjes bewaarde hij daar in lege verfpotten en afgedankte dozen of emmers. En nu dat allemaal in een grote afvalcontainer werd gegooid, kon hij niet eens de moeite opbrengen uit zijn luie stoel te komen. Misschien wilde hij ook dàt liever niet zien, zoals hij voor alles zijn ogen sloot.

Van de ene op de andere dag was de tuin uit Eriks jeugd onherkenbaar veranderd. Was hij dan echt de enige die zoiets betreurde? Vader en moeder leken er zich in ieder geval niet veel van aan te trekken, integendeel, die waren blij dat ze in de toekomst minder maai- en snoeiwerk zouden hebben. Alleen grootmoeder stond het van achter het raam klaarblijkelijk met gemengde gevoelens gade te slaan. Zij had die tuin ooit helpen aanleggen.

En nu was het dus de beurt aan de graafmachine die de grond tot op een diepte van meer dan een meter zou omwoelen. Ruim voldoende om het kadaver weer boven te halen, of wat er nog van restte. Gespannen stond Erik toe te kijken hoe die getande grijparm steeds dichterbij kwam, in de grond verdween en er een gulzige hap uitnam, die wat verder op een hoop werd gegooid. Zag hij daar geen beenderen of een stuk schedel in het zand? Er zat zelfs nog een taai stuk vacht aan vast. Was dat alles wat ervan overbleef? Een paar knoken en wat leerachtige lappen huid. Maar die volstonden om de Ierse setter vanuit zijn gedachten recht de tuin in te zien rennen. Ooit was dat vieze, ineengeklitte haar zacht en kastanjebruin geweest. Erik had het gestreeld en geborsteld tot het glansde van gezondheid. 's Morgens, als het tijd was om op te staan, stuurde moeder de hond naar boven. Hij bleef blaffen en aan de dekens sleuren tot de slaper uit zijn bed kwam, daar kon geen wekker tegenop. Wat was het allemaal lang geleden. En tegelijkertijd lag het daar voor het grijpen.

Erik smeet de resten terug in de kuil en ging naar binnen, waar hij grootmoeder compleet in verwarring aantrof. Doorheen een onzichtbaar vlies was zij, als Alice in Wonderland, in een andere werkelijkheid gestapt waar het krioelde van vreemdsoortige wezens: vogels met lange, puntige snavels, klapwiekende insekten, monsterachtige spinnen en zwijgende gezichten van dode mensen die plots opdoemden en weer even snel verdwenen. De wereld van Jeroen Bosch. De muren om haar heen stortten geluidloos in en zelfs de vloer dreigde het te begeven.

'En bekijk die cijfers maar eens,' zei ze met een wilde blik in haar ogen.

'Welke cijfers?' vroeg Erik, die ondertussen wist dat hij in zo'n situatie het best kalm kon blijven. 'Ik zie geen cijfers.'

'Ah nee?' riep ze opgewonden. 'En wat zijn dát dan?'

Ze toonde hem haar blote bovenarmen, want die stonden vol zwarte getallen en raadselachtige tekens. Dat zag hij toch wel?

'En trap verdorie niet in dat gat daar,' sprak ze vermanend, 'want het ziet er diep uit.'

Geduldig zette Erik een stap opzij, maar dat had hij blijkbaar niet mogen doen. Een losgeraakte steen trof hem midden op zijn kalende kruin en kaatste dan als een rubberbal omhoog.

'Amaai!' krijste grootmoeder geschrokken, terwijl ze met beide handen haar tollend hoofd vastgreep. 'Deed dat niet zeer?'

Op hetzelfde moment leek het of er in haar verkalkte hersenen een knopje werd ingedrukt, waarna ze van het ene op het andere moment terug naar het hier en nu werd geflitst. Verbaasd keek ze rond en betastte de armleuningen van haar stoel alsof ze er nog altijd aan twijfelde dat het deze keer geen inbeelding was. Dan maakte de achterdocht op haar gezicht plaats voor opluchting. Grootmoeder was terug van weggeweest. Voor hoelang, dat wist niemand.

Pas toen hoorde Erik het rustige gesnurk van grootvader die, zoals altijd, languit op de sofa lag. In welke wereld *hij* de hele dag vertoefde, daar had je het raden naar. Misschien zat hij, ver weg van alles en iedereen, boven op een bergtop van de Zwitserse Alpen uit te kijken over zijn geliefde Lauterbrünnen, waar hij alleen nog in zijn dromen kon weerkeren. Of raasde hij op zijn motor over een weg van vooroorlogse keikoppen. Al viel het te betwijfelen of hij veel verder keek dan de smoezelige zakdoek die ook nu weer zijn gezicht bedekte en die op en neer ging op het ritme van zijn reutelende ademhaling.

'Spermapenisspermapenisspermapenis...'

Erik schrok op uit zijn boek. Had hij dat goed verstaan?

'...mapenissperma...'

'Wat krijgen we nu?'

'Hij heeft deze week seksuele voorlichting gehad,' lachte Inge, 'vandaar...'

'Geven ze dat daar ook al?'

'Ja, waarom niet?'

Kwaad kon het in geen geval, dacht Erik. Hij was het voorval van vorige zaterdag nog niet vergeten. Zij hadden die avond bezoek gehad van nicht Mimi, die Inge in lange tijd niet meer had gezien, en haar man Walter, een vertegenwoordiger in schoenen, die alleen in voetbal geïnteresseerd leek en een vurig supporter van KV Mechelen was. Klokslag tien uur hoorden ze Bennie uit de badkamer komen, want in het weekend was dat zijn vast uur om te gaan slapen. De hele avond was hij niet beneden geweest en toen Inge hem riep om de bezoekers nog even te groeten, verwachtte Erik hetzelfde scenario als altijd: Bennie die met een lang gezicht de huiskamer binnenkwam en halsstarrig weigerde ook maar één woord te zeggen. Maar opeens verscheen hij daar in het midden van de living met een paal van een erectie. Het leek of een paar dwerg-Indianen hun wigwam in zijn pyjamabroek hadden opgeslagen.

'Olala!' grinnikte Walter, waarna hij de rest van zijn commentaar wijselijk inslikte en naar zijn sigaretten greep.

Mimi knipperde met haar lange wimpers, alsof ze haar ogen niet geloofde, en keek toen vragend naar Inge, wier mond van verbazing openviel. Erik, die juist van zijn bier dronk, verslikte zich en kreeg een hoestbui. De enige die zijn gezicht in de plooi hield, was Bennie zelf. Schijnbaar onbewogen, zich niet bewust van de schokgolf die hij veroorzaakte, stond hij af te wachten wat er komen ging.

Inge herpakte zich het eerst. Zij kuchte haar verbazing weg en zei toen met onzekere stem dat hij Walter en Mimi moest groeten. Buiten alle verwachtingen stapte hij gehoorzaam en met afgemeten passen recht op Mimi af, alsof hij haar zonder pardon aan zijn dolk ging rijgen.

'Dag... heu, Bennie,' zei ze gegeneerd, terwijl hij haar stijfjes de hand drukte.

Inge drong er deze keer niet op aan dat hij beleefd moest antwoorden.

'Wat is hij groot geworden!' riep nicht Mimi uitgelaten, waarna ze opeens hikkend in een zenuwlachje schoot en rood werd tot achter haar oren. 'Enfin, ik bedoel...'

'Zeg dat wel,' meesmuilde Walter, ''t wordt zo te zien een hele piet.'

'En nu rap naar bed!' zei Inge. 'Het is al laat.'

Maar Bennie verroerde geen vin en monsterde de bezoekers met een argwanende blik.

'Vooruit, Bennie,' herhaalde Erik, ''t is hóóg tijd.'

Walter stroomde blijkbaar over van binnenpretjes. Hij stak een sigaret op en blies de rook door zijn neusgaten gniffelend weer naar buiten, terwijl hij Bennie geamuseerd aankeek. Die wuifde ostentatief de walm weg en bromde: 'Straks zul hier hard stinken, mama heef niet graag.'

Walters glimlach bevroor op zijn gezicht, waarbij er kleine

grijze wolkjes van tussen zijn lippen kwamen. Hij deed of hij niets had gehoord en tikte de as van zijn sigaret. En ondertussen bleef Bennies piemel als een vermanende vinger in de hoogte wijzen.

'Kom,' drong Erik aan, ''t is nu welletjes geweest, maak dat je in je bed ligt.'

'Ja,' zei Inge, 'of je bent morgen niet uitgeslapen.'

Ze stond op en greep hem zachtjes bij de schouder, maar Bennie bood weerstand.

'Die daar kijk mij af,' zei hij wrevelig in de richting van Walter, die nu een beetje ongemakkelijk van Mimi naar Inge keek, vervolgens een paar nerveuze trekken aan zijn sigaret deed en diep inhaleerde. 'En die heb ook een raar gezicht,' voegde Bennie er nog aan toe.

Twee-één, dacht Erik vergenoegd, want Walter leek hem hoe langer hoe onsympathieker.

'Komaan nu,' gebood Inge om erger te voorkomen, maar Bennie rukte zich opnieuw los en wendde zich ditmaal tot Mimi.

'Heef mama over de noteboom geverteld?' vroeg hij doodernstig.

'Welke noteboom?' stamelde Mimi.

'Die achter in de tuin staat,' zei Inge met een knipoogje.

'Ah, dié noteboom,' giechelde de nicht, om er vanaf te zijn, 'ja, natuurlijk, dat ze daarvan heeft verteld.'

Maar Bennie hield vol.

'Die heb zóóó takken!' riep hij geestdriftig, terwijl hij zijn handen als vleugels uitsloeg waardoor zijn broek nog meer ging spannen, 'en in de herfst zal ik veel bladrijf doen.'

Mimi knikte krampachtig, ze scheen lichtjes in paniek te raken.

Erik kon het ineens niet meer aanzien hoe die halvegare Cupido zichzelf daar belachelijk stond te maken. Hij sprong overeind en trok Bennie mee de kamer uit, op de voet gevolgd door Inge. Achter hen klonk gedempt gelach en begon Walter onverstaanbaar te smoezen. Die vetlap met zijn blotebillengezicht had eindelijk iets anders dan de laatste voetbalveldslag om zich over op te winden. Tegen dat Bennie boven was en onder de wol kroop, hadden de Indianen hun tent weer afgebroken.

'...spér-má-pe-nís-spér-má...'

'Nu is het genoeg geweest, hoor Bennie,' zei Inge, 'ruim liever die rommel hier eens op.'

Sinds een tijdje had hij zijn losse blaadjes en papiertjes ingeruild voor boeken speelkaarten. De mooiste bewaarde hij netjes in een kast en met de andere legde hij wegen of golfbrekers aan en bouwde hij telkens weer dezelfde huizen met wel vier verdiepingen, als een vogel die nu eenmaal geen ander nest kan maken of een spin die maar één patroon kent bij het weven van haar web. Urenlang kon hij zich daar in stilte mee bezig houden, tot hij er plots genoeg van kreeg en er een storm opstak die alles in één klap neermaaide. Het puin liet hij gewoonlijk liggen waar het lag.

Tegen zijn zin begon Bennie de resten op te ruimen van wat een ziekenhuis was geweest, terwijl Erik zijn boek weer ter hand nam. Inge wilde weten wat hij las.

'Een roman die ik voor de krant moet bespreken, *De vrolijke eenzaamheid.*'

'Ken ik niet.'

'Hij is nog maar pas verschenen, van een zekere Koen Vermeiren.'

'Nooit van gehoord.'

'Ik evenmin. Zeker een debutant.'

'En is het goed?'

'Af en toe wat zwaar op de hand, en misschien bekijkt hij de wereld wat te veel vanuit zijn schrijfkamer,' zei Erik, 'maar voor de rest valt het wel mee.'

De kogel was eindelijk door de kerk, al was hij eerst links en rechts afgeschampt op een paar stevige pilaren en heiligenbeelden. Nu het zover was, sloeg Erik opeens de schrik om het hart. In het holst van de nacht schoot hij wakker en vroeg zich vertwijfeld af of hij toch niet wat te voortvarend was geweest. Blijven doorgaan zoals hij bezig was, kon evenwel niet meer. Die laatste depressie was er echt te veel aan geweest. In zijn dromen werd hij telkens weer bedolven onder een lawine van formulieren, lesvoorbereidingen, toetsen, evaluatierapporten en opstellen die hem dreigde te verstikken, terwijl de leerlingen en zijn collega's grijnslachend en werkeloos stonden toe te kijken. Iedere ochtend leek de schoolpoort zwaarder en groter, en overdag gebeurde het steeds vaker dat zijn hart op hol sloeg en zijn bloeddruk een duik nam die de grond onder zijn voeten op en neer deed gaan. Sporten deed hij nog wel, maar de tijden die hij liep, waren zo beschamend dat hij ze liever niet in zijn dagboek noteerde.

'Ritmestoornissen,' zei de cardioloog, 'ongevaarlijk in uw geval, maar wel heel vervelend. Slik wat Inderal en neem op tijd en stond ontspanning.'

Erik zag zichzelf al de weg van zijn vader inslaan, en die leidde regelrecht naar de operatietafel. Zover zou hij het niet laten komen! Maar eerst moesten er een paar hindernissen worden genomen.

'Dringend wat kalmer aan gaan doen,' antwoordde hij Inge, die hem bezorgd aankeek.

Dat gold beslist niet voor hun seksleven, want in bed had hij er de voorbije weken zo goed als niets van terechtgebracht. Zelfs zijn pornoblaadjes had hij in een neerslachtige bui bij het oud papier gestopt dat iedere maand door vlijtige scouts werd opgehaald. Dat kon nog voor verrassingen zorgen als die padvinders onder het waakzame oog van hun leiders in korte broek aan het sorteren gingen.

'Zei de dokter dat?'

Niet met zoveel woorden, maar Erik knikte.

'Makkelijker gezegd dan gedaan.'

'Ja, en daarom had ik gedacht...'

Ze wachtte geduldig tot hij verder zou spreken. Vermoedde ze wat er ging komen?

'...dat het misschien toch beter was over te schakelen op een halve lesrooster.'

Even ging haar linker wenkbrauw de hoogte in, een reactie die Erik had leren interpreteren als een soort emotionele barometer. Ditmaal wees hij voorzichtige twijfel aan.

'Wat vind jij daarvan?' drong hij aan.

'Gaat dat zomaar, in het midden van het schooljaar?'

'Waarom niet? Er zijn leraren genoeg.'

Hij zag haar rekenen. Hoeveel minder hij zou verdienen, wist hij zelf nog niet precies. Maar als hij nu niet met één voet uit dat saaie schoolsysteem stapte, dan zou hij er voor de rest van zijn dagen in vastroesten. Een bezadigd burger, wachtend op zijn pensioentje.

'En denk je dat we met z'n drieën van zo'n halve wedde kunnen leven?'

'Mijn artikels brengen toch ook geld op.'

Deze keer ging haar wenkbrauw iets hoger dan daarjuist.

'Ik zal er zeker dubbel zoveel kunnen schrijven,' zei hij, zonder zich af te vragen waar hij die allemaal kwijt kon. Dat waren zorgen voor later.

'En we zullen natuurlijk ook veel meer samen zijn,' fleemde hij, terwijl hij haar speels naar zich toe trok en in haar linkerborst kneep.

'Dat vreesde ik al,' zuchtte ze.

Toen wist hij dat hij zijn slag had thuisgehaald.

De directeur gaf minder snel toe. Hij wees erop dat de examens voor de deur stonden, dat hij zijn uurrooster nog maar eens zou moeten herschikken, dat Erik zijn toekomstige carrière op het spel zette, en toen dat allemaal niet hielp, dat er ook nog zoiets bestond als toewijding en trouw aan de school.

'Hoe komt het dan dat ik, na al die jaren, nog altijd niet ben benoemd?' vroeg Erik, terwijl hij zijn hart een tel voelde overslaan.

De directeur beet op zijn snor en keek Erik vorsend aan.

'Goed,' zei hij tegen zijn zin, 'als het zo zit... Maar denk eraan, mijnheer Taelman, weg is wég, nietwaar! Kom dus over enkele maanden weer niet om meer uren zeuren, want u begrijpt...'

'...dat zoiets niet kan,' gaf Erik ruiterlijk toe.

'C'est ça,' besloot het hoofd van de school met een ferm knikje, en daarmee was de zaak afgehandeld.

En nu lag Erik te draaien en te keren in zijn bed, gekweld door de vrees dat hij een vergissing had begaan. Als hij ooit aan de deur werd gezet, en die kans bestond, zou hij met heel wat minder stempelgeld tevreden moeten zijn, aangezien hij de helft van zijn uren vrijwillig uit handen had gegeven. En wat als hij met zijn artikels bleef zitten? Hij was tenslotte maar een losse medewerker aan al die bladen. Misschien had hij nu de tijd om eindelijk zijn studie over 'Ethiek en solipsisme' van onder het stof te halen en af te werken. Maar wie was vandaag nog in zoiets geïnteresseerd? Uitgevers klaagden voortdurend dat ze zulke teksten niet aan de straatstenen kwijt raakten. Waarom zou hij er zich dan moe aan maken?

Erik keerde zich voor de zoveelste keer zuchtend op zijn andere zijde. De digitale cijfers van de klokradio lichtten vlammend op in het duister: 2.30, te laat om nog een slaappil te nemen. Dan zou hij morgen als een zombie door het huis dwalen. Inges ademhaling was rustig en regelmatig. Zij lag tenminste niet wakker van zijn stommiteiten. Of had ze echt zoveel vertrouwen in hem?

Voorzichtig bewoog hij zijn hand, tot hij haar lichaam raakte. Opeens voelde hij zijn hart overstromen van liefde voor haar, en zij wist het niet eens. Zij sliep. Het ergste wat hem kon overkomen, was dat ze hem zou verlaten. Zij en Bennie. Die brabbelende paljas met zijn dwaze tics en zijn bokkig karakter. Zou hij die ook missen?

Dat was pas een vraag om wakker van te liggen, dacht Erik, terwijl hij zich nog maar eens op zijn andere zij wentelde.

'Dag Bennie, goed geslapen?' vroeg Inge.

'Weet ik niet,' snauwde hij.

'Hoezo, je weet het niet?'

Nukkig haalde hij zijn schouders op.

'Je weet toch wel of je goed of slecht hebt geslapen?'

'Heb ik deze keer niet op gelet!'

'Hoor dat aan,' lachte Erik, 'meneer heeft er niet op gelet.'

'En hoe komt dat dan?' drong Inge aan, terwijl ze Erik een teken gaf dat hij zich een beetje moest inhouden.

'Omdat zo is!'

'Dat is geen antwoord, Bennie.'

'Hoe kan ik nu weten?' viel hij uit. 'Ik kan toch niet weten!'

'Hela, een toontje lager kan ook, hé.'

Inge bekeek Erik met een zuinig gezicht.

'Is 't niet waar, misschien? Straks is ons ontbijt naar de knoppen, omdat hij daar met een verkeerd been uit bed is gestapt.'

'Je ként hem toch, hij heeft zo van die buien.'

'En moet hij daarom met fluwelen handschoentjes worden aangepakt?'

'Dat heb ik niet gezegd, maar...'

'Mijn gezindte gaat zwaar achteruit,' knorde Bennie.

'Zijn wát?'

'Hij bedoelt dat hij slecht gezind is,' legde Inge uit.

'Ja, dat had ik al begrepen.'

'En hoe komt dat, Bennie?'

'Omdat slecht weer is.'

Erik schudde meewarig zijn hoofd en nam nog een broodje. Inge bleef even kalm als altijd.

'Daar kunnen wij toch niets aan doen.'

'De weerman heeft geliegd!'

'Gelogen...'

Die had inderdaad zonnige opklaringen voorspeld in plaats van die druilerige, grijze lucht, en zoiets nam Bennie niet. Beloofd was beloofd, en nu voelde hij zich duidelijk benadeeld.

'Misschien wordt het straks wel beter,' troostte Inge, maar hij schudde ongelovig van nee.

'Komt allemaal door die stinkfabrieken,' klaagde hij, 'die heb de lucht geverpest.'

'Eet nu maar,' zei Inge, maar hij bleef koppig staan waar hij stond.

'Vandaag blijf ik kwaad!' kondigde hij doodernstig aan.

Dat deed de deur dicht. Erik zette zijn kopje koffie neer en schoof zijn stoel met een ruk achteruit.

'Aan tafel en zwijgen!'

Bennie verroerde niet.

'Oké, als het zo zit, ga dan maar rap terug naar boven.'

Hij loerde afwachtend naar Inge, die echter haar mond hield.

'Vooruit! En dat ik je niet meer zie tot die onnozele kuren voorbij zijn.'

Nog even aarzelde hij, maar toen hij begreep dat het gemeend was en dat Inge hem niet zou verdedigen, droop hij mokkend af. Ze hoorden hem met zware stappen de trap opgaan en met een klap de deur van zijn slaapkamer dichtgooien.

'Wat die wel denkt,' zei Erik, benieuwd naar Inges reactie.

Maar die gaf hem deze keer onverwacht gelijk.

Anderhalf uur later verscheen hij opnieuw beneden. Erik zat de krant te lezen, terwijl Inge een bad nam.

'En? Is de bui overgewaaid?'

Bennie ging naar het raam en keek aandachtig naar buiten.

'Nee,' zei hij teleurgesteld, 'nog altijd slecht weer.'

'Ik bedoel, of je al wat beter gezind bent?'

'Dat wel!'

'Ha, dan is het goed,' zei Erik, waarna hij weer in zijn krant dook.

Bennie sloop dichterbij.

'Jij mijn vriend niet meer?' vroeg hij voorzichtig.

'Nu weer wel, maar niet als je zo koppig bent als daarstraks.'

'Je weet,' zei hij met zijn wijsvinger in de hoogte, 'ik hang soms zoals de zot uit.'

'Jaja, dat weet ik.'

'Dat komt door mijn herselen,' lichtte hij toe, 'ik ben zo geboren, toen jij nog niet mij kende.'

Erik knikte begrijpend.

'Wacht! Ik zal eens met mij kop schudden, missien valt allemaal op de plaats.'
Heftig begon hij zijn wilde haren heen en weer te slaan.
'Pas maar op,' zei Erik, 'straks zie je sterren.'
Hij stopte en betastte zijn hoofd.
'Alleen 's nachts, als ik niet kunt slapen.'
'Kijk jij dan naar de sterren?' vroeg Erik verwonderd.
'Soms.'
'Dat wist ik niet.'
'Was vroeger ook?'
'Wat?'
'Sterren.'
'Ja, die zijn er al heel lang.'
'Twintig jaar?'
'Véél langer.'
'Dertig jaar?'
Erik verschool zich weer achter zijn krant, want als Bennie tegenwoordig op dreef kwam, stond er geen rem op.
'De zee is ook al oud,' ging hij onverstoord verder.
'Hmm.'
'En het strand.'
'Ook, ja.'
'En de bomen... en de huizen... en de mensen...'
Hij viel stil en leek over iets na te denken.
'Zijn veel te veel mensen,' mompelde hij toen, 'wat is meest, sterren of mensen?'
'Kijk hier,' zei Erik, om van zijn gezeur verlost te zijn. Hij toonde een krantefoto van een appartementsgebouw ergens in Zuid-Amerika, dat door een orkaan als een kaartenhuisje omver was geblazen. 'En er liggen nog zeker vijftig doden onder al die stenen. Erg, hé?'
Bennie staarde er met grote ogen naar. Alles wat het weer betrof, interesseerde hem.
'Ja,' gaf hij toe, 'is wel erg.' Toen leek hem plots een licht op te gaan. 'Maar is nu eindelijk minder druk op de wereld!' riep hij geestdriftig. 'Is beter voor het milieu.'

Ook al sprong hij van de hak op de tak, dacht Erik, helemaal zonder logica waren zijn hersenkronkels niet.

'Voilà,' zei grootmoeder, 'beeld maar geen klank, het moest er vroeg of laat van komen.'

'En houdt hij dat al lang vol?' vroeg Erik.

'Sedert vanmorgen heeft hij geen woord meer gezegd, de koppigaard.'

'Doen of je 't niet hoort,' grinnikte Erik, maar grootmoeder kon er niet om lachen.

'Ik word nog zot van die vent.'

Erik ging tot vlak bij de fauteuil en riep: 'Dag grootva! Alles goed?'

Veel meer dan wat gebrom kwam er niet van onder de zakdoek.

'Is hij ziek of zo?'

'Ziek? Bijlange niet.'

'Waarom doet hij dat dan?'

'Weet ik het. Om interessant te doen, zeker.'

Grootvader was drieëntachtig. Misschien stak zijn hoofd zo vol herinneringen en beelden, dat er geen plaats meer was voor woorden. Erik keek naar dat graatmagere lijf, waarvan de borstkas met kleine schokjes op en neer bewoog. Zoals grootvader daar lag, leek hij recht uit een concentratiekamp te komen.

'En straks krijg ik bezoek,' verzuchtte grootmoeder, 'twee achternichten die ik in jaren niet meer heb gezien. Wat zullen die wel denken?'

Dat was het dus. De kluizenaar duldde niet dat iemand zijn wereld, niet groter dan een paar kamers, binnendrong. Hij wilde niet worden gestoord, had alles en iedereen allang de rug toegekeerd. Volgens de dokter was hij nog best in staat de trap af te dalen en wat rond te wandelen in de tuin, maar grootvader had er gewoon geen zin meer in. Als morgen het hele dorp platbrandde, dan zou hij er niets van merken. Zijn leven was een trage pendelbeweging tussen de sofa en het bed geworden. Tussen slapen en vergeten. Iedere dag werd er weer een ander draadje doorgeknipt.

'Maar dat hij niet denkt dat hij daar de hele tijd als een voddenbaal blijft liggen,' riep grootmoeder, luid genoeg opdat hij het kon horen, 'want dat zal deze keer niet pakken, ik ga met hem niet in affronten vallen. Goed weten!'

Erik bekeek haar afwachtend.

'Hij kan een fatsoenlijk kostuum aantrekken of in zijn bed kruipen, zoals een echte zieke.'

Grootvader bleef doofstom. Sinds hij zelfs geen belangstelling meer kon opbrengen voor de voetbaluitslagen en de lotto was het met hem steeds sneller bergaf gegaan. Aan kansspelen had hij nooit kunnen weerstaan en zoals veel overtuigde gokkers meende hij dat er een systeem in het toeval viel te ontdekken. Nog niet zo heel lang geleden zat hij dagelijks dure cijfercombinaties uit te proberen, tot hij eindelijk meende de juiste te hebben gevonden, iedere keer opnieuw. Hij had een kleine lottomachine die op batterijen werkte en waarmee hij het rollen van de balletjes kon bestuderen. Welke methode hij gebruikte, kreeg niemand te horen, dat was zijn geheim. Tot ergernis van grootmoeder hield hij al zijn proefformulieren zorgvuldig bij tot na de trekking, en zo heeft hij toch eenmaal een hoofdprijs van enkele tientallen miljoenen gewonnen. Zes cijfers op rij plus het reservegetal. Helaas stonden ze op een lottobriefje dat hij niet had ingestuurd. Maar het was met een zekere trots dat hij de centen aan zijn neus voorbij zag gaan. Tegenwoordig kruiste hij met bevende hand telkens weer dezelfde cijfers aan en was hij al lang onder zeil voor het zaterdagse kenwijsje op de TV weerklonk. Wanneer niemand hem de uitslag meedeelde, vroeg hij er niet eens naar. In de plaats van het toeval was het noodlot gekomen.

'Dan ga ik maar weer,' zei Erik, terwijl hij langzaam opstond. Zijn wekelijkse bezoekjes werden iedere keer korter. Misschien zou grootvader hem op de valreep toch nog iets te zeggen hebben. Over zijn reizen naar Zwitserland of over de Grote Oorlog, de avontuurlijke smokkelroutes langs de Hollandse grens of de tijd dat hij als bakkersknecht van deur tot deur ging. Erik kende die verhalen over een vroeger dat steeds verder weg schoof bijna woordelijk van buiten, maar dat gaf niet. Práten, daar kwam het op aan. Die onzichtbare luchttrillingen die mensen met elkaar verbinden.

Maar grootvader bleef zwijgen. Een koppige oude dwaas die zich bibberend verschool onder een lapje stof. Als ik ooit zo word, dacht Erik, maak ik er zelf een eind aan. Of was het dan al veel te laat?

'En ik zal de groeten doen aan Inge,' zei Erik, nog vóór grootmoeder haar mond had geopend.

'Ja,' zei ze, 'dat is heel goed, jongen. En vergeet niet Inge een goeiendag te zeggen van mij!'

'Bennie?'

'Welja, waarom niet?' herhaalde Inge. 'Zo leert hij het stilaan.'

'Die kan mij toch niet volgen,' protesteerde Erik.

'Dat weet ik ook wel, maar loop dan voor één keer wat trager.'

'Geen denken aan! Daarmee ga ik niet beginnen.'

'Oké, laat hem dan een eindje meelopen, zo ver hij kan.'

'Wil hij dat zelf wel?'

'Hij is er al een paar maal over begonnen, maar durft het zelf niet aan jou te vragen.'

Erik stond in tweestrijd. Hij had geen zin om Bennie op sleeptouw te nemen, en hij wilde Inge niet teleurstellen.

'Maar ik ga er geen gewoonte van maken. Akkoord?'

Inge glunderde en riep Bennie, die boven, zoals gewoonlijk, met zijn kaarten zat te spelen. Ze gaf hem een oud trainingspak van zichzelf en zei dat hij zich vlug moest omkleden.

'En deze keer de deur niet op slot doen!' riep ze hem achterna, want sinds vorige week was ze er niet helemaal gerust meer in.

Bennie had zich toen bijna een halfuur in de badkamer gebarricadeerd, zonder gevolg te geven aan Inges geklop en angstig geroep. Ten einde raad had Erik met een schroevedraaier het slot geforceerd, en daar stond hij: met zijn broek op zijn hielen en een grote schaar in zijn hand, waarmee hij volop bezig was ieder schaamhaartje af te knippen. Erik had hem meteen een goedgeplaatste lel op zijn blote billen willen verkopen, maar Inge was hem ditmaal voor geweest. Ze had haar eigenzinnige zoon als een zak dooreengeschud, tot de schaar kletterend op de vloer viel. Toen ze hem daarna, enigszins gekalmeerd, vroeg wat hij in hemelsnaam van plan was geweest – al bestond daar weinig twijfel over, vond Erik – kreeg ze te horen dat hij niet van dat vieze haar op zijn buik wilde. En op zijn gezicht evenmin, want ieder sprietje dat daar groeide, trok hij zorgvuldig uit, zodat zijn kin en wangen voortdurend met zweertjes en puistjes overdekt waren. Erik vroeg zich af wat dat ging worden als die kwibus in zijn puberteit kwam. Wie weet wat hun dan nog te wachten stond.

'Klaar?'

Bennie knikte zenuwachtig. Hij stond te trillen op zijn benen en de spanning was van zijn gezicht af te lezen. Dit was een groot moment voor hem.

'Komaan, dan vertrekken we.'

Alhoewel Erik alle moeite deed om het tempo laag te houden, liep Bennie al na amper een kilometer zwaar naar lucht te happen. Zijn bewegingen waren stroef en houterig, en een paar keer struikelde hij bijna over zijn eigen voeten. Dat houdt hij geen vijfhonderd meter meer vol, dacht Erik, hij trapt nu al op zijn tong. Hij vertraagde nog een beetje, maar zelfs dan slaagde Bennie er niet in het ritme van zijn ademhaling op dat van zijn benen af te stemmen, of omgekeerd. Erik keek opzij en zag dat er grote zweetdruppels op Bennies voorhoofd parelden.

Dit was de jongen die hij ooit naar de hel had gewenst. Enkele keren had hij hem zelfs bont en blauw geranseld, hij die anders geen vlieg kwaad deed. Zou Bennie zich dat nog herinneren? Als het op data en concrete gebeurtenissen aankwam, had hij een olifantegeheugen. Hij zat ook steeds vaker in oude fotoalbums te bladeren, op zoek naar opnamen van zichzelf of van bekenden. Soms leek het of hij geobsedeerd was door het verleden, misschien omdat hij daarin alles en iedereen een vaste plaats kon geven. Of speurde hij naar iets anders? Een houvast voor al die chaotische beelden en indrukken die in zijn hoofd als gekooide vogels heen en weer fladderden, vruchteloos op zoek naar een uitgang?

'Door je neus inademen, Bennie, en niet zo snel.'

Hij deed verwoed zijn best om te volgen, dat zag Erik wel, wat kon hij dus nog meer van hem verlangen? Zijn lippen bewogen krampachtig, alsof hij iets wilde zeggen, maar er kwam alleen een onverstaanbaar geluid uit zijn keel, dat net zo goed een lach als een kreet van wanhoop kon zijn. Dit is het eeuwige dilemma met gehandicapten, dacht Erik: nóg iets trager dan dit sukkeldrafje en het is zelfs voor Bennie een belediging, en als ik er ook maar even flink de pas inzet, laat ik hem en al zijn problemen moeiteloos achter mij. Wat moest hij doen?

Het antwoord op die vraag woog opeens zo zwaar door, dat Erik vanzelf vaart minderde en weer gelijke tred met Bennie hield. Hij mocht Inges vertrouwen niet beschamen. En dat van haar zoon evenmin.

Het was Bennie die de knoop doorhakte. Hij bleef plotseling staan, schoof zijn handen als de bladen van een hegschaar in en uit elkaar, ten teken dat hij er genoeg van had of niet meer kon, en ging toen langs de kant in het gras zitten. Erik stopte eveneens en keerde op zijn stappen terug. Dan maar geen looptochtje vandaag.

'Wat nu? Gaat het niet meer?'

Terwijl zijn borstkas als een blaasbalg op en neer ging, schudde Bennie mistroostig nee. Erik verwachtte ieder moment tranen.

'Niks mee inzitten, volgende keer zal het wel beter gaan.'

Erik reikte hem de hand.

'Kom, blijf daar niet zitten, je gaat kou vatten.'

Maar Bennie kroop zelf overeind en samen wandelden ze zwijgend terug naar huis.

– 1989 –

'EEN TUINMAN,' BESLOOT DE JUFFROUW VAN HET PMS, 'dat lijkt ons de beste oplossing.'

Inge was het daar volkomen mee eens, 'maar hijzelf denkt er anders over,' zei ze.

'Ja, dat weet ik, hij wil momenteel liever metselaar worden.'

De voorbije maanden had Bennie van alles en nog wat moeten uitproberen, want op het eind van dit schooljaar moest hij een beroepskeuze maken. Leder-, hout- of metaalbewerking kwamen niet in aanmerking, dat vond hij allemaal veel te gevaarlijk. En alhoewel hij tuinbouw als een mooi tijdverdrijf zag, bouwde hij het liefst muurtjes om zich heen. Niet omdat hij zo graag omging met schietlood en truweel, maar omdat hij met water, zand en cement zo'n heerlijke smeerboel kon maken. Bovendien, en dat gaf de doorslag, zou hij later in staat zijn zelf zijn huis te bouwen, wat natuurlijk veel goedkoper uitkwam.

'Maar hij vergeet dat metselaars altijd in ploegverband werken,' zei de juffrouw, 'en dat is echt niets voor hem.'

'Wat doen we daaraan?' vroeg Inge.

'Voorlopig niets, hij mag in geen geval de indruk krijgen dat hij in een bepaalde richting wordt gedwongen. Laat hem nog maar wat met stenen en mortel spelen, en probeer hem ondertussen zoveel mogelijk bij het tuinwerk te betrekken. Dat doen ze hier op school ook.'

Bij die laatste zinnen had juffrouw Mertens zich nadrukkelijk tot Erik gericht. Hij knikte met een uitgestreken gezicht, maar vermeed Inge aan te kijken.

Tijdens de kerstvakantie had hij Bennie de sneeuwbes een flinke snoeibeurt laten geven. Toen hij een paar uur later kwam kijken wat de nieuwbakken tuinier ervan terecht had gebracht, waren er nog amper takken te zien. Bennie had ze bijna allemaal tot tegen de grond afgeknipt om, zoals hij zei, de struik wat meer lucht te geven. Erik had zijn bloed voelen koken en uitgeroepen dat het de laatste keer was geweest dat die tuinkabouter een snoeischaar in zijn handen had gehad.

'En dan is er nog iets,' zei juffrouw Mertens, nu op een heel andere toon.

Inges linker wenkbrauw reageerde onmiddellijk.

'We hebben namelijk nog eens een aantal tests afgenomen, waarover ik het met u zou willen hebben.'

Ze verdween heel even achter het deksel van haar Samsonite-koffertje en dook toen weer op met een stapeltje formulieren.

'De vroegere onderzoeken waren niet echt waardeloos,' zei ze, 'maar wel heel onvolledig. Door de aard van zijn handicap was Bennie niet altijd goed te bereiken.'

'En is dat nu veranderd?'

De PMS-assistente glimlachte.

'Laten we zeggen dat hij iets meer vertrouwen heeft gekregen in de mensen die met hem bezig zijn, maar het blijft moeilijk.' Ze nam een papier uit de hoop. 'Kijk, dit zijn de resultaten van een Stutsman en van een WISC. Daarmee meten we het globale intelligentieniveau.' Inge zat in spanning af te wachten. 'Het is duidelijk dat hij het best presteert bij nietverbale en enkelvoudige opdrachten, want als het ook maar iets ingewikkelder wordt, dan raakt hij hopeloos in de war en geeft hij het op.'

'Dat heb ik gemerkt,' zei Inge. 'Tijdens het weekend laat ik hem vaak korte verhaaltjes lezen, waarover ik dan vragen stel.' Mertens knikte goedkeurend. 'Langer dan een halfuur mag het nooit duren, want dan wordt hij kittelorig. Hij neemt ook altijd alles letterlijk op en als ik niet precies de woorden van de tekst gebruik, dan raakt hij volkomen het noorden kwijt.'

Onlangs had ze hem een stukje laten voorlezen uit een kinderboek van Gaston van Camp:

'Mijn fiets!' zegt Thijs. 'Mijn witte fiets! Hij stond daar tegen de gevel. En nu is hij ineens weg. Vanzelf. Hoe kan dat nu?' Thijs gelooft zijn ogen niet. Een fiets die vanzelf wegrijdt!

Plots stopte Bennie met lezen en hij keek Inge verwonderd aan.

'Die is gek, *ofwá*?'

'En waarom?'

'Omdat niet kunt.'

'Wat kan niet?'

'Ogen kunt toch niet spreken!'

'Nee, dat is een uitdrukking, een bepaalde manier om iets te zeggen.'

Inge deed haar best om het uit te leggen, maar hij bleef het een vreemde zaak vinden.

'Zeg liever eens wat er met de fiets van Thijs is gebeurd.'

'Die ziet wit uit.'

'Jaja, maar wat is ermee gebeurd?'

'Die staat tegen de gevel.'

'Juist, en toen?'

Hij dacht even na.

'Wat is de gevel?'

'Een muur.'

'Bruine of rode steen?'

'Wat doet dat er nu toe? Dat speelt toch geen rol.'

'In de school wel!' riep hij koppig.

'Maar hier niet, en geef nu antwoord op wat ik vroeg.'

Dat wist hij al niet meer.

'De fiets, Bennie, wat is er met de fiets van Thijs gebeurd?'

'Die rijdt zomaar vanzelf,' zei hij glunderend, 'zonder te trappen!'

'Zijn algemeen IQ schommelt rond de zeventig,' zei juffrouw Mertens, 'maar dat komt vooral door de slechte resultaten van de verbale proeven, want hij is wel degelijk in staat om te redeneren en dingen met elkaar in verband te brengen. Al maakt hij daarbij wel eens vreemde sprongen.'

'En die zeventig,' zei Inge, 'wat betekent dat eigenlijk?'

'Dat we zijn verstandelijke leeftijd op ongeveer negen jaar schatten, misschien iets meer.'

Het scheen Inge tegen te vallen.

'Hij heeft schrik om volgend jaar naar een andere afdeling over te schakelen,' zei ze, 'kan dat ook geen invloed hebben op zijn gedrag en zijn inzet?'

'Het zal ongetwijfeld een hele aanpassing vergen, maar we zijn nu al bezig hem daarop voor te bereiden.'

Ze legde het formulier weg en greep een blad met allerlei lijnen en tabellen.

'En dan is er nóg iets,' zei ze, 'u heeft zeker wel gemerkt dat Bennie nogal hard roept?'

'En of!' liet Erik zich ontvallen. Hij liep geregeld de muren op van dat gebrul. Bovendien was hij er al meermaals flink door in verlegenheid gebracht, want Bennie balkte altijd en overal even luid. Ook in winkels, cafés en restaurants.

Laatst waren ze, om Bennie te belonen voor zijn goed schoolrapport, met z'n drieën een dagje naar zee geweest. 's Avonds hadden ze in Brugge gegeten, in dat restaurant vlak bij de Burg waar Inge en Erik enkele jaren geleden waren geweest. Er was nog maar één tafel vrij, ongeveer in het midden van het restaurant. Tijdens het bestellen liep het al mis. Nadat het dienstertje – een fris jong meisje met een verleidelijke glimlach – de keuze van Inge en Erik had genoteerd, wendde ze zich tot Bennie.

'En voor de jongeman?'

'Hij neemt spaghetti,' zei Erik snel, maar Inge vond dat Bennie dat zelf moest zeggen. Erik bekeek haar indringend, in de hoop haar te doen inzien dat ze haar opvoedkundige lesjes beter voor later en elders bewaarde. Hoewel het erg druk was, bleef het meisje glimlachend met haar balpen in de aanslag staan.

'Vooruit, Bennie,' drong Inge aan, 'wat zal het worden?'

Geen antwoord. Erik voelde het schaamrood naar zijn kaken stijgen en op zijn voorhoofd begonnen kleine zweetdruppeltjes te prikkelen.

'Moet dat nu echt?' mompelde hij tegen Inge, maar die gaf geen krimp. Ze keek Bennie aan met een vragend gezicht.

'Hoe kan ik nu weten!' blafte dat stuk ongeluk, waarna hij de menukaart driftig van zich afwierp.

Erik had onder tafel willen kruipen en ook de dienster scheen nu toch even uit haar lood te zijn geslagen. Ze bekeek beurtelings Inge en Erik, en toen weer Bennie.

'Zeg, komt er nog wat van?' vroeg Erik met gedempte stem. Hier en daar zag hij mensen nieuwsgierig in hun richting loeren. Of was dat alleen maar inbeelding?

Inge bleef doodkalm en stopte haar zoon de menukaart opnieuw in handen. Hij wierp er een vluchtige blik op en riep toen, zo luid dat ze het meteen tot in de keuken konden horen, dat hij een grote pannekoek met bruine suiker wilde.

'Breng dan toch maar eerst spaghetti,' zei Inge, die nu ook begon te blozen.

Dadelijk wist het hele restaurant dat Bennie daar absoluut geen trek in had. En ook Eriks honger leek opeens te zijn verdwenen.

'Links heeft hij een verlies van meer dan veertig decibel,' zei de PMS-assistente, 'en door al die oorontstekingen is zijn trommelvlies zo beschadigd, dat er waarschijnlijk best operatief kan worden ingegrepen.'

Inge schrok zichtbaar, maar juffrouw Mertens stelde haar gerust.

'Ze nemen gewoon ergens een klein stukje huid weg en kleven dat op zijn trommelvlies,' zei ze, 'een paar dagen ziekenhuis, meer niet. Ik stel voor dat u bij gelegenheid een afspraak maakt met een oorarts.'

En daarmee was het onderhoud afgelopen.

'Wenst u Bennie misschien nog even te zien?' vroeg ze, terwijl ze op haar horloge keek. 'Over tien minuten gaan ze naar de slaapzaal.'

'Zou ik dat wel doen, zo midden in de week?'

'Waarom niet? Hij zal vast en zeker aangenaam verrast zijn.'

In het paviljoen van de Merels zat hij in pyjama aan een tafel een kaartenhuis te bouwen – alweer muren, dacht Erik – terwijl de rest van de internen naar de televisie keek. Toen hij Inge in de deuropening zag staan, leek hij te verstijven.

'Dag, Bennie.'

Zijn mond viel open van verbazing en hij keek haar en Erik aan alsof ze van een andere planeet kwamen. De dienstdoende opvoeder heette hen welkom, maar Bennie bleef koppig op zijn stoel zitten.

'Toe, Bennie,' zei de opvoeder, 'wat is me dat allemaal, zeg eens beleefd goedenavond.'

'Bruno,' zei Bennie koeltjes, waarna hij eerst nog even een muurtje dat het dreigde te begeven met een kaart stutte, 'wat doet mijn moeder hier?'

'Die komt jou slaapwel wensen, veronderstel ik.'

'Is toch geen vrijdag?'

'Nee, maar wat geeft dat?'

'Zo raak ik helemaal in de war met mijn herselen,' bromde hij, waarna hij zijn bouwwerk met één slag van de tafel veegde en opstond om gedurende welgeteld drie minuten zijn tanden te gaan poetsen.

'Maak dat mee,' zei Erik.

'Ja, 't is soms een rare snuiter,' lachte Bruno, 'maar zijn kaarten zal hij toch eerst behoorlijk mogen opruimen.'

De school en thuis waren voor Bennie twee aparte werelden, en blijkbaar wilde hij dat ook zo houden.

'Stel je voor,' hijgde Erik, 'zomaar, midden in een les, hop, ineens mijn stem kwijt!'

Inge bekeek hem met een ongelovige glimlach.

'Hoe kan dat nu?'

'En toch is het waar, zeg ik. Hoor je niet hoe hees ik ben?'

'Eigenlijk niet, nee,' zei Inge aarzelend.

Erik zuchtte, schudde niet-begrijpend zijn hoofd en liet zich in de fauteuil neervallen.

‘Op de koop toe barst ik van de hoofdpijn. Wat een rotdag.’

‘Wil je een aspirine?’

‘Ik weet niet.’

Maar Inge was al op weg naar de keuken. Erik kreeg het warm, deed zijn trui uit en legde die over zijn hoofd. Zijn hart bonsde in zijn slapen.

‘Hoe lig jij daar nu?’

‘Mijn ogen doen pijn, ik denk dat ik migraine krijg.’

‘Hier, drink uit.’

Moeizaam kwam hij overeind. Hij goot het bruisende goedje naar binnen en kroop weer onder zijn pullover. Doodop.

Tijdens het laatste lesuur was het gebeurd. Hij was juist begonnen met een uitleg over de Gouden Eeuw in Noord-Nederland, toen zijn stem het opeens begaf. Uit zijn keel kwam alleen nog een schor geluid, als van iemand die vreselijk verkouden is. Hoe hij ook kuchte, schraapte en slikte, niets hielp. In zijn luchtpijp zat een prop die tegen zijn adamsappel drukte en geen klank meer doorliet. De klas raakte lichtjes in beroering en hier en daar steeg gegiechel op uit de banken.

‘Volgende week geen Nederlands,’ hoorde hij iemand fezelen, ‘Vader Abraham heeft het goed zitten.’

Dus dat was zijn bijnaam in de school. Zelf zag hij de gelijkenis niet zo, zijn baard was stukken korter en zeker niet grijs. Hij liep naar de lavabo en vulde een plastic bekertje. Het water koelde zijn oververhitte keel wat af. Benieuwd hervatte hij zijn uiteenzetting, maar het leek nog altijd of er een demper op zijn stembanden stond en hij de lucht door een dun rietje moest blazen. Hij keek demonstratief de klas rond, terwijl hij een verontschuldigend glimlachje uitprobeerde. Wat kon hij anders doen?

‘Trek het u niet aan, mijnheer,’ riep een haantje-de-voorste, ‘dat doen wij ook niet!’

Algemene bijval. Erik nam een stukje krijt en schreef op het bord: ‘Handboek pagina 34, oef. 8 t.e.m. 10. Voor het volgende rapport!’ De rest van het lesuur verliep in stilte.

'Pas toen ik weer in de auto zat, voelde ik die zwelling in mijn keel langzaam wegtrekken,' mompelde hij, 'en nu is alles hier voos.'

Inge meende dat hij best dadelijk een huisarts raadpleegde, maar buiten een te hoge bloeddruk vond die niets abnormaals.

'Misschien een allergie,' giste hij, 'te veel krijtstof ingeademd of zo.'

Dat leek Erik onwaarschijnlijk.

'Het kan natuurlijk ook een tijdelijke overbelasting van de stembanden zijn geweest, en dan is zwijgen de beste remedie.'

'Of iets psychosomatisch?'

Maar dat vond de dokter dan weer wat vergezocht, al gaf hij toe dat het niet onmogelijk was.

'Zie je wel,' fluisterde Erik, toen de arts de deur uit was, 'ik moet dringend weg uit het onderwijs, of ik ga eraan kapot.'

'Daar gaan we weer,' zuchtte Inge, 'en dan zeker de hele dag artikels schrijven die niks opbrengen? Bekijk de situatie nu toch eindelijk eens zoals ze is.'

Alsof hij dat niet dééd. Onlangs had Erik een filosoof gelezen die beweerde dat het beroep van een man zoiets als zijn ruggegraat was. Indien het klopte, dan begon die van hem vroegtijdig krom te trekken. Straks ging hij er helemaal naar lopen. Het idee dat hij overmorgen opnieuw voor de klas zou staan, deed hem duizelen. Kreunend liet hij zich in de kussens zakken. Hij draaide zich op zijn linkerzij, weg van het raam, en verborg zijn hoofd weer onder zijn trui.

De natuur leek de tel kwijt. Alhoewel het volgens de kalender nog altijd winter was, stonden veel bomen en heesters al in bloei. Zelfs aan de gekortwiekte sneeuwbes verschenen overal groene twijgjes. Inge vond het een prachtgelegenheid om de liefde van haar zoon voor planten en struiken nog wat aan te wakkeren, en ook Erik had wel zin in een stevige wandeling.

Bennie was al langer gefascineerd door alles wat met het weer te maken had. Als hij de kans kreeg, sloeg hij geen enkel weerbericht op radio of TV over, tot grote ergernis van de andere internen wie het weinig of niets kon schelen wat de vooruitzichten waren. Daarbij had hij de vervelende gewoonte aangenomen de weerman te imiteren en eenmaal op gang was er geen houden aan.

'In de Ardennen en de Kempen, maar aan de kust ook en ook in Midden-Vlaanderen is de kans klein op sneeuw,' kondigde hij bloedserieus aan, terwijl ze met z'n drieën de zandweg naar het nabijgelegen bos insloegen. 'Natuurlijk ook in Oost- en in West-Vlaanderen en ook in Brabant is de kans klein,' voegde hij er ongevraagd aan toe, 'én in Limburg.'

Inge knikte.

'Maar,' zei hij, 'als droog en koud weer is en strenge vorst aan de grond en in de lucht is de kans veel meer groot, maar dan moet ook vriestempraturen zijn overdag.'

'Températuren,' verbeterde Inge.

'In januari is de kans nog veel meer groot, want januari is een rijke maand,' ging hij voort.

'Wat bazelt hij nu toch allemaal?' vroeg Erik. 'Januari, een *rijke* maand?'

'Och, laat hem doen, zeg gewoon af en toe ja en neen, meer niet.'

'Februari is ook nog kans, maar daarna zal milder worden.'

'Ja,' zei Erik.

'Maart komt regen en gesmelte sneeuw, en ook storm dat de takken afbreekt, alsof precies snoeiwerk van de wind. April stopt met kou, veel regen, de bomen hebt dan goed geslapen en de insekten is allemaal doodgevriesd. Hopentlijk komt in mei al enkele mooie dagen.'

Erik besloot te doen of hij hem niet hoorde.

'Dat boek waaraan ik ooit ben begonnen,' zei hij tot Inge, 'je weet wel, die bewerking van mijn doctoraat...'

'Wat is daarmee?'

'Ik denk erover na dat plan voorgoed te begraven.'

'Ah ja? En waarom?'

'Om te graven mag grond niet hard zijn en eerst zult nog véél kouder worden, met kans van nat weer,' mengde Bennie zich in het gesprek.

'Zeg, kan die zeurkous nu geen moment zijn mond houden, ik probeer iets uit te leggen en hij komt er alweer tussen.'

'Bennie, zwijg nu eens even,' zei Inge, 'Erik wil ook iets zeggen.'

'De kans is ook mogelijk dat bloemen zijn gebevriesd.'

'Bennie!'

'Lap, ik heb het zitten!' riep hij verschrikt.

'Wat is er dan?' vroeg Inge, meteen ongerust.

'Ik ben zwaar geverslaafd aan mijn gebabbel.'

'Tjonge, tjonge, wat die allemaal uitkraamt,' zei Erik, terwijl Inge in de lach schoot, 'je houdt het niet voor mogelijk.'

Toen Bennie wat achterbleef om een paar geschikte takken bijeen te sprokkelen, maakte Inge van de gelegenheid gebruik om haar vraag te herhalen. Erik trok futloos zijn schouders op.

'Het onderwerp interesseert mij nog wel, maar ik wil al mijn vrije tijd niet opnieuw in een saaie wetenschappelijke studie steken. Ik zou het deze keer anders willen doen, maar weet niet goed hoe. Begrijp je wat ik bedoel?'

Inge scheen zijn woorden te overpeinzen.

'Je hebt al zoveel romans gelezen en besproken,' zei ze toen, 'waarom schrijf je er zelf niet één?'

Verbaasd keek hij haar aan.

'Hou je me voor de gek, of wat?'

'Maar nee, ik meen het.'

'Ik een roman schrijven? Ach kom, laat me niet lachen.'

Ondertussen had de takmens hen weer ingehaald en waren ze aan een splitsing gekomen. Erik, die hier in lang niet meer had gewandeld, wist niet goed welke kant uit en ook Inge twijfelde, maar vermoedde dat ze linksaf moesten. Er ontspon zich een discussie waarin mannelijke koppigheid met vrouwelijke intuïtie op de vuist ging, tot Bennie er een eind aan maakte door te zeggen dat ze inderdaad links moesten afslaan.

'Voilà,' zei Inge, 'mijn zoon geeft mij gelijk.'

'Hij zegt zomaar wat,' bromde Erik, 'zoals gewoonlijk, 't is zeker twee jaar geleden dat hij hier is geweest.' Of had Bennie dan toch zo'n ijzersterk geheugen? 'En waarom naar links, als ik vragen mag, mijnheer betweter?'

Bennie bekeek Erik alsof hij versteld stond van zoveel domheid.

'Omdat de zon bijna zuidwest staat en ons huis ook daar is.'

Een paar honderd meter verder liepen ze weer op de vertrouwde weg.

Wat het de hele winter niet gedaan had, deed het in april: sneeuwen. Nog maar enkele dagen geleden was het ongeveer twintig graden geweest en opeens bleef de temperatuur rond het vriespunt hangen. En net nu bijna de hele tuin in bloei stond en Erik, samen met Bennie, een aantal boompjes had verplant. De Japanse kerselaar, die ieder jaar gedurende enkele dagen een rozerood gewaad aantrok, hield de adem in, maar de felwitte kersebloesem en de geurige seringen waren op één nacht dof en bruin verkleurd.

Ook Inge was de plotselinge weersverandering slecht bekomen. Zij rilde van de koorts en klaagde over een priemende pijn in haar rug. De dokter vreesde voor een nierbekkenontsteking en vond het raadzaam dat ze nog diezelfde avond in het ziekenhuis werd opgenomen. Er stond juist een verlengd weekend voor de deur, zodat Erik met Bennie zat opgescheept. Die betreurde het wel dat zijn moeder zich beroerd voelde, maar kon toch niet verhelen dat hij het dagelijks bezoek bijzonder op prijs stelde. Want Bennie had iets met ziekenhuizen, misschien omdat hij er als kind zoveel tijd in had doorgebracht. Hij hield ervan door die lange gangen te dwalen, in kamers naar binnen te loeren, de pasgeborenen van achter glas te bekijken, en dokters en verpleegsters druk heen en weer te zien lopen. Bovendien kon hij moeilijk aan de verleiding weerstaan om naar de hoogste verdieping te klimmen, vanwaar hij de hele omgeving kon overschouwen. Zodra hij weer thuis was, greep hij dadelijk naar zijn kaarten, om er een gigantisch complex mee uit de grond te stampen.

Zijn verzameling was inmiddels aangegroeid tot bijna tweehonderd boeken, aangezien zowat iedereen in de familie en kennissenkring wist dat je hem daarmee een plezier kon doen. Toch hield hij zich aan strikte normen, want toen oma Lisette en opa Jan van hun reis naar Spanje een stel ronde kaarten meebrachten, gaf hij dat meteen terug met de zakelijke mededeling dat hij alleen normale, rechthoekige speelkaarten verzamelde, geen bierviltjes.

'Allé,' stamelde Lisette geschrokken, 'en ik dacht nog: hier zal onze Bennie zeker en vast blij mee zijn.'

Maar hij bleef onverbiddelijk, zodat Jan nu met ronde kaarten whistte. De mooiste boeken gebruikte Bennie niet als bouwstenen, maar bewaarde hij netjes in hun doosje in een kast, om er af en toe met een gelukzalige glimlach naar te zitten kijken. De kleinste verschillen merkte hij dadelijk op en zelfs Erik moest toegeven dat Bennie er heel wat meer vanaf wist dan hij, die na zijn studententijd nog maar zelden kaarten in zijn handen had gehad. Sinds enige tijd deelden Inge en Erik hun bezoekers in twee categorieën in: zij die Bennies collectie niet te zien kregen, en de uitverkorenen. Wie de gelukkigsten waren, was evenwel onzeker, want als Bennie zijn verzameling toch eens te voorschijn haalde, wilde hij ook dat ze grondig en met een oog voor details werd bekeken.

Zonder dat Erik, die zat te lezen, het had gemerkt, was Bennie dichterbij geslopen.

'Is er iets? Je doet zo vreemd.'

Hij spitste zijn oren, alsof hij raadselachtige signalen uit het heelal opving.

'Jij bent toch ook niet ziek, hoop ik.'

'Wat is dat?'

'Hou je niet van den domme, Bennie, je weet toch wel wat ziek zijn is, of niet?'

Maar hij wees naar de luidsprekers die tegen de muur stonden.

'Ha, dát bedoel je,' lachte Erik opgelucht, 'dat zijn The Beatles.'

'De biegels...?'

'Nee, The Beatles, vier beroemde muzikanten uit Engeland.'

Op de draaitafel lag *Sgt. Pepper's Lonely Hearts Club Band*, de eerste LP die Erik ooit van zijn spaargeld had gekocht. Ringo zong juist zijn *A little help from my friends*.

'Waarom vraag je dat? Vind je 't mooi?'

Bennie knikte. Na Stevie Wonders *I just called* had hij geen enkele muzikale interesse meer getoond. Erik legde zijn boek weg en schoof een plaatsje op. Bennie kwam naast hem in de fauteuil zitten en begon waarachtig mee te neuriën.

'Zingen kun je ook al.'

'Ik zing toch niet!' riep hij verontwaardigd, waarna hij opnieuw in stilte luisterde tot de laatste noten waren weggestorven.

'Nog.'

Erik stond op en liep naar zijn platencollectie. Hij had zowat alles van The Beatles.

'Wat wil je horen? Iets van helemaal in het begin of liever van wat later?'

'Van helemaal vroeger,' zei hij zonder aarzelen, 'toen noteboom nog klein was.'

Love me do, *She loves you*, *I want to hold your hand*, *Help!* en *A hard day's night*: Bennie kreeg er maar niet genoeg van en vond ze allemaal even schitterend. Toen de zachte gitaarakkoorden van *Yesterday* weerklonken, kreeg Erik een krop in de keel. Het was duidelijk dat Bennie ook in gisteren geloofde. Misschien, dacht Erik, omdat hij van de toekomst zo weinig te verwachten heeft. Maar waren de voorbije jaren voor Inges zoon dan zo formidabel geweest?

'Bennie,' zei Erik aarzelend, 'luister eens...'

'Dat doen ik toch.'

'Ja, maar ik bedoel naar mij.'

Bennie trok een gezicht alsof hij juist iets vies had doorgeslikt.

'Herinner jij je dat wij vroeger nogal eens ruzie maakten?'

Lusteloos keek hij naar de grond. *Now I need a place to hide away*, zong Paul McCartney.

'En dat ik je dan soms sloeg...' zei Erik met een doffe stem.

'Weet ik niet, hoor.'

'Weet je dat echt niet meer?'

'Komt omdat ik altijd stout was.'

'Niet altijd,' zei Erik, 'maar je was wel een rare vogel.'

'Ik ben toch geen vogel!' protesteerde hij met veel nadruk, terwijl hij zenuwachtig aan zijn pyjamamouw begon te frunniken.

'Ik wil maar zeggen,' ging Erik moeizaam voort, 'dat het soms moeilijk was voor mij om...'

'Die noteboom!' riep Bennie luidkeels en met zijn wijsvinger bezwerend in de lucht, 'dat is een luierik!'

Erik zweeg. Hij voelde zich opeens leeg van binnen en de woorden die hij nog had willen uitspreken, stierven een zachte dood op zijn tong.

'Die slaap maar voort en voort,' zei Bennie, 'terwijl andere bomen al wakker is.' Toen keerde hij zich met een ruk naar Erik en vroeg: 'Hoe komt zo zijt?'

'Wat bedoel je?'

'Die noteboom,' drong hij aan, 'hoe komt nog slaapt?'

Erik ademde diep in en uit. Hij voelde zijn hart tot in zijn vingers kloppen.

'Gewoon omdat hij een beetje trager is dan de andere bomen,' zei hij, 'maar ook veel slimmer.'

Bennie bekeek hem met glinsterende ogen. Er speelde een glimlach om zijn lippen.

'Want zie maar eens wat er met de kersebloesem is gebeurd, en met de seringen.'

'Die is allemaal kapotgebreviesd!'

'Juist. En binnenkort staat de noteboom volop in bloei, terwijl de andere bomen...'

'Geen bladeren hebt!' viel Bennie in.

'Zo is het.'

'Wat een slimmerik!' glunderde hij, waarna hij waarachtig van pret begon te kraaien.

'Wil je nog iets van The Beatles horen?' vroeg Erik. 'Ik heb nog veel platen.'

Aan zijn gezicht te zien liever niet.

'Is wel mooi,' zei hij, 'maar genoeg geluisterd, straks is al mijn herselen opgebruikt.'

'Dan is het nu tijd om te gaan slapen.'

Zonder morren stond Bennie op en liep naar de badkamer. Drie minuten later ging de deur weer open en zwaaide hij Erik van op een afstand goeienavond.

'Slaapwel, Bennie, tot morgen. En niet te hard snurken, hé!'

'Dat doen ik nooit!'

'Dag.'

Erik nam zijn boek vast, maar al na een tiental regels legde hij het weer weg. Hij dacht aan Inge in haar ziekenhuisbed. Als alles goed ging, was ze over enkele dagen weer thuis.

Even overwoog hij op zijn dooie gemak een pornofilm te bekijken, maar dan schoot hem de advertentie te binnen die hij een paar weken geleden uit een krant had geknipt. Hij drukte de pauzetoets van de platenspeler in, draaide het telefoonnummer en wachtte met kloppend hart. Toen hij een zwoele vrouwenstem 'hallo' hoorde hijgen, legde hij onmiddellijk de hoorn in. Hij liep naar de buffetkast en goot zich een royale whisky in, waarvan hij meteen een flinke slok nam. Daarna liet hij de naald opnieuw in de groeven zakken.

We can work it out, we can work it out, zongen Lennon en McCartney.

Nu Hongarije de grens had ontsloten, leek er geen eind te komen aan de stroom Oostduitse vluchtelingen. Het communisme, waarmee ook Erik in zijn studentenjaren een tijdlang had gedweept, had afgedaan, zoveel was zeker. Had het eigenlijk ooit gefunctioneerd? Als alles van iedereen is, is niets van iemand, en dat is tegennatuurlijk, want mensen blijven individualisten. En hypocrieten. Terwijl de genadeloze executies in China, na de mislukte opstand, de westerse wereld deden huiveren van afschuw, ging de economische samenwerking met de bloedrode republiek gewoon door, alsof er geen vuiltje aan de lucht was. Principes waren goed zolang ze geen geld kostten. Ziedaar de ethiek van onze tijd, dacht Erik.

Niet dat het hier allemaal rozegeur en maneschijn was, dat had hij gisteren nog maar eens ondervonden. Nog voor hij één stap in zijn klaslokaal had gezet, had de directeur hem in zijn bureau geroepen. Hij had hem vriendelijk verzocht plaats te nemen en hem zelfs koffie aangeboden, hoewel het belsignaal ieder moment het begin van de lessen kon aankondigen.

'Ik ben bang, mijnheer Taelman, dat ik minder prettig nieuws voor u heb.'

Erik fronste de wenkbrauwen, terwijl hij in spanning afwachtte.

'Het zit namelijk zo,' begon de directeur zalvend, 'u weet dat onze school onlangs is gefuseerd met twee andere instellingen?'

Erik knikte traag, hij voelde opeens uit welke hoek de wind waaide.

'Welnu, door een nieuwe maatregel van de regering kunnen boventallig geworden regenten, althans binnen dezelfde scholengemeenschap, de uren van niet-vastbenoemde licentiaten opeisen.' Even laste de directeur een pauze in die als een lege tekstballon boven zijn bureau zweefde. Toen vulde hij de woorden in: 'En u bent helaas maar tijdelijk aangesteld.'

'Wat betekent dat ik kan opstappen,' zei Erik toonloos.

De directeur leek opgelucht dat zijn ex-leraar Nederlands zo vlug van begrip was.

'Het spijt me oprecht,' zei hij, 'maar als u indertijd zelf geen half lesrooster had aangevraagd, wie weet, misschien dat er dan nu toch enkele uren over waren gebleven.'

Aan de universiteit willen ze mij niet omdat ik een doctoraat heb, dacht Erik, en nu moet ik plaats ruimen voor iemand met een lager diploma. Leve de democratie! Onwillekeurig schoot hij in de lach.

'U neemt het sportief op, moet ik zeggen,' monkelde de directeur.

'Wanneer gaat mijn ontslag in?'

De glimlach van het schoolhoofd verdween weer.

'Wel, heu, vanaf nu, vrees ik.'

Erik schrok. Dit had hij niet verwacht.

'Misschien kunt u best meteen even langs het secretariaat lopen,' ging de directeur voort, ditmaal op een formeel toontje, 'daar zullen ze uw formulieren dadelijk in orde maken.'

'Het zou me niet verwonderen als ze al klaar lagen,' grijnsde Erik.

Hij wilde allang weg uit het onderwijs, maar niet op deze manier. Niet als een verliezer. Toen hij het secretariaat binnenkwam, bleek hij niet het enige slachtoffer van de nieuwe regeling te zijn. Er waren nog acht wachtenden vóór hem.

En nu zat hij al meer dan een uur in het VDAB-kantoor*, tussen een punker met haar dat als een scheerkwast overeind stond en een oudere man op pantoffels die de ene sigaret na de andere opstak.

'Taelman!'

De volgende patiënt, dacht Erik. Hij stond op en liep de bediende achterna. Die nam plaats achter een computerscherm en werkte plichtmatig zijn vragenlijstje af. Toen ze bij de diploma's waren aanbeland en Erik antwoordde dat hij Doctor in de Letteren en Wijsbegeerte was, viel het geratel op het toetsenbord ineens stil. De bediende keek hem, naar het Erik toescheen, wat argwanend aan.

'Dokter in de wat?'

'In de Letteren en Wijsbegeerte.'

'Juist.'

Zijn vingers bleven echter onbeweeglijk op de zijkant van het klavier rusten, terwijl hij over iets leek na te denken.

* Vlaamse Dienst voor Arbeidsbemiddeling

'Wacht even,' zei hij toen, waarna hij zich omkeerde, een lijvig dossier uit de kast greep en er verwoed in begon te bladeren. Maar wat hij zocht, stond er blijkbaar niet in. Hij nam de hoorn van de telefoon, drukte een knopje in en vroeg of Rita wilde komen. Even later verscheen er een bleek, mager meisje in de deuropening.

'Mijnheer hier is Doctor in de Letteren,' zei de bediende, met een hoofdknikje in Eriks richting, 'hebben wij daar eigenlijk een code voor?'

Rita trok grote ogen en antwoordde dat ze zo'n geval nog nooit was tegengekomen.

'Tja, wat doen we daar dan mee?' zuchtte de man, terwijl hij Erik zijdelings bekeek.

'Rangschik mij maar bij de licentiaten,' zei Erik, waarna het gezicht van de bediende opklaarde, want dat codenummer kende hij van buiten. Enkele ogenblikken later vulde het gekantelde computerscherm zich met namen, adressen en data, waaruit de ambtenaar er na enig zoekwerk een paar uitviste.

'Hier zie, een interim van twee weken in een technische school, interesseert u dat?'

Daar gaan we weer, dacht Erik. Voor geen geld wilde hij nog op die mallemolen springen. Dan nog liever de noodrem.

'Luister eens,' zei hij, 'ik zou het een tijdje als free-lance publicist willen proberen, kan dat?'

Even had Erik het gevoel dat niet hij, maar iemand anders die woorden eruit had geflapt.

'Dat had u wel wat eerder kunnen zeggen,' mompelde de man, lichtjes geïrriteerd, ''t had ons allebei tijd bespaard.'

Erik zei dat het hem speet en herhaalde zijn vraag.

'U moet dan wel zelfstandige worden.'

'En als het niet lukt?'

'Kunt u opnieuw gaan stempelen, tenzij u de proeftermijn van zes jaar hebt overschreden,' antwoordde de beambte, alsof hij het voorlas uit een boekje.

Zo lang zou het vast niet duren voor hij wist of hij een fatale vergissing had begaan, veronderstelde Erik.

'Schrap mij maar als werkzoekende,' zei hij, 'voorlopig althans.'

Iets waaraan de bediende met één enkele toetsaanslag voldeed.

'Bent u zeker?' vroeg de computer.

Neen, dacht Erik, in de verste verte niet.

Of hij helemáál gek geworden was, wilde Inge weten, en waarvan ze nu moesten leven.

'Toch niet van die paar artikels, die op de koop toe altijd veel te laat worden uitbetaald?'

Maar Erik bleef erbij dat hij er ten minste tweemaal zoveel zou kunnen schrijven en dat hij ook op zoek zou gaan naar correctie- en vertaalwerk. Eender wat, als hij maar niet opnieuw binnen vier klasmuren terechtkwam of dagelijks in de rij moest gaan staan voor een stempeltje. Dat hij werd verteerd door angst nu hij zo opeens op eigen wankele benen stond, hield hij liever voor zich.

Grootvader leek nog alleen uit gewoonte in leven te blijven. Hoewel het mooie weer al wekenlang aanhield, zette hij geen voet buitenshuis, alsof hij bij het meubilair van de kamer hoorde. Spreken deed hij bijna niet meer, behalve wanneer grootmoeder aanstalten maakte om in de tuin te gaan zitten. Want dat zij hem, al was het maar voor enkele uurtjes, aan zijn lot zou overlaten, kon hij niet verdragen. Op die momenten kreeg hij telkens een korte maar hevige hartaanval of een hersenbloeding, soms zelfs allebei tegelijk. Tot hij zijn vrouw ervan had overtuigd dat ze geen stap van z'n zijde mocht wijken. Daarna kroop hij weer onder zijn zakdoek en zweeg als het graf.

'Een echte tiran!' snauwde grootmoeder. 'Maar dat hij niet denkt dat ik naar zijn pijpen blijf dansen.'

'Wat ga je dan doen?'

Die vraag scheen haar even in verwarring te brengen. Ze trok haar voorhoofd in diepe rimpels en maakte langzame kauwbewegingen, alsof ze de woorden die op haar tong lagen eerst wilde proeven. Zou ze ze inslikken of uitspuwen?

'Als ik een paar jaar jonger was, vroeg ik een scheiding aan!'

Erik grinnikte. Grootmoeder was tweeëntachtig.

''k Ben ermee getrouwd,' mijmerde ze, 'omdat hij de enige was die van mijn lijf kon blijven, want ik was toen een pront meiske.'

Ze staarde met glazige ogen voor zich uit en even vreesde Erik dat ze weer afgleed naar die spookachtige wereld van haar.

'Behalve toen in die kolenkelder,' glimlachte ze geheimzinnig, 'mens, toen ging hij nogal tekeer.'

'Welke kolenkelder?'

Daar had ze nog nooit iets van gezegd. Enkele tellen bleef het stil. Daarna scheen grootmoeder uit een droom te ontwaken.

'Och, niks,' zei ze, terwijl ze met haar hand een ingebeelde vlieg wegjaagde, ''t is allemaal zo lang geleden.'

En straks is het te laat, dacht Erik. Al die beelden, woorden en herinneringen die in een mensenhoofd zitten opgesloten, zouden op een dag voorgoed verdwijnen. Tenzij ze werden doorgegeven.

'Welke kolenkelder?' herhaalde hij voorzichtig. 'Was dat tijdens de oorlog?'

Grootmoeder keek hem aan met ogen waarin nu toch, heel ver weg, een vlammetje flikkerde.

'De hele tijd hoorden we het gebrom van de vliegtuigen,' zei ze, 'en soms, als er in de buurt een bom ontplofte, viel de kalk van de muren en van het plafond. Maar ons kon niets gebeuren...'

Erik keek naar grootvader, die in de fauteuil te slapen lag. Zijn hand schudde en beefde zonder ophouden. Ze kon ieder moment van zijn dunne arm afbreken en als een spin met lange, spichtige poten over de vloer voortkruipen.

'En zie dat daar nu maar liggen,' zuchtte grootmoeder, 'een hoopje ellende, meer niet.'

Waarna ook zij in een suffe zwijgzaamheid herviel.

Toen Erik thuiskwam, zat Inge in bikini van het uitzonderlijk mooie weer te genieten. Ze had haar stoel in de schaduw van de sneeuwbes gezet.

Die struik groeide en bloeide dit jaar als nooit tevoren.

– 1990 –

'SLECHT NIEUWS,' ZEI VAN DIJCK, 'Vercammens tweede vrouw is er nu ook vandoor.'

'Is dat slecht nieuws?' lachte Erik. 'Dat bewijst alleen maar wat voor een onmogelijke vent hij is.'

'Ja, dat wel, maar daar gaat het niet om.'

Erik drukte de hoorn vaster tegen zijn oor.

'Ik luister.'

'Nu hij weer alleen zit, heeft hij het blijkbaar in zijn hoofd gehaald om...'

'Zeg dat het niet waar is!'

'Toch wel,' zuchtte de advocaat, 'hij wil opnieuw het hoederecht over zijn zoon hebben.'

Erik vloekte dat het kletterde en trok hiermee Inges aandacht. Ze kwam dichterbij en keek hem bezorgd aan.

'Dat is pure kloterij!'

'Dat denk ik ook, ja.'

'En kan dat zomaar, na al die jaren en na die verklaring die hij ooit heeft ondertekend?'

'Die wil hij nu herzien,' zei Van Dijck, 'alleen is Bennie ondertussen oud genoeg om ook een woordje mee te spreken, dacht ik zo.'

'Je meent het!' grijnslachte Erik.

'En waarom niet?'

'Maar Leo, hij is in staat om er van alles en nog wat uit te flappen naargelang van zijn *gezindte*.'

'Van wat?'

'Och, niks,' zei Erik wrevelig, 'nee, ik weet echt niet of dat zo'n goed idee is.'

'Toch geloof ik dat we dat risico moeten nemen,' hield Van Dijck vol, 'als Bennie zelf voor jullie kiest, dan staan we sterk.'

Erik kreeg een onbehaaglijk gevoel. Hij twijfelde er geen ogenblik aan dat Bennie liever bij Inge was – over zijn vader sprak hij bijna nooit meer – maar hoe dacht die knaap eigenlijk over hém? Daar had hij nog altijd het raden naar en nu was het uur der waarheid vlakbij.

'Ik heb al contact gehad met de sociaal werker die door de rechtbank is aangesteld,' ging Van Dijck voort, 'en die is bereid Bennie erover aan te spreken in het bijzijn van een paar opvoeders, zodat de jongen wat meer op zijn gemak is.'

'Je begrijpt dat ik zoiets eerst met Inge moet overleggen.'

'Natuurlijk, maar wacht niet te lang, want dat is alleen in het voordeel van de tegenpartij.'

Inge nam het merkwaardig kalm op en was dadelijk voor het idee gewonnen. Zo zeker was ze ervan dat Bennie bij haar wilde blijven.

'Dat geloof ik wel,' zei Erik, 'maar ik ben er ook nog.'

'Wat bedoel je?'

'Dat ik er helemaal niet van overtuigd ben dat hij ook voor *mij* zal kiezen.'

Inge trok deze keer haar beide wenkbrauwen op en wuifde zijn opmerking hooghartig weg. Was zij er dan echt zo gerust in?

's Avonds waren er in het journaal beelden te zien van Duitsers die aan weerskanten de gehate Muur te lijf gingen met alles wat ze konden vastkrijgen: hamers, bijlen, stukken steen en ijzeren staven. Sommigen gebruikten zwaar materieel en slaagden erin hier en daar brede bressen te slaan. Wenend en lachend vielen de herenigde *Brüdern und Schwestern* elkaar in de armen. Maar Erik vroeg zich af of de muur in hun gedachten zich ook zo vlug zou laten slopen.

De vesting waarin Bennie zich al die tijd had verschanst, had Erik eerst met list en daarna met geweld proberen in te nemen, maar ook dat was niet gelukt. Nooit was hij verder dan het portaal geraakt en meer doen dan zijn arm door het traliewerk steken, kon hij niet. Het was nu aan Bennie om zijn hand te drukken of ze te weigeren. Ongeveer tien jaar leefde hij met die jongen samen, en wat wist hij eigenlijk over hem? Over die stille, in zichzelf gekeerde wereld waarin hij als een dromerige Narcissus, tegen wil en dank, naar zijn eigen spiegelbeeld zat te kijken?

's Nachts woedde een verschrikkelijke storm rondom het huis. Als een ontketende oerkracht rukte de wind aan bomen en daken, en soms leek het of de muur waarachter de slaapkamer lag ieder moment uit zijn voegen kon barsten. De vensterluiken rammelden en trilden dat horen en zien erbij verging, en soms kon Erik door het lawaai heen duidelijk het schrapende geluid van losliggende dakpannen opvangen. De orkaan die enkele dagen geleden zowat het hele land had geteisterd, had in het dorp enkele woningen onthoofd en één boerderij bijna met de grond gelijk gemaakt. Het huis waarin Erik en Inge woonden, was oud en ditmaal stond de wind pal op de achtergevel, die op sommige plaatsen scheurtjes in het metselwerk vertoonde. Erik had er allang iets aan moeten doen, maar wie verwacht hier zulke stormen? Het gehuil van de wind werd angstaanjagend. Inge kroop nog wat dichter tegen Erik aan en hij legde beschermend zijn arm om haar heen. Alles wat ze konden doen, was schuilen bij elkaar en hopen dat de muur het ook deze keer niet zou begeven.

Eerst ging het bed aan het zweven. Het vloog met een duizelingwekkende snelheid door ruimte en tijd, en streek dan geluidloos neer in een oud stadje, waar de mensen zich als zwijgende schaduwen traag voortbewogen. Allen hadden een angstaanjagend gezicht, bleek als de dood. Toen gingen overal de lantaarns aan en uit, en heel langzaam kwam vanuit een donkere straat een zwarte auto met verblindende koplampen gereden. Het stadje vulde zich met mist en de grond lag opeens bezaaid met gedroogde bonen. Uit een afhellend steegje rolde heel langzaam een goudkleurige staaf, die met een knisperend geluid de bonen verpletterde en vervolgens tegen een gevel tot stilstand kwam. Dan zwaaide het portier van de zwarte limousine open en verscheen een heer in smoking en met een hoge hoed.

‘Kunt gij daar nu aan uit?’ vroeg grootmoeder, nog helemaal van de wijs.

Erik schudde nadenkend het hoofd. Haar verhaal leek pure poëzie, maar voor haar was het een verschrikking.

‘Je weet toch wie ik ben?’

Grootmoeder bekeek hem ongelovig, alsof ze hem die vraag een beetje kwalijk nam.

‘Wat zou ik u niet kennen?’ mompelde ze. ‘Gij, mijn petekind!’

Gisteren nog herkende ze niemand meer, zelfs haar eigen dochter niet. Haar kleine wereld was opeens in een raadselachtig kluwen van stemmen, kleuren en vormen veranderd. De dokter had haar ijlings naar het ziekenhuis laten voeren, waar ze een lichte hersenbloeding constateerden. Terwijl ze de hele nacht ogenschijnlijk in een onrustige halfslaap had liggen woelen, had ze de vreemdste hallucinaties gehad.

‘Ge hebt daar geen gedacht van,’ jammerde ze, ‘ik zag van alles en toch wist ik dat het er niet was.’

Straten, pleinen, gezichten en vreemde voorwerpen die door haar verkalkte hoofd spookten en waarvoor ze amper woorden vond. Niets leek nog op zijn plaats te staan, als een puzzel die uit zijn doos was gevallen.

‘Was ik nu maar niet meer wakker geworden,’ verzuchtte grootmoeder, ‘dan was ik ineens van alles verlost geweest.’

‘Zeg zoiets toch niet,’ protesteerde Erik, ‘over enkele dagen bekijk je het weer helemaal anders.’

‘Och, wat weet gij daarvan, gij zijt nog jong.’

Hoe kwam het dan dat hij zich de laatste tijd zo futloos voelde? Nadat hij maandenlang elke dag als een gek aan het werk was geweest – soms aan wel drie, vier artikels of essays tegelijk – tuimelde hij nu in een zwart gat, dat eindeloos diep leek. Hij werd onzeker en had er zelfs al aan gedacht zich opnieuw als werkzoekende te laten inschrijven. Maar Inge had hem ervan weerhouden. Want zo heftig als ze destijds van leer was getrokken tegen zijn ondoordachte inval, zo vastberaden leek ze nu in haar aanmoedigingen om door te zetten. Om harentwille hield hij vol.

Wat niet wegnam dat Erik het allemaal nogal somber inzag. Financieel was hij er fameus op achteruitgegaan en bovendien werden zijn karige honoraria zo onregelmatig uitbetaald, dat hij meer dan eens zijn spaargeld moest aanspreken om uit de rode cijfers te blijven. Maar daar viel alles bijeen nog mee te leven. Wat vooral aan hem knaagde, was dat hij zich steeds meer vragen begon te stellen over wat hij deed. Hij voelde zich een soort schaduwloper die voortdurend achter de anderen aan holde, zonder hoop hen ooit in te halen. Hij verslond het ene boek na het andere, schreef er zo eerlijk en objectief mogelijk over, maar bleef telkens onvoldaan achter. Het leek of hij langs de kant van de renbaan stond, wachtend tot de echte kampioenen voorbijkwamen, om dan buiten de piste een eindje met hen mee te lopen. De lauwerkrans was echter nooit aan hem besteed.

Toen had hij zich opeens Inges opmerking herinnerd en dagenlang had hij op een intrige voor een roman zitten broeden. Allemaal tevergeefs. Wat op papier kwam, was de moeite van het noteren niet waard. Misschien kon hij nog het best bikkelharde porno gaan schrijven, zoiets als *Ik, Jan Cremer* of *Histoire d'O*, seksverhalen met een literair tintje. Daar zou hij, met zijn ervaring, vast en zeker goed in zijn. Hij had gewoon maar zijn dromen neer te pennen. Zoals die van vorige nacht.

Hij liep rond in een kathedraal waarvan één muur volledig was verdwenen; ingestort, zo te zien. De andere waren van boven tot onder versierd met fresco's. Het gebouw was erg verwaarloosd en de wind had er lelijk huis in gehouden. In een zijbeuk stond een bed, waarin een bloedmooie naakte vrouw lag, die hem wenkte. Ze spreidde haar benen en gebaarde dat hij tussen haar knieën moest gaan zitten. Daarna trok ze haar schaamlippen uit elkaar, waarna hij voorzichtig zijn hele hand bij haar naar binnen schoof. Van enige opwinding was echter geen sprake. Alles *gebeurde* gewoon, in een bijna gewijde stilte. Net op het ogenblik dat hij zijn hand wilde terugtrekken, viel een lichtstraal op het gezicht van de jonge vrouw, in wie hij nu opeens Mirjam herkende.

Hij kon zich niet herinneren hoe lang het was geleden dat hij uit een natte droom was ontwaakt.

'Eén, twee, drie, start!'

Inge deed of ze de trekker van een pistool overhaalde en weg waren ze. Zijn tegenstrever ging ervandoor als een pijl uit een boog, maar daar liet Erik zich niet aan vangen. Hij zou, zoals altijd, langzaam op gang komen, tot hij zijn vertrouwde ritme had gevonden. En over enkele minuten zou Bennies tong over de grond slepen en kon hij die haastige sprinkhaan moeiteloos inhalen en achter zich laten. Tegenover de roekeloze kracht van de jeugd stonden immers zijn ervaring en training. En acht kilometer was lang.

De voorbije weken had Bennie alles op alles gezet om zijn conditie en zijn stroeve looptechniek te verbeteren. Het leek of hij opeens zijn lichaam had ontdekt. Inge had telkens naast hem op de fiets gereden om hem aan te moedigen en zijn tijd op te nemen. Tot hij meende dat het grote moment was aangebroken. Hij was vlak voor Erik komen staan, had enkele keren geslikt en terwijl zijn ogen schichtig heen en weer schoten, had hij gevraagd: 'Jij mijn vriend?'

Een Indiaan die een blanke de vredespijp aanbiedt, dacht Erik.

'Natuurlijk ben ik jouw vriend.'

'Wij dan samen lopen?' Maar nog voor Erik kon antwoorden, voegde hij er amper verstaanbaar aan toe: 'Om ter eerst?'

Bennie die iemand uitdaagde voor een wedstrijd, het was weer eens iets anders. Erik had hem plechtig de hand gedrukt en toen hadden ze een dag en een uur afgesproken.

'Maar 't is niet omdat ik nu zijn vriend ben,' had hij later tegen Inge gezegd, 'dat ik hem ga láten winnen.'

Waarna ze hem had gevraagd of hij er dan zó gerust in was.

En nu liep die snotaap al zeker tien meter voorop en nog vertoonde hij geen enkel teken van vermoeidheid. Integendeel, hij keek geregeld om en leek daarna telkens zijn snelheid weer wat op te drijven. Dat houdt hij geen kilometer meer vol, dacht Erik, die nog lang niet aan zijn maximum zat. Maar een stapje erbij kon alleszins geen kwaad. Hij moest hem ook niet te veel ruimte geven, dat zou zich straks kunnen wreken. Even later zat hij Bennie vlak op de hielen, een inspanning die hem heel wat adem en zweet had gekost. Misschien zelfs net iets te veel, want door zijn borstkas schoot een pijnlijke kramp die hem naar lucht deed snakken. Een beetje gas terugnemen zou ongetwijfeld het beste zijn, of hij raakte straks de heuvel niet meer op. Daar zou Bennie zich vast en zeker tegen te pletter lopen, en wanneer hij zijn inzinking kreeg, moest Erik klaar zijn om toe te slaan. Hard en onverbiddelijk.

Hij keek naar de figuur die een tweetal meter vóór hem holde. Neen, dat was die sukkelachtige, amechtige Bennie van vroeger niet meer. De jongen had karakter gekregen. Zijn voeten raakten de grond trefzeker en met een vaste regelmaat. Er was in hem een loper ontwaakt, één die bovendien *wilde* winnen. Waarom zou hij hem dat pleziertje niet gunnen?

Omdat het een belediging zou zijn, nu ze beiden eindelijk vanaf dezelfde startlijn waren vertrokken. Bennie verdiende eervol als eerste over de eindstreep te komen of meedogenloos te worden verslagen. Al de rest was flauwekul, uitgedacht door sentimentele zielen die meenden dat gehandicapten tengere kasplantjes zijn die liefdevol moeten worden doodgeknuffeld. En daarbij, Bennie zelf had ook nooit iemand gespaard als het erop aankwam. Al was Erik onlangs toch nog geschrokken van de ontwapenende oprechtheid waarmee hij die sociaal werker te kennen had gegeven dat hij, hoe dan ook, bij zijn moeder bleef wonen. En ja, ook bij 'die rare Erik', had hij er na wat insisteren aan toegevoegd.

'En wat als mijnheer de rechter daar anders over denkt?' had de sociaal werker voorzichtig gevraagd.

'Wie is rechter?'

'Iemand die zegt waar kinderen het best kunnen wonen.'

Bennie had even nagedacht en toen geantwoord: 'Daar trek ik mij niets van aan. Die kan de boom in!'

'En je vader?' had de man plichtmatig aangedrongen. 'Hoe zit het daarmee?'

Met een gezicht hard als staal had Bennie geantwoord dat die voor zijn part *tegen* een boom mocht knallen, zolang het tenminste geen noteboom was. Hij reed trouwens toch altijd veel te hard, had hij nog gezegd, en dat was ongezond en niet goed voor het milieu. Alhoewel de sociaal werker die uitspraak enigszins had afgezwakt in zijn verslag, volstond ze om Vercammen te doen afzien van verdere gerechtelijke stappen om de hoede over zijn zoon te krijgen. Zelfs zijn bezoekrecht hing hij aan de kapstok, nu Bennie zijn kaarten zo open en bloot op tafel had gelegd. Van Dijck triomfeerde. Hij had gepokerd en gewonnen. En Inge herhaalde dat ze haar zoon niet zou hebben tegengehouden indien hij zijn vader had verkozen, iets waarvoor ze echter geen moment had gevreesd.

Daar kwam de heuvel in zicht. Nu of nooit. Erik veegde het zweet uit zijn ogen, klemde zijn kaken opeen en spande zijn spieren voor de korte maar steile klim. Hij begon geconcentreerd te tellen: hop-één-twee, hop-één-twee, het leek een belachelijk middeltje, maar het hielp. Ook al moest hij tot het uiterste gaan, hij wilde als eerste boven zijn. Bennie zou zijn overwinning niet cadeau krijgen.

Toch scheen ook zijn tegenstrever het strategische en psychologische belang van die molshoop in te zien, want als een gems vloog hij de helling op. Maar vlak vóór het topje mistrapte hij zich en schoof op zijn buik enkele meters naar beneden. Hij krabbelde koppig overeind en ging opnieuw tot de aanval over. Erik stond echter al boven, waar het hem opeens begon te duizelen. Had hij zijn krachten overschat? Of was hij uitgerekend vandaag in een wat mindere conditie?

Bennie, die nu op zijn beurt z'n kans schoon zag, stoof de heuvel af en verdween even later achter een dichte rij struiken. Dat was het dan, dacht Erik, die zie ik pas over drie kilometer terug, aan de eindstreep. Hijgend liet hij zich, hop-één-twee, van de ene denneboom naar de andere glijden, terwijl zijn hart tekeerging als een tijdbom die ieder moment kon uiteenspatten. Hoe was het in godsnaam mogelijk? Hij die al jaren driemaal per week oefende, had zich op zijn kop laten zitten door een puber van veertien, die ze bovendien niet allemaal op een rijtje had. Een ongezonde geest in een gezond lichaam. Wat had hij Bennie onderschat! Ik word oud, dacht Erik, maar omdat alleen al het denkbeeld hem afschrikte, duwde hij het vlug weg onder een stapel uitvluchten. Hij ademde diep in en uit, tot zijn hartslag weer min of meer normaal was, en schakelde dan over op een lichtvoetige looppas.

In de verte kon hij Inge en Bennie zien staan. Wat zouden die een lol hebben. Er was niet eens een sprintje nodig geweest om hem te kloppen. Hij deed nog een laatste krachtsinspanning, tot aan de finish, waar hij door Inge welgeteld twee minuten en vijfendertig seconden na Bennie werd afgevlagd met een grote, witte handdoek die ze daarna over zijn schouders drapeerde. Bennies hoofd had de kleur van een overrijpe tomaat en zijn beide knieën waren geschaafd. Maar hij glunderde als nooit tevoren. Die brede glimlach op zijn anders zo gesloten gezicht verzoende Erik bijna met zijn nederlaag. Dit was een tot nu toe onbekende Bennie, één die al lopend uit zichzelf was gebroken. Erik stapte op hem toe met uitgestoken hand.

'Proficiat, kampioen, je bent te snel voor mij.'

Alleszins vandaag toch, dacht hij erbij.

'Jij niet boos?' vroeg Bennie, een beetje ongerust.

'Helemaal niet, waarom zou ik boos zijn?'

'Ziet wel ik kunt!' riep hij trots naar Inge, waarna hij als een driest veulen in de tuin verdween.

'Je hebt hem dus tóch laten winnen?' glimlachte Inge.

Erik bekeek haar een beetje argwanend. Wilde zij hem misschien een waardige uitweg uit een beschamende nederlaag bieden?

'Denk dan maar gauw wat anders,' zei hij, 'ik kon hem gewoon niet bijhouden.'

In de tuin zagen ze Bennie met zijn gezicht vlak tegen de stam van de noteboom staan, terwijl hij zijn handen liefkozend langs de schors liet glijden. Toen hij hen bemerkte, klemde hij geschrokken zijn lippen op elkaar.

'Voilà,' zuchtte Erik, 'nu weet zelfs de noteboom dat ik heb verloren.'

'Troost je,' zei Inge, 'dié zal het vast niet voortvertellen.'

Eerst waren het maar een paar bloedvlekken. Wat later kwam hij zakdoeken te kort. Dat kon niet meer van een bloedneus zijn, zoals hij grootmoeder dagenlang had wijsgemaakt. En waarvoor hij altijd zoveel schrik had gehad, werd plotseling werkelijkheid: op een middag stond er voor de deur een ambulance met een zwaailicht. Maar om op een draagberrie te gaan liggen was hij te trots. Tussen twee verplegers in daalde hij traag en bibberend over heel zijn mager lijf de trap af waarop hij al jaren geèn voet meer had gezet. Dat het de laatste keer zou zijn, scheen hij zelf ook te beseffen.

Een aparte kamer wilde hij niet, want alleenzijn had hij nooit goed kunnen verdragen, en dus kwam hij op een zaaltje van de geriatrische afdeling terecht, in het gezelschap van drie andere oude mannen. Eén lag hele dagen te snurken of naar het plafond te staren, een tweede vertelde voortdurend grappen waar niemand echt naar luisterde en die alleen hem aan het lachen maakten, en de derde kreeg men maar niet aan zijn verstand gebracht dat hij niet in de lavabo mocht pissen. Die laatste was een kolossale vent in een knalgele pyjama met veel te korte broekspijpen. Hij ontving iedere dag bezoek van zijn tenger vrouwtje dat enkele kamers verder lag. Samen liepen zij dan schuifelend, hand in hand, door de gang, alsof ze een wandeling maakten in een of ander straatje uit hun jeugd. Ze zwaaiden en lachten naar de bezoekers en de verpleegsters die hen passeerden, tot ze te moe werden en ieder naar zijn stoel of bed terugkeerde.

Grootvader deed ook daar niet mee. Hij legde een zakdoek op zijn hoofd, schoof zijn pet naar voren en sloot koppig zijn ogen. 's Anderendaags wilde hij met alle geweld een zonnebril hebben, omdat hij het licht dat door de reusachtige ramen naar binnen viel niet kon verdragen, zei hij. Toen hij ook die nog opzette, was het iedereen wel duidelijk dat daar iemand lag die liever met rust werd gelaten.

De eerste serieuze bloeding kwam als een dief in de nacht. Grootvader werd van het zaaltje gehaald en apart gelegd. Een transfusie hielp hem er weer bovenop nog voor het buiten licht werd.

''k Dacht dat het ermee gedaan was,' zei hij opgelucht, toen ze hem opnieuw bij de anderen brachten.

Maar de familie moest zich geen illusies maken, zegden de dokters, want vlak boven zijn longen, dicht tegen de luchtpijp, hadden ze een groot kankergezwel gevonden, en als dat openbarstte... Opereren had geen zin meer op die leeftijd, er was trouwens weinig kans dat hij de ingreep zou overleven.

Nog diezelfde dag kwam de tweede bloeding – je zag hem met de minuut bleker worden – en hij werd naar een eenpersoonskamer overgebracht. Om er ongestoord te kunnen sterven.

Hij lag daar nog maar pas of er werd al op de deur geklopt. Een onbekende man met een kruisje op zijn revers en een bijbel in de hand. Of hij het sacrament der stervenden kon komen toedienen? Voor iemand iets had kunnen antwoorden, stond hij al naast het bed en toverde uit zijn jaszak een flesje en een zilverkleurig doosje te voorschijn. Grootvader, die niet scheen te begrijpen wat er gebeurde, had nog altijd zijn pet op, maar die werd hem nu zonder omhaal van het hoofd gerukt. De aalmoezenier begon heiligen te aanroepen, terwijl hij de stervende overvloedig zalfde met olie. Juist op het moment dat het *In de Naam van de Vader, de Zoon en de Heilige Geest* weerklonk, waarop het onvermijdelijke *Amen* moest volgen, draaide grootvader zich met een achterdochtige blik naar de aalmoezenier en zei met een zwakke stem: 'Wablieft?' En daarna wilde hij weten waar zijn *klak* was gebleven.

De aalmoezenier schrok zichtbaar, keek iedereen die rond het bed stond enkele ogenblikken verbaasd aan en zei toen: 'Wat vraagt hij nu? Ik geloof dat ik hem verkeerd heb verstaan.'

'Zijn klak,' zei Erik, 'die hij daarjuist nog op zijn hoofd had.'

'Seffens, hij moet eerst te communie gaan.'

Onder het prevelen van de geijkte woorden haalde de aalmoezenier een hostie uit het zilveren doosje en hij hield ze vlak voor de mond van grootvader. Toen die geen aanstalten maakte om toe te happen, duwde hij het witte schijfje met zachte aandrang tussen de lippen van de zieke. Grootvader begon opeens gulzige slikbewegingen te maken en wees naar het tafeltje naast het bed. De aalmoezenier keek opnieuw vragend en ditmaal ook een beetje geërgerd om zich heen.

'Drinken,' zei Eriks moeder, 'vader wil drinken, zijn lippen zijn droog van de koorts.'

'Eerst de communie, dán drinken,' klonk het afgemeten en voor de tweede keer tikte het Lichaam van Christus ongeduldig tegen grootvaders gebit, dat koppig gesloten bleef.

Het was alleen uit eerbied voor zijn katholieke familie dat Erik de aasgier die ongevraagd bij het bed van de stervende was neergestreken niet aan de deur smeet. Hij duwde hem slechts opzij om grootvader de beker aan te reiken. Neemt en drinkt, dacht Erik, en daarna gaf hij hem met een plechtig gebaar zijn pet, die hij dadelijk weer opzette. Erik herinnerde zich de tijd waarin zowat heel zijn familie zich van hem had afgekeerd omdat hij met Inge wilde gaan samenwonen. Maandenlang was hij thuis niet meer welkom geweest, behalve bij zijn grootouders, die zelfs toelieten dat hij in het geheim met haar bij hen overnachtte wanneer Eriks ouders op reis waren.

'Maar zie dat ge niks verdachts achterlaat, hé,' zei grootvader op een samenzweerderig toontje, vóór ze 's morgens de deur achter zich toetrokken, 'want als ze het te weten komen, zal 't er nogal tegen zitten, denk ik.'

De aalmoezenier gaf zich echter niet gewonnen. Hij liet de zieke verder ongemoeid, maar begon nu hosties rond te delen aan al wie in de kamer was. Eerst kwam grootmoeder, die in haar rolstoel naast het bed zat, aan de beurt, dan Eriks ouders en vervolgens zijn zus. Toen kwam hij in de richting van Erik geschuifeld. Die wachtte tot hij vóór hem stond en zijn hand aarzelend naar zijn gezicht bracht. En terwijl hij hem vlak in de ogen keek, schudde hij heel traag neen. Nadat ook Inge had geweigerd, verliet de zieleherder zonder nog een woord te spreken de kamer.

Grootvader, die nog altijd half rechtop in bed zat, leek iets te willen zeggen. Hij maakte gebaren waar niemand iets van begreep en zijn mond ging open en dicht zonder geluid voort te brengen. Geen veertig kilo woog hij meer, een levend skelet dat niet langer voedsel verdroeg. Toen kwamen, zwak en hees, de woorden die als kleurloze zeepbellen uiteenspatten.

'Het gaat niet meer...'

Moeder sprong op van haar stoel, ging naast hem op het bed zitten en nam zijn bevende hand strelend in de hare. Maar hij herhaalde dat het niet meer ging, en het klonk veeleer als een verontschuldiging dan als een klacht. En nog eens: 'Het gaat niet meer...'

Daarna gleed hij weg in een rusteloze slaap en vulde de kamer zich met het gereutel van zijn ademhaling en het onophoudelijke geknars van dat vervloekte gebit.

Er werd afgesproken elkaar af te lossen, want niemand kon voorspellen hoe lang hij daar zo nog zou liggen.

''t Kan vandaag afgelopen zijn,' zei een verpleegster, 'maar er zijn er ook die het een week of langer volhouden.'

Eriks ouders en zijn zus Linda namen de dag voor hun rekening, hij zou 's nachts waken.

Toen hij 's avonds tegen een uur of tien arriveerde, was er weinig of niets veranderd. Hij had een boek en een leeslampje meegebracht, maar door die klapperende tanden kwam er van lezen niet veel terecht. Soms hield het geluid plotseling op, waarna grootvaders mond openviel en zijn gebit heel langzaam naar beneden schoof, zodat zijn ingevallen gezicht de grijns van een doodskop kreeg. Zijn gesloten ogen hadden zich zo ver in hun kassen teruggetrokken dat ze, in de schemering van het lampje, nog slechts twee donkere gaten waren. Meer dan eens dacht Erik dat dit het einde was en voelde hij zelfs iets van opluchting, maar telkens keerde dat koppige restje leven met een schok terug en kwam die graatmagere borstkas weer in beweging. Op en neer, op en neer. Als een piepende, versleten blaasbalg die tegen beter weten in aan de gang bleef.

''t Is een taaie,' zei de verpleger die af en toe kwam kijken of Erik iets nodig had, 'hij vecht hard tegen.'

En dat bleef hij tot 's ochtends doen en ook de hele verdere dag, en toen het opnieuw donker werd, ging dat gehijg nog altijd door. Een rochelend, zuigend geluid bij het inademen, een amper hoorbare zucht wanneer dat beetje lucht weer naar buiten werd geperst. Erik was 's middags een paar uur gaan rusten, maar in die korte tijd was grootvaders gezicht onherkenbaar veranderd. Zijn wangen kleefden tegen elkaar en zijn mond was niet meer dan een dunne spleet. Pas toen drong het tot Erik door dat er iets ontbrak. Het tandengeknars. Op het tafeltje naast zijn bed stond een glas water en daarin lag zijn gebit, dat nu opeens veel te groot leek, als de kaak van een of ander uitgestorven wezen.

In de kamer hing een bedorven geur en zodra Erik zich over de stervende heen boog, merkte hij waar die vandaan kwam. De lucht die grootvader uitblies, leek uit een vochtige, beschimmelde kelder op te stijgen en toen Erik zijn voorhoofd aanraakte, voelde hij hoe kil en klam het was.

'Ga maar terug naar huis,' zei Linda, 'ik blijf vannacht wel hier.'

Maar op een haast bijgelovige manier had hij het gevoel dat hij dat niet mocht doen.

'Ik blijf ook,' zei hij, en zwijgend zetten ze zich neer, ieder aan een kant van het bed, wachtend op wat komen moest.

Eigenlijk verlangde Erik ernaar dat het nu vlug zou gebeuren en tegelijkertijd schaamde hij zich voor die gedachte, omdat ze zo hardvochtig leek. Maar dat uitgemergelde, reutelende lijf dat zich blééf vastklampen aan het leven was niet langer zijn grootvader, had zelfs niets menselijks meer. Zijn hartslag was nog amper te voelen en zijn voeten waren al helemaal koud. Nog nooit had Erik iemand zien doodgaan en hij vroeg zich af hoe het zou zijn. Hij wilde dat dit nodeloze lijden ophield en soms, als het hijgen en het rochelen weer eens onverdraaglijk werden, voelde hij een vreemde woede in zich opkomen. In stilte schreeuwde hij de stervende toe dat hij er eindelijk mee moest ophouden, dat het verdomme genoeg was geweest, dat hij hen nog gek ging maken met zijn onuitputtelijke levensdrang. Al jaren geleden was hij gestopt met leven, had hij zich afgeschermd van alles en iedereen, met zijn zakdoeken en zonnebrillen, en nu het einde nabij was, kon hij geen afscheid nemen. Maar het volgende ogenblik zat Erik weer met grootvaders magere hand in de zijne en smeekte hij hem zwijgend om vol te houden, om het vooral niet zonder slag of stoot op te geven. Zinloos, alles even zinloos.

Omstreeks middernacht kwam er verandering in zijn toestand en werd hij onrustig. De verpleger gaf hem een kalmerende injectie, maar die scheen de omgekeerde uitwerking te hebben.

'Zijn benen zijn ook al koud aan het worden,' zei hij, 'dit zou wel eens zijn laatste strijd kunnen zijn, bel gerust als er iets gebeurt.'

Grootvader was ooit met zijn motor uit een bocht gevlogen en tegen een muur terechtgekomen. De middelvinger van zijn linkerhand was op twee plaatsen gebroken, maar terwijl hij in het ziekenhuis op de eerste hulp zat te wachten, kreeg hij opeens schrik en ging hij er ijlings vandoor. Zijn vinger was vanzelf weer aaneengegroeid, maar stond daarna zo scheef alsof hij precies in het midden in tweeën was geknakt. En het was die hand die nu van onder de deken te voorschijn kwam en als een benige klauw om zich heen sloeg, om iets of iemand op een afstand te houden, leek het wel.

'Wat doet hij nu?' zei Linda, maar vóór Erik iets kon antwoorden, zagen ze dat grootvader steeds heftiger met zijn hoofd heen en weer begon te schudden, terwijl hij blijkbaar alle moeite deed om iets te zeggen. Erik greep zijn arm vast, maar schrok van de kracht die hij daarin voelde.

'Het is of er aan hem wordt getrokken,' zei hij, zonder precies te weten wat hij daarmee bedoelde.

De ogen van de stervende waren nu open en met een panische angst keek hij naar iets wat zich achter zijn kleinkinderen in de donkerste hoek van de kamer moest bevinden. Licht durfden ze niet aan te doen, uit schrik dat het hem zou verblinden.

Eerst klonk het als een langgerekt gekreun dat eindigde in een doffe zucht, maar toen meende Erik een *n* te horen en daarna een hortende *e*.

''t Is alsof hij neen zegt,' fluisterde Linda ongelovig, en dat was ook wat Erik dacht te verstaan. *Nee, nee, nee*, tientallen keren achter elkaar, alsmaar duidelijker, terwijl nu niet alleen zijn hand, maar heel zijn lichaam zich verzette tegen het geweld dat hem in een draaikolk trachtte mee te sleuren.

Toen, van het ene moment op het andere ging de storm liggen en leek het of zijn uitgeputte spieren zich allemaal tegelijk ontspanden.

'Eindelijk,' zei Linda, 'het spuitje begint te werken,' waarna zij aanstalten maakte om weer te gaan zitten.

Nog een paar keren ging zijn borstkas vluchtig op en neer – toen vlijde, bijna onmerkbaar, de dood zich behaaglijk neer in de zachte kussens van het ziekenhuisbed. Het was precies twee minuten na halfeen. Grootvader haalde nog even zijn schouders op, alsof het hem allemaal niet meer kon schelen, en stak toen traag een blauwe, opgezwollen tong uit. Ongetwijfeld naar het monster dat hem daarstraks vanuit die donkere hoek in de kamer had staan wenken.

'Zal ik de verpleger roepen?' vroeg Linda met een onzekere stem.

'Wacht nog even,' zei Erik amper verstaanbaar.

En met z'n tweeën gingen ze opnieuw zitten, ieder aan een kant van het bed.

Diezelfde nacht noteerde Erik in zijn dagboek: 'Geen zacht licht is het dat uitnodigend glimt aan het einde van een lange tunnel, geen weldoende warmte die je liefdevol omgeeft, maar een kille, lelijke, angstaanjagende grijns die je brutaal aanstaart en dan verstart.'

Het was met een knagend schuldgevoel dat hij achter zijn bureau kroop. In plaats van door te werken aan het essay over *De Quincunx*, dat al lang klaar had moeten zijn, had hij met Inge en Bennie in de Antwerpse dierentuin rondgelopen. Het was ook zo'n prachtige dag geweest en Bennie had het uitstapje dubbel en dik verdiend, want hij was met een uitstekend rapport thuisgekomen. Blijkbaar had hij zijn draai gevonden in de afdeling tuinbouw en ook tijdens de weekends zat hij geregeld met zijn neus in de boeken, op zoek naar namen van planten of struiken die hij in de tuin of tijdens een wandeling had ontdekt. Erik had hem geleerd hoe hij de index moest gebruiken en Inge had hem wegwijs gemaakt in de indeling in hoofdstukken en onderwerpen. Zelfs in de zoo leek hij aanvankelijk meer belangstelling te hebben voor het groen dan voor de dieren. Toen ze echter het rotsachtige en met bomen omringde verblijf van de tijgers naderden, scheen zijn aandacht eindelijk gewekt. De kolossale beesten lagen lui in de namiddagzon en geeuwden af en toe hun tanden bloot. Soms stond er één op, rekte zich, liet een diep gegrom horen en sloop dan op kousevoeten over het betonnen platform, als een acteur die het podium volkomen beheerst.

'En?' zei Erik, 'wat denk je daar zoal van? Dat zijn nogal kleppers, hé!'

Bennie maakte een twijfelachtig gebaar met zijn hand en een hoofdbeweging die het midden hield tussen ja en neen.

'Vind jij van niet?' vroeg Erik.

'Toch wel,' gaf hij aarzelend toe, 'maar de takken van die treurige wilg daar moet *dringend* worden gesnoeid.'

Even leek het of Inge niet meer bijkwam van het lachen.

Bennie liep van hier naar daar, zijn neus achterna, en toen ze opeens voor de kooi van 'Het gekste dier van de Zoo' stonden, was hij het die zich het eerst liet vangen. Benieuwd ging hij tot aan de tralies en keek in de schemerige ruimte daarachter. Recht in de grote gebogen spiegel die zijn verbaasd gezicht misvormd terugkaatste. Verschrikt deed hij een sprong naar achteren. Hij stak zijn handen diep in zijn zakken en droop mokkend af. Erik knipoogde naar Inge, boog zich op zijn beurt voorover, loerde door het traliewerk en riep toen verrast uit: 'Nee maar, wat een mooi dier! En slim dat het eruitziet.'

Bennie spitste zijn oren en scheen zich af te vragen of hij wel goed had gekeken. Weifelend kwam hij weer dichterbij en hij wierp opnieuw een vluchtige blik in de lachspiegel. Daarna werd hij pas echt boos.

'Toe, Bennie,' zei Inge, ''t is toch maar een grapje.'

Maar hij bleef grimmig kijken, terwijl hij met de punt van zijn schoen kiezelsteentjes in het rond schopte.

'Geen goed!' riep hij kwaad. 'Ik vind niks leuk aan.'

'Flauwe.'

'Je wéét toch dat mijn herselen niet tegen kunt,' legde hij mopperend uit, 'zoiets krijg ik héél héél harde koppijn van!'

Sinds hij de röntgenfoto's van zijn hoofd nog eens goed had bestudeerd, was zijn brein de zondebok van alles. Toen hij weigerde nog een voet te verzetten, omdat hij zich tot in het diepst van zijn ziel gekrenkt voelde, vond Inge het welletjes.

'Kom,' zei ze tegen Erik, 'laat hem maar doen, als hij de clown wil uithangen, dan moet hij dat zelf weten.'

Daar had Bennie blijkbaar niet op gerekend. Met de staart tussen zijn benen kwam hij hen achterna en hij begon flemend rond Inge te draaien.

'Mama,' zei hij klagerig, 'je weet ik zijt mentaal gehandicapperd, hé.'

Erik vermoedde dat er achter Inges zonnebril nu een wenkbrauw aan het trillen ging.

'Ja, en dan?'

'Grapjes is slecht voor mijn gezondheid en die Erik lach mij altijd uit.'

'Dat is niet waar, Bennie, en het wordt hoog tijd dat je een grapje leert verdragen.'

'Oh ja? Waarom?'

'Omdat je anders een echte zuurpruim wordt. Dáárom.'

Maar het duurde nog tot in het tropische vogelgebouw, waar het krioelde van slingerplanten en exotische bloemen, vooraleer zijn 'gezindte' weer enigszins op peil kwam. Prachtige serres, vond hij, veel mooier dan in de school. Alleen jammer dat ze zo barstensvol kwetterende en fladderende vogeltjes zaten. Erik durfde niet te vragen of het als grap bedoeld was.

En nu wilde Bennie weten waarom Erik zoveel tijd achter die zwarte tafel doorbracht.

'Dat is geen tafel, maar een bureau, waaraan ik zit te lezen en te schrijven.'

'Sssrijven?'

'Ja.'

'Sprookjes?'

'Dat niet, neen, laten we zeggen: een soort verhaaltjes over boeken.'

Bennie fronste zijn voorhoofd, dacht na en zei toen dat hij dat geen echte verhaaltjes vond, wat Erik eerlijkheidshalve moest beamen.

'Ik kunt wel echte verhaaltjes sssrijven,' pochte Bennie.

'Jaja,' zei Erik, terwijl hij alweer afdwaalde naar de raadselachtige wereld van *De Quincunx*, 'dat wil ik wel eens zien...'

Maar liefst nu niet, dacht hij. Hij nam een potlood, sloeg de zwaarlijvige roman open op het slothoofdstuk en maakte enkele aantekeningen in de marge. Bennie scheen niet van plan op te hoepelen.

'Ik heb het nieuws op TV gebekijkt,' zei hij ernstig.

'Dat is goed.'

'Waarom is goed?'

'Omdat...' Erik keek verstrooid op van zijn lectuur. 'Omdat je dan weet wat er in de wereld gebeurt.'

'De wereld is veel te vuil,' zei Bennie.

'Vuil?'

Hij knikte overtuigd.
'Komt door afval.'
'Ha, dat bedoel je.'
'Ministers moet iets aan doen.'
'Tja...' zuchtte Erik.
'En die Santam Woestijn is ook een slechte.'
'Ja,' zei Erik, 'dat is waar,' terwijl hij vlug enkele zinnen aanstreepte.
'Die kijk altijd lelijk, die kunt zeker tegen geen grapjes.'
'Neen, dat denk ik ook niet.'
'Die vecht altijd.'
Erik smeet zijn potlood neer en ging rechtop zitten.
'Bennie, luister eens, dat is allemaal heel interessant wat jij daar vertelt, maar ik probeer te werken en als jij de hele tijd...'
'En in Afrika hebt de mensen geen eten,' ging hij voort, 'die zult allemaal sterven, is wel erg voor de mensen, maar goed voor de natuur.'
'Bennie! Hoor je niet wat ik zeg?'
Hij hield eensklaps zijn mond, keek Erik doordringend aan en verliet toen verontwaardigd de kamer. Nog geen halve minuut later stond hij er terug.
'Erik, ik zeg nog één ding.'
Nu krijgen we het weerbericht, dacht Erik.
'Vooruit, het allerlaatste dan.'
Hij nam een houding aan alsof hij een plechtige redevoering ging afsteken en zei toen: 'Dees boek van jou kunt de boom in! Saluut!'
Waarna de deur met een klap dichtvloog.
Toen Erik de volgende ochtend zijn werkkamer binnenkwam, lag er een verkreukeld vel papier op zijn bureau. In de op en neer dansende hanepoten herkende hij dadelijk het geschrift van Bennie. Die was hier dus al vóór het ontbijt geweest, alhoewel hij goed wist dat deze plaats voor hem alleen verboden terrein was. Erik nam het blad dat boven op zijn eigen aantekeningen lag en las.

De sprookje van de dieren en de snoeier.

Er was eens een snoeier die staan zeer hoog op de ladder 12 meter hoogte en de naam is Bennie. Mira de poes en Dacky de hond waren zeer boos op elkaar en ik riep Mira niet krappen en Dacky niet bijten en niet te veel kabaal. Daarna werd een beetje erger dan plosteling zeer kwaad tegen elkaar. Ik snoeide duizenden dode en verkeerstaande takken weg dikke en dunne lange en korte takken die dood is. Een slordige rommel uit de noteboom. De echte naam is walnoot of okkernoot staat in de boek. Dacky klimde in de noteboom vlak bij mij. Die zegde goeiendag en ik ook tegen hem. Maar Mira klimde ook in de boom. Oeioei. Mira is een kat met scherpe nagels en Dacky is een bruine hond met lange oren en met grote voeten en met sterke tanden. Toen begonnen heel mooi aan het spelen en werden vrienden. En nu de sprookje voor die rare Erik is uit.

Een hele poos bleef hij stomverbaasd met het blad in zijn handen staan. Bennie die een verhaaltje voor hem had geschreven. Over Mira en over de hond die Erik en zijn vader, een eeuwigheid geleden, in de gietende regen hadden begraven en die Bennie alleen van op foto's kende. En over de vriendschap tussen twee legendarische aartsvijanden.

Erik ging naar Bennies kamer, waar The Beatles volop aan hun *Magical Mystery Tour* bezig waren, en klopte aan. Toen er ook na de tweede keer geen antwoord kwam, deed hij de deur voorzichtig open. Een muur van wel duizend speelkaarten die met kleefband aaneenhingen. En daarachter zat Bennie op de grond, roerloos, de blik op oneindig.

'Bedankt hoor, Bennie,' zei Erik, 'ik vind het een heel mooi verhaal.'

Maar zijn woorden leken niet over het kartonnen bouwsel heen te raken. Ze ketsten erop af en werden in losse letters over de hele kamer verspreid.

'I am the eggman, they are the eggmen, I am the Walrus...' zong John Lennon.

'Bennie?' herhaalde Erik, nu iets luider, maar hij bleef onbereikbaar.

'Goo Goo Goo Joob Goo Goo Goo Joob!' antwoordden de andere Beatles.

Twee dagen later was het zover: Bennie vertrok voor bijna een week naar het ziekenhuis om er te worden geopereerd aan zijn trommelvlies. Hij had voortdurend oorontstekingen en zijn gehoor werd steeds minder goed, zodat je de hele tijd tegen hem moest brullen. Zelf sprak hij alsof hij rondliep met een koptelefoon waarin de laatste hit van *Guns & Roses* dreunde.

'Zal ik daarna ongedoofde oren hebben?' vroeg hij aan Inge, die antwoordde dat het in ieder geval een hele verbetering zou zijn.

'Is dat voor de waarheid?'

'Ja, de dokter heeft het toch gezegd.'

'En zul mijn herselen dan ook beter werken?' wilde hij weten, want hij was ervan overtuigd dat de chirurg tot diep in zijn hoofd zou doordringen.

Inge beet zachtjes op haar onderlip en keek Erik een beetje mistroostig aan, alsof ze bij hem steun zocht voor een leugentje om bestwil. Maar indien ze ja of misschien antwoordde, zou Bennie haar zeker vragen of ze hem niet voor de gek hield, wantrouwig als hij was. En wat dan?

'Neen,' zei ze, 'daar hebben ze helaas nog niets op gevonden.'

Even keek hij beteuterd, maar het volgende moment scheen hij alweer verzoend met het idee dat hij zich als een eenzelvige tuinier een pad door het leven zou moeten wieden.

'Het zou wat zijn...' mijmerde Erik.

'Wat?'

'Stel je voor, een of andere ingreep en hop, van vandaag op morgen een doodgewone, normale Bennie, één als alle andere kinderen.'

Inge glimlachte een beetje mysterieus. Misschien, dacht Erik, vraagt ook zij zich nu af of dat echt wel zo'n verbetering zou zijn. Want Bennie was Bennie. Altijd en overal zichzelf.

's Avonds, na het TV-journaal, sloop Erik naar zijn kamer. Deze keer stond zijn besluit vast, al zou hij er nog over zwijgen tegen Inge. Gedaan met die eeuwige twijfel en met dat vervloekte gepieker over solipsisme en ethiek. Het was zo stilaan welletjes geweest met die intellectuele ballast die hij al veel te lang met zich meesleepte. Dát boek zou hij trouwens toch niet schrijven.

Hij legde een stapeltje papier en een vulpen klaar, opende de lade die hij altijd zorgvuldig op slot hield, en haalde er één voor één negen dikke agenda's met een zwartglimmende kaft uit. Op ieder ervan stond in goudkleurige cijfers een jaartal gedrukt, te beginnen bij 1982. Zo lang geleden al, dacht Erik, terwijl hij zijn oudste aantekeningen begon te doorbladeren. Het gaf een vreemd gevoel. Hier en daar las hij een passage of een losse notitie, en vóór hij het wist, kwam het allemaal terug. De dingen die hij zich nog glashelder herinnerde én die welke hij liever voor altijd zou vergeten. Bij sommige aantekeningen vroeg hij zich af of *hij* het was geweest die ze had neergeschreven. En hoe had hij er ooit aan kunnen twijfelen dat hij met Inge gelukkig zou worden? En met Bennie, die koppige, in zichzelf gekeerde eenzaat die op bijna iedere bladzijde aanwezig was, ook al werd er met geen woord over hem gerept.

Erik schroefde het dopje van zijn vulpen, rook even aan de inkt en drukte toen de punt op het witte papier, als een naald die zachtjes in de groeven van een grammofoonplaat verdwijnt. Hij was benieuwd wat voor melodie hij te horen zou krijgen. Een treurige of een vrolijke? Of allebei tegelijk?

Negen jaar geleden, dacht Erik, waar leek mijn leven toen het meeste op?

Een handicap met vele gezichten

Autisme is het gevolg van een verstoorde hersenwerking. Daarom zijn autistische kinderen niet in staat op een gewone manier om te gaan met mensen en dingen. De oorzaak van autisme is (nog) niet bekend. Wel weet men dat autisme wordt aangetroffen bij alle niveaus van intelligentie en in lichte of sterke mate voor kan komen.

Er zijn ongeveer 10.000 mensen met autisme in Vlaanderen. Dat is te vergelijken met het aantal MS-patiënten, blinden of doven. Toch hoor je veel minder over autisme. Misschien komt dat omdat de stoornis zo moeilijk te herkennen is, want autisme is nergens mee te vergelijken. Het is een ontwikkelingsstoornis. Het kind wordt geboren met een handicap die niet onmiddellijk zichtbaar is, maar die pas langzamerhand duidelijk wordt.

Ergens in ons hoofd is er iets dat ervoor zorgt dat we herkennen wat we zien, horen en voelen. Daar zit als het ware een lijst van waarnemingen en hun betekenis. Dat onzichtbare 'iets' werkt niet bij mensen met autisme.

Door hun tekort hebben deze mensen problemen met waarneming, herkenning en verbeelding. Vandaar dat ze zich op een heel andere manier gedragen. Voor wie aan autisme lijdt, is de wereld immers een grote chaos waar ze liever niet mee te maken hebben. Velen lijken daarom onverschillig, ook omdat hun omgeving voor hen letterlijk niets betekent.

Autisten hebben de grootste moeite om 'taal' te begrijpen en ze ondervinden heel wat problemen met het leggen van contact. Ze zien er op het eerste gezicht vaak erg normaal uit. Toch merk je al gauw dat ze anders zijn als je met ze bezig bent, speelt of praat. Van echt samen iets doen is nauwelijks sprake. Liefst houden ze zich aan vaste gewoonten, wat nogal bizar over kan komen. Veranderingen in hun leefwereld tasten hun vertrouwen aan en een gevoel van onveiligheid kan ze snel in paniek doen slaan.

Autisme is niet te genezen. Wel is door middel van een intensieve begeleiding en het aanbieden van alternatieve communicatiemiddelen de ontwikkeling te bevorderen. Men heeft gemerkt dat door een goed gericht stimuleringsprogramma mensen met autisme zich kunnen blijven ontwikkelen, tot ver in de volwassenheid. Daarbij is individuele aandacht geen luxe, maar een noodzaak.

Om de wereld leefbaar te maken voor mensen met autisme én voor hun directe omgeving, is hulp nodig, blijvende hulp. De Vlaamse Vereniging Autisme is een oudervereniging die opkomt voor de belangen van personen met autisme en verwante stoornissen. Wat ouders willen, is: een degelijke diagnose en goed opgeleid personeel in aangepaste voorzieningen.

De Vlaamse Vereniging Autisme is werkzaam op drie terreinen: ouderwerking; thuisbegeleiding; informatie en actie.

Daarnaast organiseert zij allerlei initiatieven.

VLAAMSE VERENIGING AUTISME
Groot Begijnhof 14
B-9040 Gent
tel.: 09/238.18.18
fax: 09/228.98.79
rekeningnummer 001-2381238-61
tel. Thuisbegeleiding 09/228.18.33

NEDERLANDSE VERENIGING AUTISME
Postbus 1367
NL-1404 BJ Bussum
tel. 02159-31557

Van Koen Vermeiren
zijn bij dezelfde uitgever verkrijgbaar:

Schaduwen Als boekhandelaar Geert Leenders op een dag een meisje ontmoet dat sprekend op zijn overleden vrouw lijkt, maakt deze kennismaking allerlei onverwerkte emoties en herinneringen in hem los. Maar nog vóór hij haar beter kan leren kennen, vertrekt zij op reis en verdwijnt in mysterieuze omstandigheden. Geert besluit haar op te sporen en begint aan een tocht die hem niet alleen naar het Nabije Oosten zal voeren, waar hij zijdelings betrokken raakt bij de Joods-Arabische problematiek, maar ook steeds dieper in zichzelf. En wat hij dáár ontdekt, confronteert hem met een realiteit die hij nooit eerder onder ogen heeft willen zien en waarin idealisme en terreur akelig dicht bij elkaar in de buurt komen. Een wereld van hersenspinsels en schimmen, die in Geerts hoofd een *danse macabre* opvoeren, maar die hem ook fataal in botsing zal brengen met de feitelijke werkelijkheid.

Dood spoor Een dodelijke afrekening, een drama op een kasteel en allerlei onvervulbare verlangens leiden de vier hoofdfiguren één voor één naar hun ondergang. Deze realistische novelle, deels gesitueerd in een herkenbaar Vlaams verleden, maar met gevoelens en thema's van alle tijden, is gebaseerd op waargebeurde verhalen die door een grootvader aan zijn kleinzoon werden verteld.

C.I.P. KONINKLIJKE BIBLIOTHEEK ALBERT I

Vermeiren, Koen

De gek op de heuvel / Koen Vermeiren. – 3de druk. – Antwerpen; Amsterdam: Manteau, 1994. – 256 p.; 20 cm.
ISBN 90-223-1306-9
Doelgroep: Proza
NUGI 300